Jessie Burton

Miniaturiste

Traduit de l'anglais
par Dominique Letellier

Gallimard

Titre original :

THE MINIATURIST

Jessie Burton est née à Londres en 1982. Elle a étudié à l'université d'Oxford avant de devenir comédienne pour le théâtre et la télévision. *Miniaturiste*, son premier roman, a reçu de nombreuses distinctions et s'est vendu à 800 000 exemplaires en Angleterre.

À Linda, Edward & Pip

Maison miniature de Petronella Oortman.
Rijksmuseum, Amsterdam.

Le sigle VOC renvoie à la Compagnie néerlandaise des Indes orientales, dénommée en flamand Vereenigde Oost-Indische Compagnie, soit : Compagnie unie des Indes orientales. Fondée en 1602, la VOC faisait naviguer des centaines de bateaux pour commercer avec l'Afrique, l'Europe, l'Asie et l'archipel indonésien.

En 1669, la VOC comptait 50 000 employés, 60 *bewind-hebbers* (partenaires) et 17 régents. En 1671, les actions de la VOC à la Bourse d'Amsterdam ont atteint 570 % de leur valeur nominale.

Grâce à l'agriculture prospère et à la solidité financière de la République, on dit que les pauvres de Hollande mangeaient mieux que ceux d'Angleterre, d'Italie, de France ou d'Espagne. Les riches mangeaient mieux que tous les autres.

Pillez l'argent! Pillez l'or! Il y a des trésors sans fin, des richesses en objets précieux de toute sorte*.

Nahum 2:10

Lorsque Jésus sortit du temple, un de ses disciples lui dit : « Maître, regarde : quelles pierres et quelles constructions ! »
Jésus lui répondit : « Vois-tu ces grandes constructions ? Il ne restera pas pierre sur pierre, tout sera détruit. »

Marc 13:1-2

* Tous les passages de la Bible sont tirés de ceux qui furent soulignés dans la Bible des Brandt. La traduction française est celle de l'édition Segond 21. (*N.d.T.*)

Vieille Église, Amsterdam,
mardi 14 janvier 1687

Ces funérailles devaient être discrètes, car la personne décédée n'avait pas d'amis, mais on est à Amsterdam, où les mots s'écoulent comme l'eau, inondent les oreilles, nourrissent la pourriture, et le coin est de l'église est bondé. Elle regarde la scène se dérouler, en sécurité depuis une stalle du chœur, tandis que les membres des guildes et leurs épouses encerclent la tombe béante comme des fourmis attirées par le miel. Ils sont bientôt rejoints par des employés de la VOC et des capitaines de navires, des régentes, des pâtissiers — et par lui, toujours coiffé de son chapeau à large bord. Elle tente d'avoir pitié de lui. La pitié, contrairement à la haine, peut être enfermée et mise de côté.

Le plafond peint de l'église — rare élément que les réformistes n'ont pas éliminé — les surplombe. Il a une forme de coque de bateau renversée, miroir de l'âme de la ville. Sur le bois ancien figurent le Christ Juge avec l'épée et le lys, un navire doré qui fend les vagues, la Vierge sur un croissant de lune. Elle relève la vieille miséricorde à côté d'elle et ses doigts effleurent le proverbe sculpté dans le bois. C'est un bas-relief représentant un homme qui chie un sac de pièces, une grimace de douleur gravée sur son visage. Qu'est-ce qui a changé ? se demande-t-elle.

Et pourtant.

Les morts font eux aussi partie de l'assistance : les dalles de pierre au sol dissimulent des corps sur des corps, des os sur de la poussière, empilés sous les pieds des personnes endeuillées. Là-dessous, il y a des mâchoires de femmes, des pelvis de commerçants, les côtes enserrant le torse vide d'un notable autrefois gras. Il y a des corps d'enfants, au fond, certains pas plus grands qu'une miche de pain. Elle ne peut en vouloir aux fidèles d'éviter de regarder ces concentrés de tristesse. Ils se hâtent de dépasser les plus petites pierres tombales.

Au centre de la foule, elle repère celle qu'elle voulait voir. La jeune femme a l'air épuisée, ravagée par la douleur, et elle remarque à peine les citoyens qui sont venus juste pour la regarder. Des hommes remontent la nef, le cercueil aussi léger qu'une boîte de luth sur l'épaule, car ils sont rompus au transport des morts. D'après leurs expressions, on devine que ces obsèques suscitent des réserves chez certains. Ce doit être l'œuvre du pasteur Pellicorne, conclut-elle. Toujours le même vieux poison dans les oreilles.

En règle générale, funérailles et processions adoptent un ordre précis, les édiles municipaux en haut et le petit peuple en bas, mais personne n'a pris la peine de mettre cette hiérarchie en place, aujourd'hui. La femme suppose que jamais un tel cadavre n'a pénétré dans une maison de Dieu au cœur de la cité. Elle apprécie ce rare défi. Fondée sur le risque, Amsterdam aspire désormais à la certitude, à une vie bien rangée, à conserver le confort de son argent en respectant une bienséance morne.

J'aurais dû partir avant ce jour, songe-t-elle. La mort se rapproche trop.

Le cercle des fidèles s'ouvre et le cercueil fait son entrée. Tandis qu'on le descend dans le trou sans plus de cérémonie, la jeune femme s'approche du bord et jette un petit bouquet de fleurs dans l'obscurité. Un sansonnet bat des ailes dans un coin de l'église et dégringole le long du mur blanchi à la chaux. Des têtes se tournent vers lui, distraites un instant, mais la jeune femme ne tressaille pas, ni la femme dans la stalle du chœur. Toutes deux regardent les pétales décrire un arc et flotter vers le fond alors que Pellicorne entonne l'ultime prière.

Les porteurs font glisser la nouvelle dalle en place. Une servante s'avance et s'agenouille. Elle ne parvient pas à retenir ses sanglots et, comme la jeune femme épuisée ne fait rien pour mettre un terme à la scène qu'offre sa servante, un « chut ! » vient souligner ce manque d'ordre et de dignité.

Deux dames en robe de soie, près du chœur, murmurent derrière leurs mains. « Ce genre de conduite est justement la raison de notre présence ici, dit l'une.

— Si elles se donnent ainsi en spectacle publiquement, elles doivent se comporter comme des animaux à la maison, renchérit l'autre.

— C'est vrai, mais j'aurais tant voulu être une mouche sur leur mur ! Bzz bzz... »

Elles étouffent un éclat de rire et, dans sa stalle, la femme remarque que ses phalanges sont blanches à force de serrer la miséricorde.

Le sol de l'église à nouveau scellé, le cercle se dissout. La jeune femme, telle une sainte tombée d'un vitrail de l'église, note la présence des hypocrites qui n'ont pas été invités. Ils se mettent à bavarder en prenant la direction des ruelles sinueuses, et la jeune femme et sa servante, en silence, leurs bras entrelacés, finissent par les suivre le long de la nef, jusqu'au dehors. La plupart des hommes vont retrouver leur bureau ou leur comptoir, parce que garder Amsterdam à flot nécessite de ne jamais relâcher ses efforts. « Notre dur labeur nous a conduits à la gloire, mais la paresse nous renverra dans la mer », dit-on. Et ces derniers temps, la montée des eaux semble imminente.

Sitôt l'église vide, la femme quitte les stalles du chœur. Elle se hâte, redoutant qu'on la découvre. « Les choses peuvent changer », dit-elle, et sa voix résonne contre les murs.

Quand elle trouve la pierre tombale qu'on vient de mettre en place, le granit plus chaud que sur les autres tombes, les mots gravés en creux encore encombrés de poussière, elle constate que le travail a été bâclé. Que ces évènements aient pu se produire devrait être incroyable.

Elle s'agenouille et plonge la main dans sa poche pour achever ce qu'elle a commencé. C'est sa prière à elle : une maison miniature, assez petite pour tenir dans sa paume, neuf pièces et cinq personnages confectionnés avec un art consommé, travaillés hors du temps. Elle place soigneusement l'offrande à l'endroit où elle était destinée à reposer, puis nettoie le nom gravé et bénit d'une caresse de ses doigts rugueux le granit qui refroidit.

En poussant la porte de l'église pour sortir, elle cherche instinctivement des yeux le chapeau à large bord, la soutane de Pellicorne, les femmes enveloppées de soie. Ils ont tous disparu, et elle pourrait être seule au monde, sans le passereau piégé dans la nef. Il est temps de partir, mais la femme tient un moment le battant ouvert pour l'oiseau. Il sent son effort, mais choisit de s'envoler derrière la chaire.

Elle referme la porte sur l'intérieur frais de l'église, tourne son visage vers le soleil et prend la direction des canaux en arc de cercle, vers la mer. Passereau, songe-t-elle, si tu crois que ce bâtiment est un lieu plus sûr, ce n'est pas moi qui te libérerai !

UN

Mi-octobre 1686
Le Herengracht, canal d'Amsterdam

Ne convoite pas ses bons plats :
c'est une nourriture trompeuse.

Proverbes, 23:3

Dehors dedans

Sur le perron de la maison de son nouveau mari, Nella Oortman lève et abat le heurtoir en forme de dauphin, gênée par le bruit qu'elle produit. Personne ne vient, alors qu'elle est attendue. Le moment a été convenu, on a écrit des lettres, celles de sa mère sur un papier bien fin comparé au vélin luxueux des Brandt. Non, ce n'est pas le meilleur accueil, miroir de la cérémonie de mariage éclair le mois précédent — ni guirlandes, ni coupe de fiançailles, ni lit nuptial ! Nella pose sa petite malle et sa cage à oiseau sur la dernière marche. Elle devra enjoliver la scène plus tard, dans sa lettre à sa famille, quand elle aura trouvé le moyen de monter à l'étage, de découvrir sa chambre, de s'asseoir à un bureau.

Quand le rire de bateliers grimpe le long des briques des maisons sur l'autre rive, Nella se tourne vers le canal. Un gamin maigrichon a bousculé une femme et son panier de poissons, contenant un gros hareng à moitié mort qui glisse sur sa large jupe. Le son dur de sa voix de campagnarde fait frissonner Nella :

« Idiot ! Idiot ! » crie la poissonnière.

L'enfant est aveugle. Il fouille la poussière pour

y trouver le hareng échappé, ce porte-bonheur argenté. Ses doigts vifs ne craignent pas de tâtonner. Il le tient. Il glousse de joie et s'enfuit en courant, sa prise dans une main, son autre main traçant sa route sinueuse le long des murs.

Nella l'applaudit en silence et reste face au soleil, sa chaleur rare en octobre, pour en profiter tant qu'elle le peut. Cette portion du Herengracht fait partie de la Courbe d'Or, mais, ce jour-là, le canal est brun et banal. Les maisons qui se dressent sur le quai couleur de boue sont phénoménales. Admirant leur reflet symétrique dans l'eau, majestueuses et superbes, elles sont les joyaux qui font la fierté de la ville. Au-dessus de leurs toits, la Nature s'efforce d'exister, avec ses nuages safran ou abricot, échos des richesses d'une république glorieuse.

Nella se retourne vers la porte, qu'elle trouve entrouverte. Était-ce le cas auparavant ? Elle n'en est pas certaine. Elle la pousse et regarde dans le vide que le marbre rend glacial. « Johannes Brandt ? » appelle-t-elle — fort, un peu inquiète.

Est-ce un jeu ? Je serai encore plantée là en janvier ! se dit-elle. Son perroquet, Peebo, frotte le bout de ses plumes contre les barreaux, son gazouillis discret s'interrompant au contact du marbre. Jusqu'au canal derrière eux qui semble retenir son souffle.

Nella est sûre d'une chose, en scrutant les ombres : on l'observe. Voyons, Nella Elisabeth ! Entre ! se dit-elle, posant un pied sur le seuil. Son nouveau mari la prendra-t-il dans ses bras, l'embrassera-t-il, lui serrera-t-il la main comme à une relation d'affaires ? Il n'a rien fait de tout cela pendant la cérémonie, entouré de la petite famille Oortman, sans un seul membre de sa famille à lui.

Pour montrer que les filles de la campagne ont de bonnes manières, elles aussi, elle se penche et retire ses chaussures — fines, en cuir, ses plus belles, naturellement, bien qu'elle ne voie plus quel but elles servent. *Dignité*, disait sa mère, mais la dignité est si inconfortable ! Elle claque à dessein sa semelle sur le marbre, dans l'espoir que le bruit fera venir quelqu'un, ou peut-être fuir ceux qui l'observent. Sa mère la trouvait trop imaginative et l'appelait Nella-dans-les-Nuages. La chaussure inerte n'a pas l'effet escompté, et Nella se sent idiote.

Dehors, deux femmes s'interpellent. Nella se retourne, mais ne distingue que le dos de l'une d'elles, qui s'en va tête nue, les cheveux d'or, le port dégagé, sous les dernières lueurs du soleil. La coiffure de Nella s'est un peu défaite pendant le voyage depuis Assendelft, et la brise légère qui passe la porte ouverte joue avec les mèches qui s'en sont échappées. Les remettre en place la rendrait plus nerveuse qu'elle ne devrait le montrer. Elle les laisse lui chatouiller le visage.

« Est-ce que nous allons avoir une ménagerie ? »

Une voix affirmée, rapide, émane de l'obscurité. La peau de Nella se contracte, car voir ses soupçons justifiés ne peut empêcher la chair de poule. Elle regarde une silhouette glisser hors de l'ombre, la main tendue — pour protester ou l'accueillir, c'est difficile à dire. C'est une femme, grande et mince, vêtue de noir profond ; sur sa tête, la coiffe blanche est amidonnée et repassée à la perfection. Aucune mèche ne s'en échappe. Elle dégage curieusement une vague odeur de noix de muscade. Elle a des yeux gris et une bouche solennelle. Depuis combien de temps est-elle là, à l'épier ? Peebo se manifeste.

« C'est Peebo, mon perroquet.

— Je vois, dit la femme en la toisant. Et j'entends. J'espère que vous n'avez apporté aucune autre bête !

— J'ai un petit chien, mais il est chez moi...

— Bien. Il abîmerait les pièces. Ses griffes marqueraient le bois. Ces petits chiens sont une lubie des Français et des Espagnols. Aussi frivoles que leurs propriétaires.

— On dirait des rats », ajoute une voix dans l'obscurité.

La femme fronce les sourcils et ferme les yeux d'irritation. Nella l'observe et se demande qui d'autre assiste à cet échange. Je dois être plus jeune qu'elle de dix ans, se dit-elle, mais elle a la peau lisse. La femme s'approche de la porte avec une grâce voulue et assumée, pose un regard approbateur, bien que bref, sur les belles chaussures et passe à la cage, les lèvres serrées. Les plumes de Peebo sont ébouriffées de peur.

La femme a toujours la main tendue et Nella décide de détourner son attention en glissant ses petits doigts dans sa paume ouverte. Ce contact soudain la prend par surprise et elle frémit. « Des os solides, pour vos dix-sept ans, dit-elle.

— Je m'appelle Nella et j'ai dix-huit ans, corrige Nella en lui retirant sa main.

— Je sais qui vous êtes.

— Mon vrai nom est Petronella, mais tout le monde chez moi m'appelle...

— Je vous ai entendue la première fois.

— Êtes-vous la gouvernante ? »

Nella entend quelqu'un pouffer de rire dans l'ombre du couloir. La femme l'ignore et laisse son regard se perdre dans le crépuscule irisé.

« Johannes est-il là ? s'enquiert Nella. Je suis son épouse. »

La femme ne répond pas.

Nella insiste. Il semble qu'il n'y ait rien d'autre à faire qu'insister. « Nous avons signé notre contrat de mariage il y a deux mois, à Assendelft.

— Mon frère n'est pas à la maison.

— Votre frère ? »

Autre rire étouffé dans l'ombre.

La femme regarde Nella droit dans les yeux. « Je suis Marin Brandt », dit-elle, comme si Nella devait comprendre.

Marin a peut-être le regard dur, mais Nella sent à sa voix que sa fermeté vacille.

« Il n'est pas là, confirme Marin. On pensait qu'il serait de retour, mais ce n'est pas le cas.

— Où est-il ? »

Marin regarde le ciel et lève un bras. Les doigts de sa main gauche peignent l'air et, de l'ombre de l'escalier, deux silhouettes se détachent. « Otto ! » dit-elle en ramenant son bras vers son corps.

Un homme s'avance et Nella se crispe, les pieds froids serrés sur le sol.

La peau d'Otto est sombre, marron foncé partout : sur le cou qui sort de son col, sur les poignets et les mains qui sortent des manches — une peau d'un brun profond uniforme. Ses pommettes hautes, son menton, son large front — chaque centimètre. Nella n'a jamais vu un tel homme de sa vie.

Marin l'observe, curieuse de sa réaction. Les grands yeux d'Otto ne montrent en rien qu'il a remarqué la fascination mal dissimulée de Nella. Il s'incline devant elle, et elle fait une petite révérence en se mordant la lèvre, jusqu'à ce que le goût du sang lui rappelle d'être calme. Quand elle se redresse, elle constate que la peau d'Otto luit comme celle d'un marron vernissé, que ses cheveux se dressent sur sa tête en un nuage de laine douce, contrairement aux cheveux plats et gras des autres hommes.

« Je… », dit-elle.

Peebo se met à pépier.

Otto tend la main et Nella voit une paire de socques dans la large paume. « Pour vos pieds », dit-il.

Il a l'accent d'Amsterdam, mais ses mots roulent, chauds et liquides. Quand Nella prend les socques, ses doigts effleurent la peau sombre, et c'est avec maladresse qu'elle les enfile. Ils sont trop grands, mais elle n'ose le faire remarquer. Elle resserrera les lanières de cuir plus tard, en haut — si elle y parvient jamais, si on la laisse dépasser le hall d'entrée.

« Otto est le serviteur de mon frère, dit Marin sans cesser de l'observer. Et voilà Cornelia. Elle s'occupera de vous. »

Cornelia s'avance. Un peu plus âgée que Nella, vingt ans, vingt et un, peut-être, et à peine plus grande, elle lui adresse un sourire dur, hostile. Ses yeux bleus la détaillent, remarquent ses mains qui tremblent. Nella sourit, décontenancée par la curiosité de la servante, et cherche quelque chose à dire, des remerciements vides de sens. Elle est encore mi-reconnaissante, mi-honteuse, quand Marin intervient.

« Montons, dit-elle. Vous voulez sûrement voir votre chambre. »

Nella hoche la tête et remarque une étincelle amusée dans les yeux de Cornelia. Les piaillements insouciants sortis de la cage rebondissent jusqu'en haut des murs et, d'un léger mouvement du poignet, Marin indique à Cornelia d'emporter l'oiseau dans la cuisine.

« Il y aura trop de fumée, proteste Nella. Peebo aime la lumière. »

Marin et Otto se tournent vers elle tandis que Cornelia s'empare de la cage et part en la faisant osciller comme un vulgaire seau.

« Je vous en prie, faites attention ! »

Marin croise le regard de Cornelia, qui continue vers la cuisine, accompagnée par le chant fluet de Peebo, désormais inquiet.

❧❦❧

À l'étage, Nella se sent écrasée par la somptuosité de son nouveau domaine.

Marin se contente de manifester son agacement. « Cornelia a exagéré, avec toutes ces broderies, mais on espère que Johannes ne se mariera qu'une fois. »

Il y a des coussins à ses initiales, un dessus-de-lit neuf et deux paires de rideaux récemment nettoyés.

« De lourds pans de velours sont indispensables pour se protéger des brumes du canal, fait observer Marin. C'était ma chambre », ajoute-t-elle.

Elle s'approche de la fenêtre. De rares étoiles font leur apparition dans le ciel. Elle pose la main sur la vitre. « C'est la plus belle vue, raison pour laquelle nous vous l'avons attribuée.

— Oh ! non, proteste Nella. Vous devriez garder votre chambre ! »

Elles se font face, emprisonnées dans la débauche de broderies, dans l'abondance de coussins et de draps qui portent le *B* des Brandt encerclé de feuilles de vigne, au creux d'un nid d'oiseau, jaillissant d'un parterre de fleurs. Les *B* ont avalé son nom de jeune fille dans leur ventre gras et gonflé. Mal à l'aise, mais consciente de son devoir, Nella caresse les broderies. Cette profusion de lainages lui pèse.

« Votre majestueuse maison ancestrale d'Assendelft, est-elle chaude et sèche ?

— Elle peut être humide, admet Nella en se penchant pour tenter d'ajuster à ses pieds les socques trop grands. Les digues ne sont pas toujours suffisantes. Et… elle n'est pas majestueuse.

— Notre famille n'a peut-être pas le pedigree de la vôtre, mais quel bien un pedigree fait-il comparé à une maison chaude, propre et bien construite ? »

Cela n'a rien d'une question.

« En effet.

— *Afkomst seyt niet*. Le pedigree n'a aucune valeur, assure Marin en tapotant un coussin pour accentuer le mot *aucune*. Le pasteur Pellicorne l'a affirmé, dimanche dernier, et je l'ai noté dans les pages blanches de notre Bible. Les eaux monteront, si nous n'y prenons garde, dit-elle avant de secouer la tête pour passer à autre chose. Votre mère a écrit. Elle a insisté pour payer votre voyage jusqu'ici. Nous n'avons pu l'accepter. Nous avons envoyé notre deuxième meilleure barge. J'espère que vous n'en êtes pas offensée.

— Non, non.

— Bien. Le deuxième choix, dans cette maison, signifie encore peinture fraîche et cabine tapissée de soie du Bengale. Johannes utilise la plus belle. »

Nella se demande où s'en est allé son mari, sur sa meilleure barge, lui qui n'est pas revenu à temps pour l'accueillir. Elle pense à Peebo, seul dans la cuisine, près du feu, près des casseroles. « Vous n'avez que deux serviteurs ?

— C'est suffisant. Nous sommes des marchands, pas des fainéants. La Bible nous dit qu'un homme ne doit pas étaler ses richesses.

— Non, bien sûr.

— À condition qu'il lui reste quelque chose à étaler », persifle Marin en regardant si intensément Nella que celle-ci doit détourner les yeux.

Comme la pièce s'assombrit, Marin allume des chandelles. Des chandelles bon marché, en suif. Nella avait espéré des bougies en cire au doux parfum de miel. Le choix de cette variété qui sent la viande et dégage beaucoup de fumée la surprend.

« On dirait que Cornelia a brodé votre nouveau nom partout », remarque Marin.

Oui, songe Nella, se souvenant de la manière insolente dont la servante l'observait. Les doigts de Cornelia doivent être en sang — et qui paiera pour ça ?

« Quand Johannes va-t-il revenir ? Pourquoi n'est-il pas là ?

— Votre mère assure que vous êtes impatiente de commencer votre vie d'épouse à Amsterdam. Est-ce vrai ?

— Oui, mais il faut un mari pour ce faire. »

Dans le silence réfrigérant qui suit leur échange, Nella se demande où est l'époux de Marin. Et si elle le cachait dans la cave ? Elle étouffe une folle envie de rire en adressant un large sourire à un des coussins. « C'est tellement beau ! Vous n'auriez pas dû.

— C'est l'œuvre de Cornelia. Je ne sais rien faire de mes mains.

— Oh ! Je suis sûre que ce n'est pas vrai.

— J'ai retiré mes tableaux. J'ai pensé que ceux-ci seraient plus à votre goût. »

Elle montre du bras une nature morte de gibier, où sont figés dans la peinture à l'huile, suspendus à un crochet, des oiseaux tout en plumes et en serres. À côté, des huîtres s'empilent sur une assiette à motif chinois, avec un verre de vin renversé et une coupe de fruits trop mûrs. Il y a quelque chose de dérangeant dans ces huîtres, le fait qu'elles s'exposent ainsi, ouvertes. Chez elle, sa mère couvrait les murs de paysages et de scènes bibliques.

« Ils appartiennent à mon frère, dit Marin en désignant un vase débordant de fleurs plus vraies que nature, colorées à l'excès, une demi-grenade attendant au bas du cadre.

— Merci. »

Nella se demande s'il sera difficile de les retourner contre le mur avant de se coucher.

« Vous préférerez sûrement dîner ici ce soir, suggère Marin. Vous avez voyagé pendant des heures.

— Oui, en effet. Je vous en serais reconnaissante. »

Nella frissonne en remarquant le sang sur le bec des oiseaux, leurs yeux vitreux, la promesse de leur chair qui commence à se détacher. Devant ce spectacle, elle éprouve soudain le désir de quelque chose de sucré. « Auriez-vous de la pâte d'amandes ?

— Non. Le sucre est… Nous n'en consommons pas beaucoup. Il rend l'âme malade.

— Ma mère façonnait la pâte, elle lui donnait des formes. »

Il y avait toujours de la pâte d'amandes dans les réserves, seule prédilection coupable que partageait Mme Oortman avec son mari. Elle créait des sirènes, des navires, des colliers de joyaux sucrés, la pâte d'amandes fondant dans leur bouche. Je n'appartiens plus à ma mère, songe Nella. Un jour, je sculpterai sans doute des sucreries pour d'autres petits enfants aux mains poisseuses et avides de déguster des friandises.

« Je vais demander à Cornelia de vous apporter du *herenbrood* *[1] et du gouda. Et un verre de *rhenish* *.

— Merci. Savez-vous quand Johannes arrivera ?

— Quelle est cette odeur ? » grimace Marin en levant le nez.

Instinctivement, Nella porte les mains à son cou. « Est-ce que c'est moi ?

— Est-ce que c'est vous ?

— Ma mère m'a acheté du parfum. Huile de Lys. Est-ce ce que vous sentez ?

— En effet. Du lys, confirme Marin en émettant une petite toux. Vous savez ce qu'on dit des lys.

— Non ?

— Ce qui fleurit tôt pourrit tôt. »

Sur ces mots, Marin referme la porte.

---

1. Les termes suivis d'un astérisque sont expliqués dans le glossaire en fin d'ouvrage.

Cape

À quatre heures du matin, Nella ne dort toujours pas. Son étrange environnement, avec ses reflets, ses broderies, son odeur de chandelles qui fument, ne lui permet pas d'être à l'aise. Les tableaux dans leur cadre restent exposés, car elle n'a pas eu le courage de les retourner contre le mur. Allongée, elle laisse tourbillonner dans sa tête épuisée les évènements qui l'ont conduite à cet instant.

Quand le Seigneur Oortman est mort, deux ans plus tôt, on a dit à Assendelft qu'il avait engendré des brasseries. Nella avait beau détester qu'on suggère ainsi que son papa n'était rien d'autre qu'un Priape éméché dont la bourse se vidait, elle en eut pourtant la preuve quand il mourut : il ne léguait à sa famille qu'une pile de dettes. La soupe s'est éclaircie, la viande est devenue plus rare, les serviteurs ont été remerciés les uns après les autres. Il n'avait jamais construit d'arche, comme tout Hollandais était censé le faire, pour lutter contre les assauts de la mer.

« Il faut que tu épouses un homme qui sait garder un florin* dans sa bourse, lui avait dit sa mère en prenant sa plume.

— Mais je n'ai rien à donner en retour !

— Voyons, regarde-toi un peu ! Qu'est-ce que les femmes ont d'autre ? »

Cette déclaration avait stupéfié Nella. Être rabaissée ainsi par sa propre mère lui avait fait éprouver une détresse toute nouvelle, et le deuil de son père s'était transformé en une sorte de deuil d'elle-même. Son frère et sa sœur plus jeunes, Carel et Arabella, étaient encore autorisés à jouer dehors aux cannibales ou aux pirates, mais pas elle.

Pendant deux ans, Nella s'entraîna à devenir une dame. Sa mère la contraignit à apprendre à bien marcher. Marcher vers *où* ? demanda Nella. Sa mère fit la moue et, pour la première fois, la jeune fille, oubliant les vastes ciels, éprouva le désir d'échapper à son village, à cette prison bucolique qu'une fine poussière avait entrepris de recouvrir. Dans son nouveau corset serré, elle travaillait le luth, ses doigts délicats parcourant la touche, trop inquiète de la fragilité nerveuse de sa mère pour se rebeller. En juillet de cette année, les recherches de celle-ci, par l'intermédiaire des dernières relations de son mari avec la ville, trouvèrent un terrain fertile.

Une lettre arriva d'Amsterdam. Sur l'enveloppe, l'écriture était nette, harmonieuse, ferme, mais on ne laissa pas Nella lire ce qu'elle contenait. Une semaine plus tard, la jeune fille apprit qu'elle devait jouer pour un homme, un marchand appelé Johannes Brandt, venu d'Amsterdam. À l'heure où le soleil déclinait sur la plaine d'Assendelft, cet étranger, assis dans un fauteuil de leur maison décrépite, la regarda jouer.

Elle pensa l'avoir ému et, quand elle termina, il assura que ça lui avait beaucoup plu : « J'adore le luth, lui dit-il. C'est un superbe instrument. J'en ai deux, accrochés au mur, chez moi. On n'en a pas joué depuis des années. »

Quand Johannes Brandt — trente-neuf ans, un vrai Mathusalem ! avait croassé Carel — demanda sa main, Nella décida d'accepter. C'eût été manquer de reconnaissance, et en tout cas stupide, de refuser. Quel autre choix avait-elle qu'une vie d'épouse ? comme le disait Marin — même si Nella n'avait osé interroger Marin sur l'absence d'alliance en or à son propre doigt.

Après la cérémonie, en septembre, à Assendelft, une fois leurs noms inscrits dans le registre de l'église, ils avaient dîné brièvement chez les Oortman, et Johannes s'était éclipsé. Une cargaison devait partir pour Venise, avait-il avancé, et il devait se charger de l'expédition en personne. Nella et sa mère avaient hoché la tête. Johannes était si charmant, avec son sourire en coin, l'impression de pouvoir qui émanait de lui ! Sa nuit de noces, la jeune mariée Nella l'avait passée comme depuis des années, tête-bêche dans le même lit que sa sœur, qui se tortillait comme un ver. C'est pour le mieux, se dit-elle en se représentant jaillissant des flammes d'Assendelft sous la forme d'une femme nouvelle : une épouse, et tout ce qui va avec.

Ses pensées sont interrompues par les aboiements de chiens dans le hall d'entrée. Nella entend une voix d'homme — celle de Johannes, elle en est sûre. Son mari est là, à Amsterdam — un peu en retard, mais là. Nella s'assied dans son lit nuptial et s'entraîne : *Bonjour ! Je suis si heureuse. Avez-vous fait bon voyage ? Oui ? Je suis si contente, si contente !*

Elle n'ose descendre, soudain nerveuse, l'excitation de le voir ne suffisant pas à surmonter sa paralysie. Elle attend, l'appréhension s'épanouissant dans son ventre, et se demande comment commencer. Elle finit par se lever. Sans enfiler ses socques, protégée par un châle sur sa chemise de nuit, elle sort dans le couloir.

Les griffes des chiens glissent sur le dallage, l'air de la mer dans leur fourrure, leur queue fouettant les meubles. Marin l'a prise de vitesse, et elle les entend parler.

« Je n'ai jamais dit ça, Marin, assure Johannes d'une voix grave et sèche.

— Oublions cela pour le moment. Je suis heureuse de te voir, mon frère. J'ai prié pour que tu reviennes sain et sauf. »

Il ne répond rien. Marin sort de l'ombre pour mieux le voir, à la flamme dansante de sa bougie. Penchée sur la rambarde, Nella observe son nouveau mari, décontenancée par la masse de sa cape de voyage, surprise qu'il ait des doigts de boucher.

« Tu as l'air épuisé, reprend Marin.

— Je sais, je sais. Londres en automne…

— … est sinistre. C'est donc là que tu étais. Laisse-moi… »

De sa main libre, elle lui retire sa cape.

« Oh ! Johannes, tu as maigri. Tu es resté au loin trop longtemps.

— Je ne suis pas maigre, rétorque-t-il en s'écartant. Rezeki, Dhana ! » lance-t-il.

Ses chiens le suivent comme son ombre. Nella intègre la sonorité bizarre de leur nom. *Rezeki. Dhana.* Chez elle, les animaux s'appellent Pataud ou Noisette — des noms sans imagination, mais qui reflètent l'équilibre parfait entre contenu et apparence.

« Frère, elle est là. »

Il s'arrête, mais ne se retourne pas. Nella voit ses épaules se voûter, sa tête pencher un peu plus bas sur sa poitrine.

« Ah ! Bien.

— Il aurait mieux valu que tu sois présent à son arrivée.

— Je suis certain que tu as su faire face. »

Marin ne commente pas. Le silence croît entre son visage pâle et la masse fermée du dos de son frère.

« N'oublie pas », dit-elle.

Johannes passe ses doigts dans ses cheveux. « Comment le pourrais-je ? Comment ? »

Marin semble vouloir dire autre chose, mais choisit de croiser les bras. « Il fait très froid.

— Retourne donc te coucher. J'ai du travail. »

Il ferme sa porte. Nella voit Marin contempler la cape de Johannes et la jeter sur ses épaules. Elle fait quelques pas puis s'arrête pour enfouir son visage dans les longs plis de l'étoffe. Nella déplace son poids d'un pied sur l'autre et la rambarde craque. Marin rassemble la cape entre ses mains et lève les yeux vers l'obscurité. Nella retient son souffle dans l'espoir que le bois restera silencieux. Marin finit par aller accrocher le vêtement au portemanteau de l'entrée et Nella en profite pour retourner à pas de loup dans sa chambre et patienter.

Quelques minutes plus tard, quand elle entend Marin fermer la porte de sa chambre au bout du couloir, Nella se glisse dans l'escalier et descend. Dans l'entrée, elle s'attend à voir la cape suspendue à une patère. Ce n'est pas le cas. Elle est en boule par terre. Nella se baisse et la ramasse. Elle sent l'humidité d'un homme fatigué et des villes qu'il a visitées. Elle l'accroche et frappe doucement à la porte derrière laquelle son mari a disparu.

« Pour l'amour de Dieu, s'exclame-t-il, on parlera au matin !

— C'est moi, Petronella. Nella. »

Au bout d'une minute, la porte s'entrouvre et Johannes se tient là, le visage dans l'ombre. Il a les épaules si larges — Nella ne se souvient pas d'un homme si monumental, le jour du mariage, à Assendelft.

« Esposa mía ! »

Elle ne sait pas ce que ça signifie. Il fait un pas en arrière et elle découvre son visage tanné et brûlé par le soleil. Ses iris, gris comme ceux de Marin, sont presque transparents, à la lueur des bougies. Son mari n'a rien d'un prince, avec ses cheveux gras d'aspect métallique terne.

« Je suis là, dit Nella.

— En effet. Vous devriez dormir, dit-il en montrant sa chemise de nuit.

— Je suis venue vous saluer. »

Il lui prend la main et la baise. Sa bouche est plus douce qu'elle ne l'aurait cru. « Nous parlerons au matin, Nella. Je suis heureux que vous soyez bien arrivée. Très heureux. »

Ses yeux papillonnent d'un endroit à l'autre sans jamais s'arrêter longtemps. Nella songe au mystère de sa fatigue énergique, à l'odeur musquée dans l'air, intense, troublante. Il recule dans le halo jaune de ce qui semble être son bureau et referme la porte.

Nella attend un moment. Elle lève les yeux vers le haut de l'escalier, plongé dans le noir. Marin doit sûrement dormir, se dit-elle. Je vais juste aller jeter un coup d'œil, pour m'assurer que mon petit oiseau va bien.

À pas de loup, elle descend vers la cuisine et trouve la cage de son perroquet suspendue au-dessus du poêle dont les braises illuminent les barreaux métalliques.

Sa mère l'a mise en garde : « Toutes les servantes sont dangereuses, mais celles de la ville sont les pires. »

Elle n'a pas expliqué pourquoi. Du moins Peebo est-il en vie, sur son perchoir, les plumes dressées, sautant et craquant pour montrer qu'il est conscient de la présence de Nella. Elle meurt d'envie de l'emporter à l'étage, mais elle redoute ce que Marin pourrait faire si elle désobéissait et imagine Cornelia préparant pour le dîner deux petits pilons sur un lit de plumes vertes. « Bonne nuit, Peebo ! » murmure-t-elle.

Derrière la fenêtre de sa chambre, la brume monte du Herengracht, donnant à la lune l'aspect d'une pièce de monnaie délavée. Nella tire les rideaux et serre son châle autour de ses épaules, puis s'installe sur un siège dans un coin de la pièce, son lit géant lui inspirant encore une certaine méfiance. Son nouveau mari est un des hommes les plus riches d'Amsterdam, un de ceux qui exercent le pouvoir dans la ville, le seigneur de la mer et de tous ses trésors.

« La vie est dure pour celle qui n'a pas d'époux, avait observé sa mère.

— Pourquoi ? » s'était enquise Nella.

Ayant vu l'irritation constante de sa mère envers son mari se muer en panique quand, à sa mort, elle avait appris l'importance de ses dettes, Nella se demandait pour quelle raison Mme Oortman était si déterminée à faire courir à sa fille un risque semblable.

Sa mère l'avait regardée comme si elle était folle, et, cette fois, elle s'était expliquée : « Parce que le Seigneur Brandt est un berger en sa ville, alors que ton père n'était qu'un mouton. »

Nella admire le pichet en argent, les meubles en acajou si lisse, le tapis turc, les peintures voluptueuses qui la troublent. Une superbe horloge à pendule, avec le soleil et les phases de la lune sur son mécanisme et des aiguilles en filigrane, émet un doux tic-tac. Jamais elle n'a vu un tel objet. Tout a l'air neuf, tout parle de richesse. Nella n'a pas appris cette langue, mais elle pense que ce sera nécessaire, à l'avenir. Elle ramasse des coussins brodés qui se sont éparpillés par terre et les dépose sur la courtepointe en soie d'un rouge profond.

La première fois qu'elle a saigné, à douze ans, sa mère lui a dit que le but de ce sang était « la sécurité des enfants ». En entendant les cris des villageoises qui accouchaient, en voyant les cercueils gagner l'église peu après, jamais Nella n'avait pensé qu'il y avait là la moindre sécurité.

L'amour était une affaire bien plus nébuleuse que des taches sur une serviette. Le sang mensuel n'avait jamais paru lié à ce que Nella supposait être l'amour — du corps, mais au-delà.

Mme Oortman avait regardé Arabella serrant le chiot Noisette si fort qu'elle menaçait de l'étouffer et de mettre fin à son existence de chien. « C'est ça, l'amour, Petronella », avait-elle dit.

Quand les musiciens du village le chantaient, ils parlaient bien de douleur dissimulée sous le trésor. Le véritable amour est une fleur qui déploie ses pétales dans votre ventre. On risque tout pour un amour heureux, mais il ne vient jamais sans de petites gouttes de désarroi.

Mme Oortman se plaignait qu'il n'y ait pas de prétendant convenable à des kilomètres à la ronde — rien que des « mâcheurs de paille », disait-elle des garçons de la région. La ville et Johannes Brandt étaient la clé de l'avenir de sa fille.

« Mais — *l'amour*, mère. Est-ce que je vais l'aimer ?

— Elle veut de l'amour ! s'était écriée Mme Oortman avec un geste théâtral à l'intention des murs écaillés de sa demeure. Elle veut les fraises *et* la crème. »

On dit à Nella que c'était bien qu'elle quitte Assendelft, et Dieu sait qu'au bout du compte elle ne souhaitait rien d'autre que partir. Elle n'avait plus envie de jouer au naufrage avec Carel et Arabella, mais cela n'endigue pas la déception qui l'inonde à cet instant, assise près de son lit nuptial vide, à Amsterdam, comme une infirmière près d'un malade. À quoi cela servait-il qu'elle soit là si son mari ne pouvait même pas l'accueillir convenablement ? Grimpant sur le matelas désolé, elle s'enfouit parmi les coussins, toute certitude mise en fuite par le regard méprisant de Cornelia, le ton cassant de Marin, l'indifférence de Johannes. Je suis la fille, songe Nella, qui n'a pas eu la moindre fraise, sans même parler de crème.

Il semble que la maison soit encore éveillée, malgré l'heure terriblement tardive. Elle entend qu'on ouvre et referme la porte d'entrée, puis qu'on ouvre une autre porte à l'étage au-dessus du sien. Suivent des chuchotements, deux voix, des pas dans le couloir — avant qu'un silence intense enveloppe toute la maison.

Elle tend l'oreille, esseulée. Un filet de rayon lunaire vient éclairer le lièvre et la grenade pourrie sur un tableau. C'est un calme trompeur. On dirait que la maison respire. Elle n'ose pas quitter à nouveau son lit, pas en cette première nuit. Le souvenir du luth l'été dernier s'est dissipé, et tout ce que Nella entend dans sa tête, c'est l'insulte — *Idiot, idiot* — que vocifère la vendeuse de harengs de sa voix de campagnarde.

Nouvel alphabet

Après avoir ouvert les rideaux pour laisser entrer le soleil matinal, Cornelia se plante à côté du lit chiffonné de Nella. « Le Seigneur est arrivé de Londres cette nuit, dit-elle au petit pied qui sort sur le côté du matelas. Vous allez déjeuner ensemble. »

La tête de Nella jaillit de sous la courtepointe, les joues roses et gonflées comme celles d'un chérubin. Elle entend les nombreuses servantes du Herengracht qui lavent les marches des perrons, leur serpillière trempée heurtant le seau qui émet un son étouffé de cloche.

« Combien de temps ai-je dormi ?

— Suffisamment longtemps.

— J'aurais pu rester trois mois dans ce lit, comme si on m'avait jeté un sort !

— Un sacré sort ! s'exclame Cornelia sans pouvoir s'empêcher de rire.

— Que voulez-vous dire ?

— Rien, Madame. Venez ! Je dois vous habiller.

— Vous avez veillé tard, n'est-ce pas ?

— Ah oui ? »

Le ton est insolent, et cette confiance qu'affiche Cornelia désarçonne Nella. Aucune des servantes de sa mère ne lui parlait ainsi.

« La porte d'entrée a claqué au milieu de la nuit. Et une autre au-dessus de moi, j'en suis sûre.

— Impossible ! Toot l'a verrouillée avant que vous montiez.

— Toot ?

— C'est comme ça que j'appelle Otto. Il trouve les surnoms idiots, mais moi, je les aime bien. »

Elle prend la chemise de Nella et la fait passer par-dessus sa tête, avant de la parer d'une robe bleue aux éclats argentés. « C'est le Seigneur qui l'a payée », dit-elle d'une voix admirative.

La joie de Nella retombe bien vite quand elle se rend compte que les manches de ce cadeau sont trop longues et que son buste menu flotte dans le corset, quels que soient les efforts de Cornelia pour serrer les rubans.

« Madame Marin a pourtant donné vos mesures à la couturière ! s'agace Cornelia en tirant de plus en plus sur les liens. Elle a dit qu'elle les avait obtenues de votre mère. Où est-ce que je vais bien mettre tout ça ? s'interroge-t-elle, stupéfaite, devant les mètres de ruban inutiles.

— La couturière a dû se tromper, dit Nella en regardant les manches qui cachent complètement ses bras. Je suis certaine que ma mère connaît ma taille. »

❧❦❧

Quand Nella entre dans la salle à manger, Johannes est en grande conversation avec Otto à propos de documents qu'ils consultent. Dès qu'il la voit, Johannes s'incline devant elle avec une expression amusée. La couleur de ses yeux s'est solidifiée, de l'avis de Nella, passant de sprat à silex. Marin sirote de l'eau citronnée, le regard fixé, derrière la tête de son frère, sur un gigantesque atlas au mur, sur ces vastes terres suspendues dans le vide des océans.

« Merci pour ma robe », parvient à dire Nella.

Otto se retire dans un coin de la pièce, les mains chargées des papiers de Johannes.

« Ce doit être une d'entre elles, conclut Johannes. J'en ai commandé plusieurs, mais je ne l'imaginais pas ainsi. N'est-elle pas un peu grande ? Marin, n'est-elle pas trop grande ? »

Marin s'assied et lisse le carré parfait d'une serviette sur ses genoux, dalle blanche perdue sur l'étendue noire de sa jupe.

« Je le crains, Seigneur », confirme Nella.

Le tremblement de sa voix est embarrassant. À quel endroit de la ligne de communication entre Assendelft et Amsterdam les dimensions de son corps nuptial ont-elles été si mal transmises ou comprises qu'on l'a gonflé de manière si ridicule ? Elle contemple la carte, elle aussi, décidée à ne pas critiquer la longueur absurde de ses manches. Elle remarque la Nouvelle-Hollande ; des palmiers ornent ses côtes au bord d'une mer turquoise et des visages d'ébène attirent l'attention.

« Ne vous inquiétez pas ! la rassure Johannes en saisissant un petit verre de bière au creux de sa main. Cornelia va vous arranger ça. Venez donc vous asseoir pour manger quelque chose ! »

Une miche de pain dur et un petit poisson reposent sur un plat, au centre de la nappe damassée.

« Nous déjeunons de façon frugale, le matin, explique Marin en regardant le verre de son frère. Un geste d'humilité.

— Ou l'excitation de la privation », murmure Johannes.

Marin s'adosse à sa chaise et Johannes prend une fourchetée de hareng. On n'entend dans la pièce que sa mastication discrète. Le bloc de pain sec reste intact. Nella tente de ravaler sa peur. Les yeux tournés vers son assiette vide, elle remarque qu'une aura de tristesse a vite fait de se rassembler autour de Johannes, de l'entourer comme la cape que Marin a laissée glisser au sol.

« Pense un peu à ce que tu vas manger, Nella, lui avait dit son frère Carel. On dit qu'à Amsterdam, ils engloutissent des fraises trempées dans de l'or. »

Il ne serait guère impressionné !

« Marin, un peu de bière ? finit par proposer Johannes.

— Ça me donne des indigestions.

— Le régime des Amstellodamois : argent et honte. Fais-toi un peu confiance ! Allez, relève le défi ! La bravoure est si rare, de nos jours.

— Je ne me sens pas bien. »

Il rit, mais elle garde un visage douloureux, pincé et sans humour.

« Papiste ! » lance-t-elle.

À aucun moment de ce petit déjeuner de pénitence Johannes ne s'excuse pour son absence, qui ne lui a pas permis d'accueillir son épouse, la veille. C'est à sa sœur qu'il parle, tandis que Nella est contrainte de rouler ses manches afin d'éviter de les traîner dans l'huile du poisson. Otto, congédié, s'incline, les doigts soigneusement refermés sur la liasse de documents.

« Fais comme on a dit, Otto, lui recommande Johannes. Avec mes remerciements. »

Nella se demande si les hommes avec qui Johannes commerce ont aussi un serviteur comme Otto, ou s'il est le seul. Elle scrute le visage d'Otto pour y déceler un signe de gêne, mais il semble sûr de lui et compétent.

Prix des lingots, tableaux comme monnaie d'échange, la négligence avec laquelle les marchandises qu'il a envoyées de Batavia[1] ont été empaquetées — Marin dévore avec voracité les informations qu'elle lui extorque. Johannes donne à sa sœur des nouvelles des ventes de tabac, de soie, de café, de cannelle, de sel. Il évoque les limitations imposées par le shogunat au commerce de l'or et de l'argent depuis Dejima, et les conséquences néfastes que cela pourrait entraîner à long terme, mais précise que la VOC est bien décidée à ce que le profit passe avant la fierté.

Nella est enivrée par tant de nouveautés, qui ne semblent pas troubler Marin. Qu'en est-il du traité sur le poivre avec le sultan de Bantam ? Qu'est-ce que cela signifie pour la VOC ? Johannes lui parle de la révolte des planteurs de clous de girofle à Amon, de leur terre surchargée d'arbres à la demande de la VOC. Quand Marin s'intéresse à la nature exacte de cette rébellion, il grimace.

« À l'heure qu'il est, la situation a dû changer, Marin, et on n'en saura rien.

— C'est là trop souvent le problème, justement, Johannes », dit-elle avant de l'interroger sur la soie d'un tailleur de Lombardie. « Qui a remporté le droit d'importation ?

— Je ne sais plus.

1. L'actuelle Jakarta, alors siège de la VOC. (*N.d.T.*)

— Qui, Johannes ? Qui ?

— Henry Field, un commerçant de la Compagnie britannique des Indes orientales. »

Marin frappe du poing sur la table. « Un *Anglais* ! »

Johannes la regarde. Il ne dit rien.

« Pense un peu à ce que ça signifie, mon frère ! Penses-y ! Ces deux dernières années... Permettre que ça remplisse la bourse d'un autre ! Nous n'avons pas...

— Les Anglais achètent nos toiles de lin de Haarlem, Marin.

— Ils sont tellement radins !

— Ils disent la même chose de nous. »

Lingots, shogun, Anglais, sultan... Le lexique de Marin est impressionnant. Il est certain que Johannes franchit une frontière interdite, car quelle autre femme en sait autant sur les dessous de la VOC ?

Nella se sent invisible, ignorée. C'est son premier jour chez eux, et ni l'un ni l'autre ne lui a posé la moindre question. Du moins cette discussion marchande fournit-elle à Nella l'occasion de scruter son mari malgré ses paupières baissées. Cette peau bronzée — en comparaison, Marin et elle sont spectrales ! Nella se le figure avec un chapeau de pirate, son navire fendant les vagues bleu sombre d'une mer lointaine.

Elle va plus loin — elle se représente Johannes sans vêtements, imagine ce qu'il a sous la table, cette chose qui l'attend. Sa mère l'a prévenue de ce que les épouses subissent : une tige de douleur dressée, l'espoir que ça ne dure pas trop longtemps, les gouttes poisseuses entre les jambes. Il y a suffisamment de béliers et de brebis, à Assendelft, pour qu'elle sache exactement ce qui se passe. « Je ne veux pas être juste ce genre d'épouse, a-t-elle dit à sa mère. — Il n'y en a pas d'autres », a-t-elle répondu. Devant l'expression de sa fille, Mme Oortman s'était un peu adoucie. Elle avait pris Nella dans ses bras et lui avait tapoté le ventre. « Ton corps est la clé, mon amour. Ton corps est la clé. » Quand Nella avait demandé ce qu'elle était supposée déverrouiller, précisément, et comment, sa mère avait murmuré : « Tu auras un toit sur la tête, et loué en soit le Seigneur ! »

De crainte que les deux autres ne lisent ces pensées sur son visage, elle fixe son assiette.

« Changeons de sujet ! » dit Marin.

Nella sursaute, convaincue que sa belle-sœur sait à quoi elle pense. Johannes est encore en train de parler de l'Anglais tout en faisant tourner la bière ambrée au fond de son verre.

« As-tu discuté avec Frans Meermans du sucre de sa femme ? l'interrompt Marin. Il croupit là, dans l'entrepôt, Johannes, insiste-t-elle devant son silence. Il est arrivé du Suriname il y a plus d'une semaine, et tu ne leur as toujours pas dit ce que tu comptes en faire. Ils *attendent* !

— Ton intérêt pour la toute nouvelle fortune d'Agnes Meermans me surprend.

— Je ne m'inquiète pas de sa fortune. Je sais combien Agnes a envie de se faufiler entre ces murs.

— Toujours aussi soupçonneuse ! Elle veut que je distribue son sucre parce qu'elle sait que je suis le meilleur.

— Alors, contente-toi de le vendre et de nous débarrasser d'eux. N'oublie pas ce qui est en jeu.

— De tout ce que je pourrais vendre, tu insistes

sur ça ! Qu'en est-il du *lekkerheid*, Marin — cette appétence coupable pour les mets sucrés ? Que dirait ton pasteur ? Ma sœur, explique Johannes à Nella, considère que le sucre n'est pas bon pour l'âme, mais elle veut pourtant que j'en vende. Qu'en dites-vous ? »

Se souvenant que Marin a refusé de lui donner de la pâte d'amandes, Nella se réjouit de l'attention qu'on lui porte soudain. L'âme et l'escarcelle ! se dit-elle. Ces deux-là sont obsédés par les âmes et les escarcelles.

« Je garde simplement la tête hors de l'eau, dit Marin d'une voix pincée. Je crains mon Dieu, Johannes. Et toi ? »

Nella remarque que Marin brandit sa fourchette comme un petit trident.

« Je t'en prie, contente-toi de vendre ce sucre, mon frère, dit-elle en oubliant Nella. Profitons de l'absence d'une guilde des marchands de sucre. Nos prix, et à qui on veut. Débarrasse-toi de ce fardeau au plus vite. Ce sera pour le mieux. »

Johannes regarde le pain intact au milieu de la nappe. Nella entend son estomac gronder et l'empoigne d'instinct, comme si sa main pouvait le faire taire.

« Et que penserait Otto de ce genre de commerce ? demande Johannes en jetant un coup d'œil du côté de la porte.

— Il est hollandais, assène Marin en piquant les dents de sa fourchette dans le damas. Il est pragmatique. Il n'a même jamais vu une plantation de canne à sucre !

— Il a failli.

— Il comprend aussi bien nos *affaires* que nous,

assure-t-elle en fichant ses yeux gris dans ceux de Johannes. N'es-tu pas d'accord ?

— Ne parle pas à sa place ! Il travaille pour moi, pas pour toi. Et cette nappe a coûté trente florins, alors si tu pouvais cesser de trouer tout ce que je possède…

— Je suis allée aux docks, insiste Marin. Les bourgmestres ont noyé trois hommes, hier matin, l'un après l'autre. Des poids accrochés à leur cou. On les a mis dans des sacs et on les a jetés à l'eau. »

Du hall leur parvient le bruit d'une assiette qui tombe.

« Rezeki, vilaine chienne ! » s'écrie Cornelia.

Nella remarque pourtant que les deux chiens sont dans un coin de la pièce, profondément endormis. Johannes ferme les yeux et Nella se demande ce que l'exécution de ces hommes a à voir avec le stock de sucre, avec Otto ou avec Agnes Meermans voulant s'immiscer dans leurs murs.

« Je sais comment un homme se noie, murmure Johannes. Tu sembles oublier que j'ai passé presque toute ma vie en mer. »

Il y a une menace dans la voix de Johannes, mais Marin continue : « J'ai demandé à l'homme qui nettoyait la jetée pourquoi les bourgmestres les ont noyés. Il a dit qu'ils n'avaient pas assez de florins pour apaiser leur Dieu. »

Hors d'haleine, elle s'interrompt.

Johannes semble presque vaincu, effondré sur sa chaise. « Je croyais que Dieu pardonnait tout, Marin ? » dit-il, sans pourtant sembler attendre une réponse à cette question.

L'air est brûlant, l'atmosphère tuméfiée. Le visage rougi, Cornelia vient débarrasser la table et

Johannes se lève. Les trois femmes attendent quelque chose de lui, mais il se contente de sortir de la pièce avec un petit mouvement de la main. Marin et Cornelia semblent savoir ce que ça signifie. Marin soupire et prend le livre qu'elle a apporté. Nella en lit le titre : *Warenar* *, la pièce de Hooft.

« Est-ce que Johannes s'absente souvent ? » demande Nella.

Marin pose son livre et pousse un soupir agacé quand une page se replie contre la table. « Mon frère part. Il revient. Il repart. Vous verrez. Ce n'est pas difficile. N'importe qui peut le faire.

— Je n'ai pas demandé si c'était difficile. Qui est Frans Meermans ?

— Cornelia, comment va le perroquet de Petronella, ce matin ?

— Il va bien, Madame. Bien. »

Cornelia évite de croiser le regard de Nella. Aujourd'hui, il n'y a pas de petits rires, pas de remarques sournoises. Nella la croit fatiguée, préoccupée.

« Il a besoin d'air frais. La cuisine doit être pleine de fumée. J'aimerais le laisser voler dans ma chambre.

— Il donnera des coups de bec dans des objets de valeur, intervient Marin.

— Non, il ne le fera pas.

— Il s'envolera par la fenêtre.

— Je la garderai close. »

Marin referme son livre d'un geste brusque et quitte la pièce. La servante se redresse soudain et regarde sa maîtresse s'éloigner en plissant ses yeux bleus. Après une courte hésitation, elle sort, elle aussi. Nella s'adosse à sa chaise et contemple sans la voir la carte de Johannes. Par la porte ouverte, elle entend Marin et Johannes qui discutent devant son bureau.

« Pour l'amour du Christ, Marin ! N'as-tu rien de mieux à faire ?

— Tu as une épouse, désormais ! Où vas-tu ?

— J'ai aussi des affaires.

— Un dimanche ? Quelles sont les transactions qui se négocient un dimanche ?

— Marin, crois-tu qu'on entretienne cette maisonnée par magie ? Je vais m'occuper du sucre.

— Je ne te crois pas, enrage Marin. Je ne te le permettrai pas. »

Nella sent la tension se condenser entre le frère et la sœur, un langage silencieux qui menace de déborder.

« Quel autre homme permet à sa sœur de lui parler sur ce ton ? Ta parole n'a pas valeur de loi !

— Non, mais elle en est plus proche que tu le crois. »

Johannes franchit la porte à grands pas, et Nella sent l'air velouté avant que l'accès au monde extérieur soit de nouveau barré. Elle passe la tête dans le hall et observe sa nouvelle belle-sœur. Marin s'est couvert le visage de ses mains et elle a enfoncé profondément son cou dans ses épaules, une attitude de grand malheur.

Trompe-l'œil

Dès que Marin monte à l'étage et que ses pas résonnent dans sa chambre, Nella descend l'escalier vers le rez-de-jardin, d'où Peebo l'appelle. Elle est surprise que la cage soit accrochée dans l'office, où on ne fait rien cuire. On lui a donc épargné la cuisine, de l'autre côté du couloir. L'office ne sert presque qu'à exposer la collection de porcelaines des Brandt sur des murs blancs, loin des éclaboussures des casseroles et des poêles. Nella se demande depuis combien de temps Peebo respire un air propre, et, plus intrigant encore, qui a accompli cet acte de charité.

Otto, assis à une petite table, nettoie l'argenterie pour le dîner. Il n'est pas grand, mais il a les épaules larges, ce qui le fait paraître trop imposant pour sa chaise. En la voyant sur le seuil, il montre la cage de Peebo suspendue à un crochet. « Il est drôlement bruyant !

— Je suis désolée. Je l'aurais gardé dans ma chambre, mais...

— Non, j'aime le bruit qu'il fait !

— Oh ! Bon. Merci de l'avoir mis ici.

— Ce n'est pas moi, Madame. »

Madame. Ça sonne délicieusement bien, quand

il le dit. Il porte une chemise immaculée, parfaitement repassée, sans traces d'usure ni taches. Ses bras sous le calicot bougent avec une grâce inconsciente. Quel âge peut-il avoir ? Trente ans, peut-être un peu moins. Ses bottes brillent comme celles d'un général. Tout en lui est si frais, si peu familier. Être appelée « Madame » dans sa propre maison par un serviteur à la tenue si impeccable lui paraît soudain le but ultime de son existence. Son cœur se gonfle de gratitude, mais le serviteur ne semble pas le remarquer.

Rougissante, elle s'approche de la cage et caresse son perroquet à travers les barreaux. Peebo émet un discret *crouik* et passe son bec dans ses plumes comme s'il y cherchait quelque chose.

« D'où vient-il ? demande Otto

— Je ne sais pas. Mon oncle me l'a acheté.

— Il n'est donc pas né d'un œuf à Assendelft ? »

Elle secoue la tête. Rien d'aussi vert ni d'aussi emplumé ne pourrait naître à Assendelft ! Elle tente d'oublier sa gêne et d'apprécier le fait qu'il se souvienne d'où elle vient. Que penseraient de cet homme sa mère, les grands-pères sur la place du village, les écoliers ?

Otto prend une fourchette et insinue un linge doux entre chaque dent. Nella presse ses doigts contre les barreaux de la cage jusqu'à ce qu'ils perdent leur couleur. Au mur, les carreaux blancs reluisent jusqu'au plafond, où quelqu'un a peint un trompe-l'œil. On dirait un dôme en verre s'élevant, au-delà de la surface plâtrée horizontale, vers un ciel improbable.

« Le Seigneur Brandt l'a fait peindre, explique Otto en suivant son regard.

— C'est… malin.

— C'est une ruse. De toute façon, ça ne tardera pas à s'écailler, avec l'humidité.

— Marin m'a pourtant dit que cette maison est sèche. Et que le pedigree ne compte pas. »

Il sourit. « Elle et moi sommes donc en désaccord. »

Nella se demande de quelle affirmation de Marin il parle. Elle contemple l'imposant placard construit contre le mur. Ses trois immenses portes vitrées protègent divers ustensiles de vaisselle en porcelaine. Jamais elle n'a vu une telle collection. Chez elle, il y avait un service en porcelaine de Delft, et pas grand-chose d'autre, car presque tout avait été vendu.

« Toute la Création dans un ensemble d'assiettes », chantonne Otto.

Elle écoute sa voix et tente de déceler si elle exprime de la fierté ou de l'envie, mais ne reconnaît ni l'une ni l'autre. Le ton est d'une neutralité étudiée.

« Delft, Dejima, Chine. Il fait le tour du monde de la vaisselle.

— Pourquoi est-ce que mon mari voyage autant ? N'est-il pas assez riche pour envoyer quelqu'un à sa place ?

— Il faut garder sa richesse à flot, dit Otto en adressant une grimace à la lame qu'il polit. Personne ne le fera à votre place. Elle vous glisse entre les doigts si vous n'en prenez pas soin. »

Il termine de polir une cuiller et plie son chiffon en un carré parfait.

« Est-ce qu'il travaille dur ? »

Otto réfléchit, puis décrit de son doigt un mouvement en spirale vers le faux dôme en verre au-dessus de leur tête, vers l'illusion de profondeur. « Ses parts n'ont cessé de monter.

— Et que se passe-t-il quand elles arrivent au sommet ?

— Ce qui se passe toujours, Madame. Ça finit par déborder.

— Et alors ?

— Alors, je suppose qu'on coule ou qu'on nage. »

Otto prend une louche et contemple ses traits déformés dans la surface argentée convexe.

« L'accompagnez-vous en mer ?

— Non.

— Pourquoi pas ? Vous êtes son serviteur.

— Je ne prends plus le bateau. »

Nella se demande depuis combien de temps il vit sur cette terre reprise aux marais et aux polders profonds grâce à la détermination des hommes. Marin a dit qu'il était un vrai Hollandais.

« L'esprit du Seigneur appartient à la mer, ajoute-t-il, mais pas le mien, Madame. »

Nella retire la main de la cage de Peebo et s'assied près de la cheminée. « Comment savez-vous tant de choses sur l'esprit de mon mari ?

— Est-ce que je n'ai ni oreilles ni yeux ? »

Elle est stupéfaite. Elle ne s'attendait pas à une franchise si brutale — mais Cornelia ne se sent-elle pas libre, elle aussi, de dire ce qu'elle pense ?

« Bien sûr que vous en avez, je…

— La mer est tout ce que la terre ne sera jamais, déclare Otto. Aucune surface, même minuscule, ne reste la même.

— Otto. »

Marin est à la porte. Otto se lève. Il a disposé les couverts comme un arsenal d'armes rutilantes.

« Il travaille, précise Marin. Il a beaucoup à faire.

— Je l'interrogeais juste sur les activités professionnelles de mon mari.

— Laisse ça, Otto. Il est plus urgent que tu expédies ces documents. »

Elle fait demi-tour et les quitte.

« Madame, dit Otto à Nella en tendant l'oreille pour s'assurer que Marin s'éloigne bien, donneriez-vous un coup de pied dans une ruche ? Vous vous feriez piquer. »

Nella ne saurait dire si c'est un conseil ou un ordre.

« Vous ne devriez pas ouvrir cette cage, Madame », ajoute-t-il en montrant Peebo du menton.

Elle n'a plus qu'à écouter le son de plus en plus ténu de ses pas réguliers, doux, dans l'escalier.

Le cadeau

Les deux nuits qui suivent, Nella attend que Johannes pose les mains sur elle et donne à sa vie un nouveau départ. Elle laisse la porte de sa chambre entrouverte, la clé accrochée à l'épais panneau en chêne, mais au matin, comme elle, la porte n'a pas été touchée. Il semblerait que son mari travaille tard. La nuit, elle entend la porte d'entrée claquer, et aussi à l'aube, quand le soleil perce à l'horizon. Elle s'assied, la lumière encore faible lui fait ouvrir les yeux, et elle se rend compte qu'à nouveau, elle est seule.

Une fois habillée, Nella erre sans but dans les pièces du rez-de-chaussée. À l'arrière de la maison, aussi loin que possible d'un éventuel visiteur, les lieux sont plus simples, toute grandeur ayant été réservée aux salles dont les fenêtres donnent sur la rue. Ces salles du devant révèlent mieux leur beauté quand personne ne les occupe, quand personne n'écrase le velours des sièges ni ne salit le bois ciré du sol en y laissant des empreintes boueuses.

Elle passe la tête autour des colonnes en marbre crème flanquant les cheminées sans feu et fait glisser un œil novice sur les tableaux — tant de tableaux ! Navires aux mâts tels des crucifix dressés vers le ciel, paysages de pays chauds, oiseaux morts et fleurs fanées, crânes renversés semblables à des tubercules pourrissants près de violes aux cordes cassées, scènes de beuveries et de danses dans des tavernes, assiettes dorées et tasses en nacre émaillée. Les embrasser si rapidement du regard déclenche en elle une sorte de vertige. Le cuir gaufré et doré à la feuille tendu sur les murs sent encore un peu le cochon, et elle est choquée de se trouver ramenée aux cours de fermes d'Assendelft. Elle voudrait détourner le nez, refuser qu'on lui rappelle si vite ce qu'elle a tant souhaité quitter. D'immenses tapisseries représentant des scènes bibliques sont pendues au lambris : Marie et Marthe avec Jésus, les noces de Cana, le très malin Noé avec son arche.

Nella remarque les deux luths appartenant à Johannes que Cornelia conserve, bien reluisants, dans l'office. Quand elle veut en décrocher un du mur, elle sursaute en sentant la main de sa belle-sœur sur son épaule.

« Ils ne sont pas faits pour en jouer. Ce sont des chefs-d'œuvre d'artisanat que vos doigts abîme-raient.

— Est-ce que vous me suivez ? Les cordes sont distendues, Marin, fait-elle remarquer quand sa belle-sœur ne lui répond pas, faute de soins. »

Elle tourne les talons et remonte l'escalier. Au bout du couloir de l'étage, la chambre de Marin demeure inexplorée. Nella regarde la lointaine serrure en se demandant dans quelle cellule ascétique elle doit vivre. Elle est si en colère qu'elle manque d'y entrer. De quel droit lui interdit-elle quoi que ce soit ? N'est-ce pas elle la maîtresse de cette maison ?

Nella se contente pourtant de retourner dans sa propre chambre et contemple avec horreur, sur les tableaux, les plumes tachées de sang des oiseaux, la courbe de lézard de leur bec et de leurs narines. Mon Dieu ! Marin déteste même la musique. Ne sait-elle pas que ces luths n'ont pas été faits pour rester accrochés au mur ?

Marin ne semble lui parler que pour lui donner des instructions ou lui servir une homélie tirée de la Bible familiale, en général pour la rabaisser. Chaque matin, elle rassemble la maisonnée pour lire un passage du Livre saint. Nella est surprise de voir ce cérémonial dévolu à Marin. À la maison, quand son père était sobre, c'était son rôle, et désormais Carel, treize ans et instruit, fait la lecture à ses sœurs et à sa mère.

D'autres fois, Marin fait les comptes dans un fauteuil en velours vert, au salon. La nouvelle belle-sœur de Nella est on ne peut plus attentive aux dépenses de la maisonnée ; les colonnes verticales sont une portée naturelle pour elle, et les chiffres forment des notes dont leur argent compose la mélodie silencieuse. Nella voudrait en savoir davantage sur les affaires de son mari, sur Frans et Agnes Meermans et leur sucre, mais il n'est jamais facile de converser avec Marin.

Le troisième jour, pourtant, Nella se glisse dans le salon où Marin est assise, tête baissée comme en prière. En approchant, Nella voit que c'est le livre de comptes qui est ouvert sur ses genoux.

« Marin ? »

Elle lève la tête. Jamais Nella n'a utilisé son prénom devant elle auparavant. C'est trop intime, ça les fait frémir, toutes les deux.

« Oui ? » l'incite Marin, en insérant son stylo entre deux pages d'un geste théâtral.

Elle pose les mains sur les accoudoirs où des feuilles sont finement sculptées. D'après ses yeux gris durs, Nella comprend que l'échange sur les luths n'est pas oublié. Elle se sent scrutée, et l'angoisse monte en elle. Une tache d'encre a coulé de la plume de Marin.

« Est-ce que ce sera toujours comme ça ? » lâche Nella.

À cette question hardie, l'atmosphère devient lourde et le visage de Marin prend l'aspect d'un masque. « Comme *quoi* ?

— Je... je ne le vois jamais.

— Si vous voulez parler de Johannes, je peux vous assurer qu'il existe. »

Au désespoir, Nella oriente la conversation vers une question à laquelle Marin doit donner une réponse directe. « Où travaille-t-il ? »

La question produit un effet étrange. Nella remarque une nouvelle raideur presque imperceptible chez Marin, qui grimace et répond d'une voix contrôlée et tendue : « En divers lieux. À la Bourse*, aux docks, dans les bureaux de la VOC sur la Vieille Hoogstraat.

— Et qu'y fait-il, exactement ?

— Si seulement je le savais, Petronella !

— Vous le savez. Je sais que vous le savez.

— Il transforme la boue en or et l'eau en florins. Il vend les stocks des autres à un meilleur prix. Il remplit ses bateaux d'hommes et les envoie sur les mers. Il est persuadé d'être le préféré de tout le monde. Je n'en sais pas davantage. Passez-moi une chaufferette ! Mes pieds sont des icebergs. »

Nella croit bien que c'est le plus long enchaînement de phrases que Marin ait jamais prononcé à son intention. « Vous pourriez allumer un feu ! réplique-t-elle en faisant glisser une des chaufferettes miniatures vers Marin, qui lève un pied et le pose dessus avec autorité. J'aimerais voir où il travaille, continue Nella devant le silence de Marin. Je vais aller lui rendre visite bientôt. »

Marin ferme son livre de comptes, le stylo piégé à l'intérieur, mais ne quitte pas des yeux la reliure en cuir. « Je ne le ferais pas, à votre place. »

Nella sait qu'elle devrait cesser de l'interroger, parce qu'elle se heurte toujours à des refus, mais elle ne peut s'en empêcher. « Pourquoi pas ?

— Il est occupé.

— Marin…

— Je suis sûre que votre mère vous a prévenue. Vous n'avez pas épousé le notaire du village.

— Mais Johannes…

— *Petronella*, il doit travailler, et vous, vous deviez vous marier.

— Vous ne l'avez pas fait. Vous n'avez épousé personne, vous. »

En voyant la mâchoire de Marin se crisper, Nella éprouve un petit pincement de triomphe.

« Non, dit Marin, mais j'ai toujours eu tout ce que je voulais. »

❧❧

Le lendemain matin, Marin choisit un proverbe, puis une histoire apocalyptique de Job, et termine dans les eaux claires et scintillantes de Luc.

Malheur à vous, riches, car vous avez votre conso-
lation !
Malheur à vous qui êtes comblés, car vous aurez
faim !
Malheur à vous qui riez maintenant, car vous
serez dans le deuil et dans les larmes !

Elle s'en acquitte à la hâte, sans entrain, comme gênée d'entendre sa voix résonner sur l'intermi-nable étendue de dalles noires et blanches, ses mains accrochées au lutrin comme à un radeau de sauvetage. Nella lève les yeux tandis que Marin entonne les paroles. Elle se demande à nouveau pourquoi cette femme est encore là, célibataire sans anneau d'or à son doigt. Peut-être n'y avait pas d'homme assez téméraire pour supporter son caractère. Nella éprouve un plaisir malin à cette méchante pensée.

Est-ce là ma nouvelle famille ? songe-t-elle. Il semble impossible qu'aucun d'entre eux ait jamais ri, sauf un tout petit éclat étouffé dans une manche. Les tâches de Cornelia sont sans fin. Quand elle n'est pas dans la cuisine pour mettre un esturgeon au court-bouillon, elle polit les meubles en chêne et en merisier, balaye des hectares de sol, secoue les draps, astique une vitre après l'autre. Tout le monde sait que le travail rend vertueux, qu'il évite à tout bon Hollandais de sombrer dans ce luxe négligé si répréhensible, mais à voir Cornelia, son visage encore jeune, ses lèvres boudeuses, Nella se dit qu'elle n'a pas l'air si pure.

Otto fixe le sol avec une expression songeuse en écoutant les paroles saintes. À l'instant où il croise le regard de Nella, il détourne le sien. Tout contact humain à cet instant de réflexion spirituelle frôle le péché. Johannes serre ses mains massives en prière sans quitter la porte des yeux.

Nella retourne dans sa chambre et, comme elle a trouvé le bureau dont elle rêvait le jour de son arrivée, elle tente d'écrire une lettre à sa mère pour lui exposer ses tourments. Mais les mots qu'elle choisit se dérobent à elle et elle ne parvient à les agencer de manière à refléter ce qu'elle éprouve. Elle ne parvient pas à décrire sa confusion, ses échanges avec Marin, son mari qui parle toutes les langues sauf celle de l'amour, les serviteurs dont les mots sont un mystère, dont les rires sont une langue de sas. Elle griffonne *Johannes*, *Otto*, *Toot*, et dessine un portrait de Marin avec une tête de géant. Puis elle froisse la feuille et la jette dans le feu.

Une heure plus tard, le son de voix d'hommes, les aboiements des chiens et le rire de Johannes montent l'escalier. Nella regarde par la fenêtre. Sur le quai, elle voit trois livreurs aux gros bras, des cordes passées autour de leurs épaules, qui sortent de la maison, les manches retroussées.

Le temps que Nella quitte sa chambre, Marin est déjà dans le hall.

« Johannes ! Qu'as-tu donc fait ? »

Nella arrive en silence sur le palier et porte la main à sa bouche quand elle voit, en bas, au milieu du hall, ce que les trois hommes ont abandonné là.

Sur le carrelage, un énorme cabinet ouvert se dresse, dominant Johannes de la moitié de sa taille. Il est démesuré, ce cabinet géant soutenu par huit pieds incurvés et solides, deux rideaux en velours couleur moutarde tirés sur sa façade. Après avoir repoussé le lutrin et sa Bible dans un coin pour faire de la place, Johannes a posé une main sur le large panneau latéral verni. Sa bonne humeur se manifeste par un sourire lumineux, persistant. Il a l'air rafraîchi, plus beau qu'elle ne l'a jamais vu.

Marin s'approche du cabinet avec précaution, comme si elle craignait qu'il ne lui tombe dessus ou qu'il ne se mette à marcher tout seul. Rezeki recule en émettant un grognement du plus profond de son corps de chienne.

« Est-ce une plaisanterie ? s'offusque Marin. Combien est-ce que ça a coûté ?

— Pour une fois, ma sœur, si nous pouvions éviter de parler d'argent ? C'est toi qui m'as dit de trouver une distraction...

— Oui, mais pas une monstruosité ! Est-ce que ces rideaux sont teints au *safran* ?

— Une distraction ? » reprend Nella depuis l'escalier.

Marin se retourne, l'air horrifié.

« C'est pour vous, dit Johannes en caressant si fort le bois que les rideaux ondulent. Un cadeau de mariage.

— Qu'est-ce que c'est, Seigneur ? demande Nella.

— En chêne et orme. L'orme est solide, ajoute-t-il en guise d'explication avant de se tourner vers Marin. On l'utilise pour les cercueils.

— Et où l'as-tu trouvé ? veut savoir Marin, dont les lèvres ne forment plus qu'une ligne.

— Un homme, aux docks, m'a dit qu'il restait des cabinets dans l'atelier d'un ébéniste qui est mort. J'ai amélioré la structure d'origine avec un placage d'écaille de tortue et des incrustations d'étain.

— Pourquoi as-tu fait une telle folie ? insiste

Marin. Petronella n'a aucun besoin d'une chose pareille.

— Pour l'instruire, dit-il.

— Pour quoi ? » s'étonne Nella.

Johannes tend la main vers Rezeki, mais la chienne s'écarte de son maître. « Du calme, ma fille, du calme !

— Elle n'aime pas ça ! » conclut Cornelia, qui a suivi Nella dans l'escalier.

Nella ne sait pas si Cornelia fait allusion à elle ou à la chienne. La servante tient son balai comme un bâton devant elle, l'air de prévenir une attaque.

« Pour l'instruire ? reprend Marin d'une voix pleine de ressentiment. Pourquoi Petronella aurait-elle besoin d'instruction ?

— Je dirais qu'elle en a grand besoin », affirme Johannes.

Non, ce n'est pas vrai ! proteste Nella en silence. J'ai dix-huit ans, pas huit. « Qu'est-ce que c'est censé être, Seigneur ? » demande-t-elle en faisant de son mieux pour cacher son désarroi.

Johannes, d'un geste ample, ouvre les rideaux. Les femmes retiennent leur souffle. Il vient de révéler l'intérieur du cabinet, divisé en neuf sections, certaines tapissées de papier gaufré et doré, d'autres lambrissées.

« C'est cette maison, souffle Nella.

— C'est votre maison, corrige Johannes, ravi.

— Bien plus facile à entretenir ! » remarque Cornelia en se hissant sur la pointe des pieds pour regarder à l'intérieur des pièces du haut.

L'exactitude de la reproduction est fascinante, comme si la véritable maison avait été rétrécie, son corps coupé et ses organes dévoilés. Les neuf pièces, de l'office au salon, jusqu'à l'espace où on garde la tourbe et le bois à l'abri de l'humidité, sont des répliques parfaites.

« Il y a même une cave secrète », révèle Johannes en soulevant le sol entre l'office et la cuisine pour découvrir un espace vide.

Le plafond de l'office reproduit le trompe-l'œil à l'identique. Nella se remémore sa conversation avec Otto, quand il avait montré du doigt le dôme factice. *Et que se passe-t-il alors ? Ça finit par déborder.*

Rezeki grogne en faisant le tour du cabinet.

« Combien ça a coûté, Johannes ? demande Marin.

— Le cabinet nu, deux mille, dit-il avec calme. Les rideaux ont fait monter la note à trois mille.

— Trois mille florins ? Trois *mille* ? En les investissant bien, une famille pourrait en vivre des années.

— Marin, jamais tu n'as vécu une seule année avec trois mille florins, toi, malgré tous tes dîners de hareng. Et maintenant qu'on a passé ce marché avec Meermans, pourquoi s'inquiéter ?

— Si tu t'en occupais, je ne m'inquiéterais pas.

— Pour une fois dans ta vie, *tais-toi !* »

Réticente, Marin s'écarte de la construction. Otto arrive de la cuisine et scrute la nouveauté avec curiosité. Johannes n'est plus aussi enthousiaste, comme s'il sentait que son geste allait se retourner contre lui.

L'écaille de tortue rappelle à Nella l'automne à Assendelft : oranges et bruns saisis en plein mouvement, Carel lui prenant les mains et la faisant virevolter sous les arbres du jardin. L'étain parcourt le bois en un réseau de veines luisantes qui s'écoulent et tourbillonnent sur toute la surface, même les pieds. Elle perçoit une étrange puissance dans le bois et l'écaille. Jusqu'au toucher des rideaux en velours qui suggère un certain pouvoir.

Elle connaît des filles riches, à Assendelft, à qui on a offert des maisons de poupées, mais rien de si somptueux. Avant que son père ait bu tout leur argent, elle aurait pu en recevoir une aussi, plus petite que celle-ci, pour s'entraîner à gérer les réserves, le linge, les serviteurs et les meubles. Maintenant qu'elle est mariée, elle aimerait penser qu'elle n'en a plus besoin.

Nella surprend Johannes en train de l'observer.

Elle sourit : « Regardez ! Le sol du hall est identique », offre-t-elle, en montrant le carrelage noir et blanc sous ses pieds. Elle risque un doigt sur les carrés miniatures.

« Du marbre italien, précise Johannes.

— Je n'aime pas ça, déclare Marin, et Rezeki non plus.

— Un goût de femelles ! » lance Johannes.

D'ordinaire posé, le visage de Marin vire au rouge flamboyant et elle se précipite sur la porte d'entrée qu'elle claque derrière elle.

« Où va-t-elle ? » s'inquiète Cornelia.

Otto et elle voient leur maîtresse passer devant les fenêtres.

« J'ai pensé que ce serait une belle surprise, dit Johannes en se tournant vers le cabinet.

— Seigneur, demande Nella, que suis-je censée en faire ?

— Je n'en sais rien », répond-il en posant sur elle un regard vide.

Il pince les rideaux en velours entre l'index et le pouce et les ferme.

« Je suis certain que vous trouverez une idée. »

Johannes disparaît dans son bureau et la serrure cliquette. Otto et Cornelia se replient prestement à l'étage inférieur, dans la cuisine. Avec pour seule compagnie Rezeki qui continue de grogner le long des murs du hall, Nella contemple son cadeau. Son cœur se serre. *Je suis trop vieille pour ça !* Qui verra cet objet ? Qui viendra s'asseoir dans ces fauteuils, manger la nourriture en cire ? Elle n'a dans la ville ni amis ni famille qui viendraient et qui pourraient s'émerveiller de ce monument à son impuissance, au coup d'arrêt porté à sa vie de femme. *C'est votre maison*, a dit son mari, mais qui peut vivre dans des pièces si petites, dans ces neuf impasses ? Quel homme achète à son épouse des pièces minuscules et vides, quelles que soient la majesté de leur encadrement, la beauté de cette réalisation ?

« Pourquoi est-ce que j'ai besoin d'être instruite ? » demande-t-elle au carrelage.

Rezeki gémit.

« N'aie pas peur, lui dit Nella, ce n'est qu'un jouet. »

Peut-être pourrait-on transformer les rideaux en chapeau, songe-t-elle en les écartant.

L'intérieur exposé du cabinet la met soudain mal à l'aise. Cette carapace vide d'orme et d'écaille de tortue semble la regarder comme si les pièces étaient des yeux. De la cuisine, elle entend des voix : Cornelia qui parle le plus, Otto qui lui répond plus doucement. Nella approche sa main du bois. Il est frais au toucher, comparé au velours, dur comme de la pierre polie.

Avec Marin sortie et les deux autres dans la cuisine, je pourrais aller chercher Peebo et le laisser voler, se dit Nella. Johannes ne s'en apercevrait pas, et ça me ferait du bien de voir mon perroquet s'ébattre dans les airs. Elle se tourne vers l'escalier et repense soudain à la lointaine serrure de Marin, au bout du couloir. Oublie l'insulte qu'on t'a faite avec cette maison de poupée, se console Nella en tirant les rideaux safran. Tu peux aller où tu veux !

Le sang grondant à ses tempes, abandonnant le cadeau de Johannes sur le carrelage, oubliant son perroquet, elle monte vers la chambre de Marin. Au bout de quelques marches, pourtant, elle n'est plus si bravache. Si je me faisais prendre, qu'est-ce qui m'arriverait ? se demande-t-elle en laissant à nouveau son imagination enfantine s'emparer d'elle, alors qu'elle court dans le couloir aussi vite que ses jupes le lui permettent.

Dès que Nella pousse la lourde porte de Marin, dès le seuil de ce sanctuaire, ce qu'elle voit est si extraordinaire que toute précaution est oubliée.

Transgression

Figée sur le seuil, Nella n'arrive pas à croire ce qu'elle voit. La pièce a beau avoir la taille d'une cellule monastique, son contenu remplirait un couvent, et Nella se demande s'il a été facile à Marin de renoncer à son ancienne chambre pour se retrouver là. Du plafond, drapée comme un fanion, au toucher de papier, pend la peau d'un interminable serpent. Des plumes de toutes couleurs et formes, qui jadis appartenaient aux oiseaux les plus exotiques, frôlent ses doigts tendus. Instinctivement, elle cherche une plume verte, et elle est soulagée de ne pas en trouver. Un papillon, plus grand que sa paume, est épinglé au mur, ses ailes bleu ciel nacrées soulignées de volutes noires. La pièce est pleine d'odeurs, la plus forte étant la noix de muscade, mais il y a aussi les arômes prenants du bois de santal, des clous de girofle, ainsi que des relents brûlants de poivre qui imprègnent les murs de leur chaleur telle une mise en garde.

Nella s'avance. Sur les étagères en bois toutes simples s'alignent des crânes jaunissants d'animaux, restes de créatures que Nella ne peut même pas imaginer : longues mâchoires, fronts aplatis, dents puissantes, aiguisées. Il y a des cuticules d'insectes, aussi luisantes que des grains de café, iridescentes à la flamme de sa bougie, noires avec un reflet rouge. Une carapace de tortue renversée oscille doucement quand elle la touche. Et partout des plantes et des baies séchées, des gousses de graines, des graines seules — sources de ces odeurs entêtantes. Cette pièce n'est pas Amsterdam, bien qu'elle démontre l'appétit d'acquisition des Amstellodamois. Tout ce que la République a pu atteindre est là, entre ses quatre petits murs.

Et voici une carte de l'Afrique, immense, et en si grande part encore inconnue ! Entouré de rouge, au milieu de la côte occidentale, un lieu appelé Porto-Novo. La jolie écriture de Marin pose des questions tout autour : *Climat ? Nourriture ? Dieu ?* Il y a aussi une carte des Indes, avec beaucoup plus de cercles et de flèches pour indiquer où chaque élément de la flore et de la faune dans cette chambre a été découvert. *Moluques 1676, Batavia 1679, Java 1682* — des voyages que Marin n'a sûrement pas effectués elle-même.

Ouvert sur la table, un carnet établit une catégorisation détaillée de tous ces objets. L'écriture de Marin coule mieux que sa parole, et Nella la reconnaît : elle l'a vue sur l'enveloppe envoyée à sa mère un an plus tôt. Elle ressent à nouveau la tension de l'intrus — voulant désespérément rester, en découvrir davantage, mais redoutant le piège dans lequel elle s'est placée de son propre chef. Je ne suis pas plus la maîtresse de cette maison que la petite Arabella n'est celle d'Assendelft, soupire-t-elle.

Plus loin sur l'étagère, une lampe d'aspect étrange, avec les ailes d'un oiseau, mais la tête et la poitrine d'une femme. Nella tend la main. Elle est en métal frais et épais. À côté, une pile de livres dont les dos diffusent une odeur de glaise, un mélange d'humidité et de peau de cochon. Nella en prend un au sommet, trop curieuse désormais de découvrir les lectures de Marin pour s'inquiéter de quelqu'un qui monterait l'escalier.

Le livre est un journal de bord intitulé *Le Malheureux Voyage du navire Batavia*. La plupart des habitants des Provinces-Unies connaissent l'histoire de la mutinerie de Jeronimus Cornelisz, de l'exploitation de Lucrecia Jans comme esclave sexuelle et de l'implication de cette dernière dans le meurtre des survivants. Nella ne fait pas exception, mais sa mère détestait les aspects les plus salaces de l'histoire.

« C'est à cause de cette Jans que les dames ne voyagent plus autant, et c'est une bonne chose, avait un jour remarqué le père de Nella. Les femmes portent malchance, à bord.

— Elles portent la chance que les hommes leur accordent », avait rétorqué Mme Oortman.

Nella referme le volume, le repose et fait courir délicatement ses doigts sur les dos inégaux des livres réunis là. Il y en a tant ! Elle a beau vouloir en lire tous les titres, elle sait qu'elle ne peut lanterner. Marin doit dépenser bien des florins, pour ce goût des livres, se dit-elle en frottant ses doigts sur le luxueux et épais papier.

Sous le livre de bord du *Batavia*, il y a un volume de Heinsius, dont chacun sait qu'il a été banni du pays pour meurtre. C'est presque un crime de posséder son livre, et le fait que Marin en ait une copie stupéfie Nella. Il y a aussi une édition in-folio de l'*Almanach* de Saeghman, *Les Maladies infantiles* de Stephanus Blankaart et, de Bontekoe, *Le Récit mémorable du voyage du Nieuw Hoorn*. Elle feuillette le Bontekoe. Ses écrits parlent de périples et de dangers et sont illustrés de superbes gravures — cages thoraciques des navires échoués jaillissant des flots, splendides levers de soleil et mer houleuse. Une gravure montre une rive et des vagues entourant un grand navire. Au premier plan, deux hommes se font face. L'un a les bras et les jambes striés de fines lignes noires, un anneau dans le nez et une lance à la main. L'autre est vêtu à la manière des anciens Hollandais. Tous deux arborent la même expression : impassible, chaque homme enfermé dans sa propre sphère d'expérience. L'espace entre eux sur le papier paraît plus large encore que la mer au-delà.

Le dos en est souple : ce livre a été souvent lu. Nella va le ranger sur la pile quand une feuille de papier en tombe. Elle le ramasse et ce qu'elle y lit fait bouillonner son sang :

Je t'aime. Je t'aime. Je chéris tout ton être.

Elle sent une sorte de chatouille contre son palais. Presque hébétée, elle repose le livre, mais elle est incapable de lâcher cette note extraordinaire. Les mots tracés à la hâte, dansants, ne sont pas de l'écriture de Marin.

Tu es la lumière du soleil par la fenêtre devant laquelle je me tiens, réchauffé.
Une caresse dure des milliers d'heures. Ma chérie...

Une douleur violente traverse le bras de Nella. Quelqu'un vient de le saisir et ne le lâche pas. Marin la domine, livide, la bouche pincée, et la retourne comme une poupée de chiffon. Le papier tombe lentement par terre et Nella tente de le couvrir de son pied tandis que Marin l'entraîne plus loin.

« Est-ce que vous avez regardé mes livres ?

— Non…

— Si, vous l'avez fait ! Les avez-vous ouverts ?

— Bien sûr que non, je… »

Marin ajuste sa prise, et l'effort fait trembler sa main.

« Marin…, parvient à articuler Nella. Ça fait mal ! Vous me faites mal ! »

Marin ne la lâche pas, mais Nella se libère.

« Je vais le dire à mon mari ! Je vais lui montrer ce que vous avez fait !

— On n'aime pas les traîtres. Partez ! *Tout de suite !* »

Nella titube et, dans sa hâte de fuir, se heurte à la peau de serpent.

« Rien de tout cela ne vous appartient ! » crie Marin.

La porte claque et l'odeur d'épices disparaît.

De retour sur l'îlot rassurant de son lit, les mots sortent de sa bouche en un murmure à son oreiller : *Une caresse dure des milliers d'heures.* L'encre de ces mots est un nectar secret, et Marin n'est pas mariée.

L'écriture était griffonnée et rapide. Nella est certaine que ce n'est pas celle de Marin. Je n'aurais jamais dû entrer dans cette chambre ! Marin était peut-être même cachée dans l'ombre, attendant de me prendre sur le fait. Elle imagine Marin la pendant à une poutre, ses socques tombant de ses pieds soulevés du sol, son corps froid réchauffé par les rayons du soleil traversant la fenêtre.

Marin se met à changer dans son esprit. Hors de sa robe noire terne, elle jaillit tel un phénix, nimbée du parfum de ses noix de muscade, de ses clous de girofle, de sa cannelle — pas de lys, pas de mièvrerie florale. Elle est couverte des symboles de la ville, héritière de son pouvoir, gardienne de cartes, détentrice de la nomenclature des spécimens — et d'autres choses encore. Il n'est pas facile de la faire entrer dans une catégorie. Nella imagine l'odeur du bois de santal sur la peau de Marin, elle entend sa voix par-delà la nappe damassée, disant à son frère comment commercer. Qui est cette femme ? *Je chéris tout ton être.*

Juste avant l'aube, Nella descend sur la pointe des pieds jusqu'à l'office. La maison est enveloppée de silence — même Otto et Cornelia dorment encore. Sans hésiter, déterminée, Nella saisit la cage de Peebo et l'emporte dans sa chambre, convaincue que, désormais, elle doit veiller sur son perroquet.

La Liste de Smit

Au-dessus de la tête de Nella, Peebo, extatique, vole autour de la chambre, bat des ailes et gazouille, ses yeux noirs bien brillants.

« Marin risquerait de te décapiter ! » dit-elle à l'oiseau, en serrant son châle autour de ses épaules contre la froidure du matin.

C'est sa façon d'évaluer la menace qui, à la lumière du jour, lui semble ridicule, mais les règles de cette maison sont aussi insaisissables que l'eau. Je dois nager ou couler, se souvient-elle. Vieux d'une journée, violet foncé, les bleus sont une nouvelle marque de naissance de la couleur d'une éclaboussure de vin. Ils la font souffrir quand elle les touche. C'est stupéfiant, vraiment ! Est-ce que Johannes ne voit pas comment se comporte sa sœur ? Il ne fait rien pour dompter Marin, bien qu'il soit évident qu'elle n'aime pas sa jeune épouse.

Elle sursaute quand on frappe à sa porte.

« Entrez ! » dit-elle d'une voix qu'elle aurait préféré ne pas entendre, rauque d'appréhension.

Marin apparaît, pâle. La voyant hésiter sur le seuil, Nella se lève et laisse glisser son châle pour exposer la marque bleue. Marin se raidit et regarde le perroquet, perché au pied du lit. De ses doigts maigres et crispés, elle serre un livre contre sa poitrine.

« Je vais le garder dans ma chambre, déclare Nella.

— Tenez ! dit-elle d'une voix altérée elle aussi, en lui présentant le livre.

— Qu'est-ce que c'est ?

— La *Liste de Smit*. Un registre de tous les artisans et de toutes les entreprises de la ville.

— Pourquoi en aurais-je besoin ? demande Nella en prenant le livre des mains de Marin.

— Pour décorer votre maison.

— Laquelle, Marin ?

— Si vous laissez le cabinet vide, le cadeau de Johannes n'aura été qu'une coupable extravagance. Vous devez en faire quelque chose.

— Je ne dois rien…

— Voilà ! continue Marin en lui tendant une liasse. Ce sont des billets à ordre portant le cachet et la signature de mon frère. Tout vendeur avec qui vous ferez affaire portera à la VOC un de ces billets, que vous aurez contresigné après avoir indiqué la somme due. »

Elle tend les papiers à bout de bras comme si elle tenait le diable à distance. « Pas plus de mille florins par billet, précise-t-elle.

— Pourquoi faites-vous ça ? Je croyais que la Bible disait qu'il ne fallait pas étaler ses richesses. »

Nella est pourtant excitée par tout cet argent. Elle n'est pas aussi loin qu'elle l'aimerait de ce jour terrible où son père est mort, quand Arabella a retourné le pot et n'y a trouvé, au lieu de pièces, qu'un bouton et une araignée. Jamais Marin ne pourrait comprendre, se dit-elle.

« Contentez-vous de les prendre, Petronella ! »

L'agressivité s'étend de nouveau entre elles telle une tache. Quand Nella prend les billets des mains de Marin, elle remarque à quel point sa belle-sœur a l'air malheureuse. Si c'est un jeu, nous avons perdu toutes les deux, songe Nella, mais en passant les doigts sur les papiers, elle en sent le pouvoir invisible.

« Que dira mon mari à propos de l'argent ? »

Marin paraît soudain épuisée. « Ne vous en faites pas. Mon frère connaît les dangers de l'oisiveté. »

Elle ressort de la chambre.

Décidée à écarter toute pensée concernant Marin et son mot d'amour, Nella pose la *Liste de Smit* sur son bureau et l'ouvre. Ce répertoire fort précis est établi par ordre alphabétique des différents métiers. Apothicaires, astronomes, chocolatiers, équipementiers, librettistes, nourrices, répétiteurs, serruriers, tailleurs, tisserands ne sont que quelques-uns des professionnels qui payent pour figurer dans le livre de Marcus Smit. Les annonces sont rédigées à la main par les personnes concernées, sans restriction quant à leur formulation.

Dehors, le canal grouille de vie, avec les bateliers qui s'interpellent, un vendeur de pain qui harangue les badauds, deux enfants qui jouent au cerceau, riant chaque fois qu'il tombe dans la poussière du quai. À l'intérieur, cependant, tout est silencieux et immobile, le seul son dans sa chambre provenant du léger balancement du pendule doré de l'horloge.

En parcourant la liste, une page attire son regard. Sous *M* pour *Miniaturiste*, elle lit :

MINIATURISTE

Résidant au signe du Soleil, Kalverstraat
Originaire de Bergen
Formation auprès du grand horloger de Bruges
Lucas Windelbreke

TOUT, ET POURTANT RIEN

C'est la seule entrée sous *Miniaturiste*, et Nella aime sa concision, sa curieuse consonance. Elle ne sait pas où se trouve Bergen, ni d'ailleurs ce que fait un miniaturiste ni en quoi un horloger peut être si spécial. Il n'est pas d'Amsterdam, c'est évident, si bien qu'il ne peut appartenir à une guilde de la ville — et il est illégal, dans ces circonstances, d'y exercer un métier par lequel des vrais citoyens pourraient gagner leur vie. Son père le lui a appris. Il était de Leyde, et il se plaignait des lois draconiennes des guildes, bien plus responsables, selon lui, de sa déconfiture que les pintes de bière. De toute façon, ce n'est pas comme s'il pouvait y avoir une guilde des miniaturistes, si ? Nella est surprise que cette réclame figure dans la *Liste de Smit*.

Libérée de la présence de Marin, elle sent sa défiance se renforcer une fois de plus. Sa belle-sœur ne s'est même pas excusée de l'avoir pincée comme si elle était une enfant désobéissante. Marin, avec ses cartes et son autorité, Johannes avec sa porte qui ne cesse de se refermer, Cornelia et Otto avec leur sanctuaire partagé, leur langage silencieux d'épluchage et de polissage, de serpillière mouillée et de couteau qui reluit...

Nella se lève d'un bond, souhaitant désespérément se débarrasser de ses ruminations, de ce que Marin qualifie de dangers de l'oisiveté. Elle se moque de ce cabinet, de cette insulte à sa qualité de femme, mais quand son regard se pose sur les billets à ordre, elle se dit que jamais elle n'a vu autant d'argent en puissance de sa vie.

Tandis que Peebo frôle les onéreux tableaux de Johannes, Nella prend sa plume sur son bureau, et laisse exploser sa rage en griffonnant une lettre :

Cher Monsieur,

J'ai remarqué votre annonce dans la Liste de Smit, *et j'aimerais solliciter votre aide.*

Je possède une maison de neuf pièces à une échelle miniature et disposée dans un cabinet. Je vous adresse ces trois requêtes et attends votre réponse. Je ne peux que deviner que vous êtes formé dans l'art des petites choses. Cette liste n'est en rien exhaustive, et je suis en mesure de payer généreusement.

Un luth avec ses cordes
Une coupe de fiançailles remplie de confetti
Une boîte de pâtes d'amande

Avec toute ma gratitude par avance,

Petronella Brandt
au signe du Dauphin, Herengracht.

Dès qu'elle a tracé son nouveau nom de famille, elle le trouve tronqué, trop brusque, comparé à celui qu'elle a porté pendant dix-huit ans. L'écrire ne lui correspond toujours pas — c'est endosser un costume qui a été conçu pour elle, mais qui ne lui va pas. Elle soupire, le biffe et met à la place : *Avec tous mes remerciements, Nella Oortman*. Il va le voir, se dit-elle. Il en rira sans doute. Cela ne l'empêche pas de glisser la lettre dans sa poche, accompagnée d'un billet à ordre pour trois cents florins. Puis elle descend à la cuisine, dans l'espoir de chiper sur la table usée de Cornelia de quoi déjeuner : un petit pain, une tranche de viande — n'importe quoi sauf un hareng.

Cornelia farcit une oie d'une carotte sans paraître s'inquiéter de la brutalité de son geste. Derrière elle, Otto affûte les pointes qu'il utilise pour trouer des noix. Nella se demande pourquoi il fait ça, mais ne pose pas la question, se doutant que la réponse sera évasive, une fois de plus. Sur le feu une sauce mijote doucement. Ils ont l'air d'un couple marié dans leur maison de campagne en train de préparer le repas. Nella est sensible à leur proximité confortable qui n'a pas besoin de mots, et ça la rend misérable. Elle serre sa lettre dans sa poche pour qu'elle lui transmette sa force. À travers elle, Nella contre les tentatives de Marin et de Johannes pour la dompter. Oui, je décorerai ma maison — avec tout ce que Marin déteste.

« Est-ce que ça fait mal, Madame ? » demande Cornelia, la pelure d'une carotte pendant de ses mains comme un serpentin orange boueux. Nella rajuste son châle.

« Que voulez-vous dire ?

— Votre bras !

— Nous espionniez-vous ? »

Otto regarde Cornelia. La servante rit.

« C'est un crabe qui sort de sous un rocher pour vous pincer, Madame. Nous, on l'ignore, et vous devriez faire de même, dit-elle en laissant tomber l'épluchure. Vous avez pris votre oiseau ! remarque Cornelia d'un air presque impressionné. Je vais vous confier quelque chose : Madame Marin ne porte que du noir, mais, en dessous, c'est une autre histoire.

— Quoi ?

— Cornelia ! proteste Otto.

— La doublure ! continue Cornelia, bien décidée à offrir cette miette d'information à Nella. Zibeline et velours, sous chaque robe. Ma maîtresse, qui ne cesse de citer Ézéchiel : "Je mettrai fin à l'orgueil des puissants", se promène secrètement en fourrure !

— C'est vrai ? » s'esclaffe Nella, ravie de cette offrande de Cornelia.

Encouragée, elle laisse glisser son châle.

Cornelia siffle. « Ça va être joli ! Mais comme tout le reste, ça s'effacera. »

Nella, qui avait espéré une réaction plus maternelle, se sent idiote.

« Est-ce que vous avez veillé tard, la nuit dernière ? s'enquiert-elle.

— Pourquoi ? » demande Cornelia en jetant les épluchures au feu et en prenant sa serpillière.

Nella sent l'atmosphère amicale se dissiper un peu plus à chaque question qu'elle pose.

« Je suis sûre d'avoir entendu des voix. »

Cornelia plonge les yeux dans le seau d'eau sale.

« On est trop fatigués pour entendre des voix », dit Otto.

Dhana sort de l'ombre et vient flairer la main de Nella. Elle roule sur le dos et expose son ventre qui porte une tache noire.

Cornelia observe cette manifestation d'affection. « Elle ne fait pas ça à tout le monde », remarque-t-elle avec un soupçon d'admiration dans la voix.

Nella tourne les talons pour remonter.

« Tenez, Madame ! » la rappelle Cornelia.

Dans sa main tendue, elle lui offre un petit pain tout chaud et beurré. Nella l'accepte. Les offrandes de paix prennent des formes étranges dans cette maison !

« Où allez-vous, Madame ? demande Otto.

— Je sors. C'est autorisé, n'est-ce pas ? Je vais à la Kalverstraat. »

Ce nom produit son effet sur Cornelia, qui repousse serpillière et seau dont l'eau gicle par terre, formant comme un miroir brisé.

« Vous savez où c'est, Madame ? » demande gentiment Otto.

Nella sent le beurre couler le long de son poignet. « Je trouverai. J'ai un bon sens de l'orientation. »

Otto et Cornelia se regardent longuement. Nella remarque le signe de tête presque imperceptible qu'Otto adresse à sa compagne.

« Je vous accompagne, déclare Cornelia. J'ai besoin de prendre l'air.

— Mais…

— Il faut mettre un manteau, Madame, conseille Otto. Il fait très froid. »

Cornelia s'empare de son châle et fait sortir sa maîtresse de la cuisine.

Sur la Kalverstraat

« Doux Jésus ! gémit Cornelia. Otto avait raison. Cet hiver va être horrible. Pourquoi voulez-vous aller à la Kalverstraat ?

— Pour déposer un message », répond Nella

Elle est troublée par l'aisance avec laquelle Cornelia l'interroge.

« À qui ?

— Personne. Un artisan.

— Je vois. Il ne va pas falloir tarder à rentrer notre viande, ajoute Cornelia avec un frisson, pour qu'elle dure jusqu'en mars, au moins. Je m'étonne qu'il n'en ait pas encore envoyé un morceau.

— Qui n'a pas envoyé de morceau de viande ?

— Peu importe. »

Cornelia tourne la tête vers le canal et passe son bras sous celui de Nella. Elles se serrent l'une contre l'autre en hâtant le pas sur le Herengracht vers le centre de la ville. Le froid n'est pas encore insupportable, mais il va le devenir, Nella n'en doute pas. Sentir le bras de Cornelia contre le sien l'étonne. À Assendelft, les serviteurs ne sont jamais aussi familiers avec leurs maîtres, et la plupart ne le voudraient pas.

« Pourquoi est-ce qu'Otto ne sort pas ? » demande Nella.

Cornelia ne dit rien, ce qui contraint Nella à insister : « Je l'ai bien vu, il ne voulait pas venir avec nous.

— Il reste où c'est le plus facile.

— Le plus *facile* ? » répète Nella en riant.

Cornelia hésite et Nella espère qu'elle ne va pas lui servir un autre « peu importe ». « Toot dit que sa chance est à double tranchant. Il est ici, et pourtant, il n'y est pas.

— Je ne comprends pas.

— Il avait été embarqué sur un navire d'esclaves par des Portugais, Madame, à Porto-Novo, au Dahomey, à destination du Suriname. Ses parents étaient morts. À l'époque, le Seigneur vendait du cuivre pour les raffineries de canne à sucre de la Compagnie des Indes occidentales.

— Que s'est-il passé ?

— Le Seigneur a vu dans quelle situation était Toot et l'a ramené à la maison.

— Vous voulez dire que Johannes l'a *acheté* ?

— Il arrive, répond Cornelia après s'être mordu la lèvre, que les florins soient plus efficaces que les prières.

— Il vaudrait mieux que Marin ne vous entende pas dire ça ! »

Il semble pourtant que les confidences concernant Marin soient taries. Cornelia ignore cette réflexion. « Otto avait seize ans, quand il est arrivé, et moi j'en avais douze. On était les deux petits nouveaux. »

Nella essaie de les imaginer enfants, arrivant sur le seuil comme elle. Est-ce que Marin avait attendu dans l'ombre du hall, à l'époque ? Quel monde Otto avait-il laissé derrière lui ? Elle aimerait lui poser des questions, mais elle doute qu'il ait envie de raconter. Si Nella a vu des images de palmiers, elle ne peut imaginer la chaleur de Porto-Novo, le monde du Suriname. Il avait échangé tout ça contre des murs en briques, des canaux et une langue qu'il ne parlait pas.

« Il est devenu un vrai gentilhomme hollandais, mais certains ne le voient pas de cet œil-là, dit Cornelia d'une voix un peu altérée. Il n'a pas parlé pendant tout un mois. Il écoutait. Il écoutait tout le temps. Cette peau couleur café ! Je vous ai vue le regarder, ajoute-t-elle avec malice.

— Non ! proteste Nella.

— Tout le monde le fait. La plupart des gens n'ont jamais vu d'homme comme lui. Les dames, quand elles venaient encore, déposaient leurs oiseaux chanteurs dans ses cheveux, comme si c'était un nid. Il détestait ça. Pas étonnant que Madame Marin ne puisse pas supporter votre perroquet ! »

Elles progressent en silence, leurs pas sur les quais curieusement étouffés, l'eau brune qui s'écoule entre eux se figeant en placage de glace sur les bords. Nella tente de saisir l'image du jeune Noir, la tête pleine de chants d'oiseaux, les doigts des femmes fouillant ses cheveux. Elle a honte que sa fascination pour son physique ait été si évidente. Johannes le traite comme n'importe quel autre homme, et c'est justement ce qu'Otto est — mais sa voix, son visage… Aucun des habitants d'Assendelft n'en reviendrait.

« Pourquoi les dames ne viennent-elles plus ? »

Cornelia feint de ne pas avoir entendu. Elle s'arrête soudain. Nella lève les yeux. Elles ont atteint une pâtisserie avec, sur le signe, deux pains de sucre et le nom Arnoud Maakvrede au-dessus de la porte.

« Venez, Madame ! l'incite Cornelia. Entrons ! »

Nella a beau souhaiter exercer ne serait-ce qu'une once d'autorité, elle ne peut résister.

La première chose qu'elle remarque, c'est la délicieuse chaleur, puis, au-delà du fond de la pâtisserie, elle aperçoit un homme rond, entre deux âges, rouge et transpirant à cause des cuissons dans l'arrière-boutique. Quand il les voit, il lève les yeux au ciel. « Hanna, ton amie est là ! » lance-t-il à la cantonade.

Une jeune femme apparaît, de l'âge de Cornelia, environ, la coiffe soigneusement repassée, mais avec de la farine et du sucre saupoudrant sa robe. Son visage fatigué s'éclaire à la vue de Cornelia. « Coquelicot !

— *Coquelicot ?* s'étonne Nella.

— Salut, Hanna, dit Cornelia en rougissant.

— Où étais-tu donc passée ? »

Leur hôtesse leur fait signe de s'installer dans le coin le plus agréable de la boutique, et elle accroche le panneau *Fermé* à la porte. Des effluves de cannelle l'accompagnent.

« Par tous les saints ! Qu'est-ce que tu fais, femme ? proteste le pâtissier.

— Oh, Arnoud ! Cinq minutes, s'il te plaît ! »

Ils s'affrontent du regard en silence et il finit par céder, mécontent, et part reprendre son travail, cognant ses plaques en un rythme furieux.

« Rayons de miel, ce matin, murmure Hanna, et pâte d'amandes cet après-midi, explique-t-elle. Il vaut mieux l'éviter.

— Mais l'éviter maintenant, c'est le voir beaucoup trop plus tard, remarque Cornelia d'un air inquiet.

— Je sais, mais tu es là, et je veux te voir. »

Nella embrasse du regard le parquet ciré, le comptoir bien lisse, les pâtisseries dans la vitrine, empilées comme des cadeaux irrésistibles. Elle se demande pourquoi Cornelia l'a conduite ici, au lieu d'aller directement à la Kalverstraat, mais l'odeur des gâteaux est si délicieuse ! Et qui est Coquelicot — cette personne douce et vulnérable évoquée par l'épouse du pâtissier ? Ce baptême verbal est si soudain, si étrange ! Il bouleverse l'image que Nella s'était faite de Cornelia. Elle se souvient de ce que la servante lui a dit, le premier matin, à propos d'Otto qu'elle appelait « Toot » : *Il trouve les surnoms idiots, mais je les aime bien.*

Les papiers luxueux qui enveloppent les gâteaux sont de couleurs variées — écarlate, indigo, vert sapin et blanc doux. Cornelia adresse à son amie un clin d'œil appuyé et celle-ci, d'un mouvement du menton, montre qu'elle a compris.

« Je vous en prie, dit-elle à Nella, approchez-vous ! »

Nella fait consciencieusement le tour de la boutique et s'intéresse aux gaufres et aux beignets, aux sirops de cannelle et de chocolat, aux gâteaux à l'orange et au citron, aux pâtes de fruits épicées. Elle regarde Arnoud par-delà l'arche, qui cogne les plaques refroidies pour en déloger les rayons de miel. Elle tente d'écouter ce que se racontent les deux amies, mais elles chuchotent.

« Frans et Agnes Meermans voulaient seulement que le Seigneur le distribue, entend-elle dans la bouche de Cornelia. Ils savent combien ses affaires s'étendent loin à l'étranger. Et Madame Marin l'encourage, alors même qu'elle déteste le sucre, et alors même qu'il leur appartient, à *eux*.

— Ça peut leur rapporter beaucoup d'argent.

— Oui, mais je crois qu'il y a d'autres raisons. »

Hanna ignore cette remarque, plus intéressée par l'aspect financier de l'affaire. « Pourquoi est-ce qu'ils ne le vendent pas ici ? Il ne manque pas de confiseurs et de pâtissiers le long de la Nes et dans la rue de Buns qui aimeraient bénéficier d'un meilleur produit. Faute d'une guilde pour contrôler les escrocs, une grande partie du sucre de cette ville est coupé avec de la farine bon marché, de la craie et Dieu sait quoi d'autre. »

Arnoud pousse un juron sonore quand il réussit enfin à déloger le miel.

« Goûtez quelque chose ! » propose Hanna à Nella, qui ne comprend pas pourquoi elle lit de la pitié dans les yeux de la pâtissière.

Hanna plonge la main derrière le comptoir pour lui donner un petit paquet froissé.

Nella déballe une boule de pâte frite couverte de sucre et de cannelle. « Merci ! » dit-elle, en se retournant vers le gros pâtissier pour feindre de ne pas prêter attention aux deux femmes.

« Hanna, je crois que ça recommence, chuchote Cornelia d'une voix plus sourde encore.

— Tu n'étais pas sûre la première fois.

— Je sais, mais…

— Tu ne peux rien faire, Coquelicot. Fais profil bas ! C'est ce qu'on nous a enseigné.

— Hanna, j'aimerais bien !

— Chut ! Prends ça ! C'est presque tout ce qui nous reste. »

Nella se retourne juste à temps pour voir un

sachet transiter des mains de Hanna à la jupe de Cornelia.

« Je dois y aller. Madame Nella veut se rendre à la Kalverstraat », dit Cornelia d'un air sombre et en articulant exagérément.

Au nom de la rue, une ombre passe sur le visage de Hanna, et elle serre la main de Cornelia. « Eh bien, donne un coup de pied à la porte pour moi ! Mes cinq minutes sont écoulées. Je dois retourner aider Arnoud. On pourrait croire qu'il fabrique une armure, à la manière dont il cogne ces plaques ! »

Quand elles ressortent, Cornelia presse le pas.

« Qui est Hanna ? Pourquoi vous appelle-t-elle Coquelicot ? Et pourquoi est-ce qu'on doit donner un coup de pied dans une porte ? »

Cornelia est morose et muette, comme si sa conversation avec son amie avait libéré une tristesse qu'elle parvient d'ordinaire à contenir.

La Kalverstraat est une rue longue et animée, à l'écart des canaux, où beaucoup de marchands font leurs affaires. On n'y vend plus de veaux ni de vaches, contrairement à ce qu'indique son nom, mais le crottin de cheval rend l'atmosphère chargée et âcre entre les imprimeries, les merceries, les échoppes des apothicaires et des teinturiers.

Nella remarque que Cornelia est de plus en plus sombre. « Qu'est-ce qui ne va pas ?

— Rien, Madame. »

Elles trouvent assez vite le signe du Soleil. L'astre a été gravé sur une plaque de pierre et inséré dans les briques. Peint en doré, il illumine ce triste jour d'octobre tel un corps céleste descendu sur terre. Ses rayons, dorés eux aussi, jaillissent tout autour de l'orbe éclatant. Nella regrette qu'il soit placé si haut dans le mur, car elle aimerait le toucher. Sous le soleil, une phrase gravée : *Tout ce que voit l'homme il le prend pour un jouet*.

« *Si bien qu'il est à jamais un enfant*, continue Cornelia d'un ton mélancolique. Ça fait des années que je n'ai pas entendu cette maxime. »

Elle fouille la rue du regard comme si elle y cherchait quelque chose. Les coups que Nella frappe à la petite porte toute simple sont à peine audibles tant la rue est bruyante. Elle attend qu'on lui ouvre, que le miniaturiste fasse son apparition.

Pas de réponse.

Cornelia, frigorifiée, se met à taper des pieds. « Madame, il n'y a personne !

— Attendons ! » proteste Nella en frappant à nouveau.

Elle compte quatre fenêtres sur la rue et croit deviner une ombre derrière l'une d'entre elles, sans pourtant en être certaine.

« Bonjour ? » crie-t-elle.

Toujours pas de réponse. Il n'y a rien à faire. Elle glisse la lettre et le billet à ordre aussi loin qu'elle le peut sous la porte.

Ce n'est qu'alors qu'elle remarque l'absence de Cornelia à côté d'elle.

« Cornelia ? » appelle-t-elle en balayant la rue des yeux.

Le nom de sa servante s'étrangle dans sa gorge. À quelques mètres de la porte du miniaturiste, une femme la regarde. Non, elle ne la regarde pas : elle la scrute. Au milieu de la foule, elle a les yeux rivés sur le visage de Nella. Nella ne s'est jamais sentie disséquée ainsi. Le regard de la femme lui fait l'impression d'un rayon de lumière qui l'empale, qui l'emplit soudain d'une conscience nouvelle de son corps. La femme ne sourit pas, mais elle semble dévorer Nella de ses yeux bruns, presque orange à la lueur tamisée du jour. Sa tête nue expose ses cheveux tels des fils d'or pâle.

Une sensation de froid intense, clair, pénètre les os de Nella. Elle serre son châle autour de son cou. La femme la fixe toujours des yeux. Tout est plus lumineux, plus en relief, alors que le soleil reste distant, derrière un nuage. Nella suppose que ce doit être les vieilles briques, les pierres humides qui provoquent cette soudaine absence de chaleur. C'est possible, mais ces yeux — personne n'a jamais regardé Nella de cette façon, avec une curiosité calme qui la subjugue.

Une charrette passe et manque de renverser Nella.

« Vous avez failli me casser le pied ! crie-t-elle.

— Mais je ne l'ai pas fait ! » rétorque le gamin qui la conduit.

Quand Nella se retourne, la femme est partie. « Attendez ! » s'écrie-t-elle en remontant la Kalverstraat.

Elle boitille vers l'arrière d'une tête de la couleur du blé mûr, mais le soleil sort de derrière les nuages, et l'éblouit.

« Que voulez-vous ? » crie Nella.

Elle fend la foule, certaine d'avoir vu la femme disparaître dans un passage. Alors qu'elle plonge dans une ruelle sombre, Nella sent son cœur bondir quand elle distingue une silhouette, un peu plus loin — mais ce n'est que Cornelia, seule, les traits tirés, qui tremble devant un portail.

« Auriez-vous vu une femme aux cheveux blonds ? » lui demande-t-elle.

97

Sans crier gare, la servante donne un violent coup de pied dans le battant de la porte.

« Que faites-vous ? s'étonne Nella.

— Chaque année. Pour me souvenir de ma chance.

— Que voulez-vous dire ?

— Mon ancien foyer. »

Le tumulte des chalands dans la Kalverstraat est étouffé par les murs épais de la ruelle. Nella s'appuie à la porte que Cornelia vient de frapper. Une plaque montrant un groupe d'enfants autour d'une colombe, tous vêtus du noir et du rouge de la ville, surmonte l'architrave. En dessous, des vers sans humour :

Nous croissons en nombre et les murs ne cessent de geindre
Soyez généreux et les orphelins cesseront de se plaindre.

« Cornelia, un orphelinat ? Qu'est-ce... »

Mais Cornelia est déjà en train de rejoindre la clarté et le bruit de la rue, et Nella ne peut que la suivre, encore secouée par le regard extraordinaire de la femme aux yeux lumineux.

❦

De retour sur le Herengracht, Nella découvre que Marin a fait monter le cabinet dans sa chambre. Il a fallu le hisser par l'extérieur, car il était trop large pour passer par la porte.

« Il ne pouvait rester dans le hall, affirme Marin en ouvrant les rideaux couleur moutarde pour exposer les neuf pièces vides. Il est bien trop grand. Il mangeait toute la lumière. »

En plus de l'intrusion du cabinet, Nella prend conscience d'une odeur de lys entêtante. Le soir, elle découvre que sa bouteille de parfum apportée d'Assendelft a été renversée, que son huile forme une flaque visqueuse sous son lit.

« Ce sont les livreurs », dit Marin, quand Nella lui montre les bouts de verre et demande une explication.

Guère convaincue, Nella jette certains des coussins brodés sur la tache dans l'espoir que la laine et le rembourrage absorberont l'odeur. Elle est de toute façon ravie de ne plus voir ces emblèmes de son mariage.

Cette nuit-là, dans son lit, le nez agressé par le cadeau mal choisi de sa mère, Peebo craquant dans sa cage, Nella pense à Otto et à Cornelia. Le petit esclave, la petite orpheline. Comment Cornelia est-elle passée de là au Herengracht ? A-t-elle été « sauvée », comme Otto ? Ai-je été sauvée, moi aussi ? Jusqu'à présent, la vie ici lui semble à l'opposé d'une évasion.

Dans l'obscurité de sa chambre, elle conjure la tête dorée et les yeux si inhabituels de la femme de la Kalverstraat. C'était comme si elle l'écharpait, la transformait en l'un des animaux sur les tableaux de Johannes, qu'elle la dépeçait morceau par morceau. Pourtant, simultanément, Nella se sentait si *concentrée*. Pourquoi cette femme était-elle là, dans la rue la plus animée de la ville, debout, immobile, le regard fixe ? N'avait-elle rien de mieux à faire ? Et pourquoi me regardait-elle ?

En s'enfonçant dans le sommeil, elle voit de grands plateaux en argent et Johannes qui les fait virevolter, le visage levé vers les trompe-l'œil du plafond, vers une profondeur qui n'existe pas. Alors qu'elle s'agite dans ce cauchemar, elle est réveillée par un cri, bref, aigu. Celui d'un chien qui souffre ? Rezeki, peut-être, devine-t-elle, désormais bien éveillée, le cœur tambourinant dans sa poitrine.

Quand le silence retombe, aussi lourd qu'un tissu damassé, Nella se tourne vers son cabinet vide, monumental, semblant presque monter la garde dans un coin de sa chambre.

Livraison

Trois jours plus tard, Cornelia part au marché avec Marin.

« Est-ce que je peux venir ? propose Nella.

— On ira plus vite à deux », rétorque Marin.

Johannes est parti pour ses bureaux de la VOC sur la Vieille Hoogstraat et Otto est dans le jardin, en train de planter bulbes et graines pour le printemps. Le jardin est son domaine. Il y va souvent, crée des formes dans les haies, discute de l'humidité du sol avec Johannes.

Alors que Nella traverse le hall avec des noix chapardées pour Peebo, une série de coups rapides contre la porte la fait sursauter. Elle empoche les noix, tire les tiges des verrous et ouvre le lourd battant.

Un jeune homme apparaît sur le seuil, à peine plus âgé qu'elle. Le souffle de Nella reste coincé dans sa gorge. Il se tient jambes écartées comme s'il voulait occuper tout l'espace. Grand, une masse de cheveux sombres ébouriffés, un visage sculpté avec une symétrie précise, le teint pâle, il est vêtu à la mode, mais dépenaillé. Ses poignets de chemise dégoulinent de ses longs bras au bas des manches de son beau manteau en cuir. Ses bottes, l'air plus neuf encore que le manteau, en doux cuir brun, soulignent le galbe de ses mollets. Un triangle de peau dénudé au col de sa chemise, dont le laçage est défait, révèle quelques taches de rousseur. Son corps raconte toute une histoire, solidement campé sur ses jambes et s'achevant dans le flou. Nella se retient au montant de la porte dans l'espoir de l'éblouir autant qu'elle est éblouie.

« Livraison ! » dit-il avec un sourire.

Nella sursaute au son de sa voix. Il a un accent inhabituel, monocorde, plat. Ce mot est correct, mais il est clair qu'il ne lui est pas venu spontanément, comme dans sa langue maternelle.

Sortant de nulle part, Rezeki bondit et se met à aboyer contre ce jeune homme, et elle gronde quand il tente de lui caresser la tête.

Nella regarde ses mains ballantes. « Vous êtes censé utiliser la porte de service, pour les livraisons.

— Bien sûr ! s'excuse-t-il avec un grand sourire. J'oublie toujours ! »

Nella, soudain un peu rebutée par sa beauté, a envie de toucher ses pommettes, ne serait-ce que pour l'écarter. Elle sent une présence derrière elle. Johannes s'avance et se place entre elle et le jeune homme.

« Johannes ? Je vous croyais au travail, s'exclame-t-elle. Pourquoi êtes-vous…

— Que faites-vous ici ? » demande Johannes d'une voix étranglée, presque un murmure.

Il ignore l'étonnement de Nella et repousse dans la maison Rezeki, qui grogne toujours.

Le jeune homme glisse nonchalamment la main dans sa poche et Nella remarque qu'il s'est un peu redressé, qu'il a rassemblé ses jambes. « Je suis juste venu remettre un paquet.

— Pour qui ?

— Pour Nella Oortman », répond-il en donnant tout leur poids aux deux noms et en soutenant le regard de Johannes.

Nella sent que son mari se crispe.

Le jeune homme sort de sa poche un paquet de taille moyenne. Par-dessus le bras de son mari, Nella voit qu'il est orné d'un soleil. Le miniaturiste a-t-il déjà réalisé mes objets ? se demande-t-elle, peinant à se retenir de lui arracher le paquet et de courir jusqu'à sa chambre.

« Votre patron travaille vite », fait-elle observer en souhaitant conserver un peu de dignité.

C'est une livraison pour moi, pense-t-elle, pas pour mon mari.

« À quel patron fait-elle allusion ? » gronde Johannes.

Le jeune homme rit et tend le paquet à Nella, qui le serre contre sa poitrine. « Je suis Jack Philips. De Bermondsey. »

Il s'incline et baise la main de Nella. Ses lèvres sèches et douces lui laissent un frisson de sensations.

« *Ber-mond-sey* ? » répète Nella.

Ce mot inhabituel n'éveille en elle aucune image. Aucune signification, en fait, définissant ce jeune homme hors du commun.

« C'est juste en dehors de Londres. Je travaille parfois pour la VOC. Parfois pour moi-même. J'étais acteur, dans mon pays. »

Rezeki aboie dans l'obscurité derrière eux, et le bruit résonne dans le ciel nuageux.

« Qui vous a payé pour cette livraison ? demande Johannes.

— Dans toute la ville, Seigneur, des gens me paient pour ce service. »

Jack fait un pas en arrière.

« Qui, cette fois ? insiste Johannes.

— Votre épouse, Seigneur ! répond Jack. Votre épouse. »

Il fait une révérence à Nella, descend le perron et s'éloigne d'un pas lent.

« Entrons, Nella, dit Johannes. Fermons cette porte aux regards trop curieux. »

Otto les attend en haut des marches de la cuisine, avec entre les mains un râteau dont les dents luisent à la lumière. « Qui était-ce, Seigneur ?

— Personne. »

Otto le regarde et hoche la tête.

Johannes se tourne vers Nella qui se voûte, impressionnée par sa haute taille. Il lui paraît plus imposant encore, la porte refermée.

« Qu'y a-t-il dans ce paquet, Nella ?

— Des objets pour le cabinet que vous m'avez acheté. »

Elle se demande ce qu'il dirait s'il voyait le luth, la pâte d'amandes et la coupe de fiançailles.

« Ah ! Fort bien. »

Nella attend qu'il montre un peu de curiosité, mais rien ne vient. En fait, il a l'air agité.

« Est-ce que je l'ouvre en haut ? Vous pourriez venir dans ma chambre, propose-t-elle dans l'espoir qu'il se joigne à elle. Vous verriez comment je vais orner votre cadeau.

— Je dois travailler, Nella. Je vous laisse à votre

intimité », répond-il avec un sourire anxieux, la main déjà tendue vers la porte de son bureau.

Je ne veux pas d'intimité ! Je m'en déferais dans la seconde si vous me prêtiez la moindre attention.

Johannes est déjà parti, Rezeki sur ses talons.

❧

Encore troublée par la vision de Jack Philips de Bermondsey, Nella se hisse sur son lit géant avec son colis. Il est plutôt gros, entouré de papier lisse maintenu par une ficelle. Il porte son nom sur une face et, sur l'autre, un grand soleil tracé à l'encre noire. En lettres majuscules autour du soleil :

TOUTE FEMME
EST L'ARCHITECTE DE SON PROPRE DESTIN

Elle lit deux fois le message, interloquée, l'excitation montant dans son ventre. Les femmes ne construisent rien, et surtout pas leur propre destin ! Notre destin est entre les mains de Dieu — en particulier celui des femmes, quand leur mari les abandonne ou qu'elles subissent la torture d'un accouchement.

Elle sort le premier objet et soupèse une petite boîte en argent. Sur le couvercle, on a gravé un *N* et un *O*, entourés de fleurs grimpantes. Nella le soulève avec précaution. Les charnières miniatures sont bien huilées et silencieuses. À l'intérieur repose un bloc de pâte d'amandes de la taille d'un grain de café. Ses papilles s'éveillent à la perspective de la friandise sucrée. Elle y glisse un ongle qu'elle effleure du bout de sa langue. C'est bien de la pâte d'amandes, et on l'a même parfumée à l'eau de rose.

Elle déballe le second objet et retient sa respiration. C'est un luth plus petit qu'un doigt et dont les cordes sont tendues de façon à ce que son corps arrondi tienne parfaitement la note. Jamais elle n'aurait pu rêver d'une aussi belle reproduction, d'une telle précision technique, d'un tel soin apporté aux détails. Elle le prend et fait prudemment résonner une corde. La note s'épanouit et chante dans sa paume. Elle passe un moment, d'un doigt, à retrouver l'air qu'elle a joué pour Johannes, l'été précédent, à Assendelft, et qu'elle joue alors pour elle seule.

Le paquet suivant contient une coupe de fiançailles en étain, un homme et une femme joints par les mains gravés autour du bord, dont le diamètre n'est pas plus long qu'un ongle. Tous les mariés de la République boivent dans une de ces coupes, comme Johannes et elle auraient dû le faire, en septembre. Elle se représente leur couple, chacun d'eux buvant une gorgée de vin du Rhin, dans le verger de son père, tandis que les voisins leur lancent du riz et des pétales de fleurs. Elle n'a que cette petite coupe pour se souvenir d'un évènement qui ne s'est jamais produit. Ce qu'elle avait conçu comme une révolte contre Marin la rend affreusement triste.

Elle rassemble les emballages pour les jeter, et s'aperçoit qu'il y a autre chose à l'intérieur. Ça ne se peut pas ! se dit-elle en sentant sa morosité supplantée par la curiosité. Tout ce que j'ai demandé est déjà sur le lit.

Elle renverse le paquet, et trois objets enveloppés de papier tombent sur sa courtepointe. Elle déchire nerveusement un des papiers et deux ravissants fauteuils en bois apparaissent. Sur leurs accoudoirs, on a gravé des lions de la taille de coccinelles, et l'assise est en velours vert cerclé de clous en cuivre. Des monstres marins se tordent dans un réseau de feuilles d'acanthe le long des pieds. Elle a déjà vu ces fauteuils : leurs équivalents en taille réelle sont en bas, au salon. La semaine précédente, Marin lisait justement dans l'un d'eux.

Vaguement mal à l'aise, elle ouvre le paquet suivant. Quelque chose de petit mais de lourd attend dans les replis d'un tissu. C'est un berceau. En chêne, avec des inclusions complexes de fleurs, des barreaux en étain et un volant de dentelle autour de la capote. C'est un doux miracle à couper le souffle — qui pourtant lui serre la gorge. Elle le tient dans sa paume, où il se met à osciller en un balancement parfait.

C'est forcément une erreur, se dit Nella, c'était destiné à quelqu'un d'autre. Des fauteuils, un berceau — sans doute des choses qu'une femme demande en général pour reproduire sa propre maison — mais je n'ai rien commandé de tel. Absolument pas. Elle déchire l'enveloppe du troisième paquet. Sous une couche de carton bleu reposent deux chiens miniatures. Ce sont deux whippets à la fourrure grise soyeuse, le crâne de la taille de petits pois. Entre eux, un os — un clou de girofle peint en jaune, l'odeur le trahit — attend qu'ils le mâchonnent. Elle les contemple de plus près et son sang fuse dans son corps. Ces chiens ne sont pas n'importe quels chiens : ce sont Rezeki et Dhana.

Nella les laisse tomber comme s'ils l'avaient mordue et bondit hors de son lit. Dans un coin sombre de sa chambre, le cabinet attend sa livraison. Les rideaux sont ouverts, évoquant des jupes relevées. Elle s'autorise un bref coup d'œil vers les corps des whippets. Même courbe, même couleur sur leurs flancs, même superbe ligne des oreilles. Voyons, Nella Elisabeth ! Allons ! Rien ne dit que ce sont les *mêmes* que les whippets qui sont en bas, enroulés près du poêle de Cornelia.

Elle les lève à la lumière. Ils ont un corps un peu spongieux, les membres articulés. On les dirait recouverts de peau de souris grise, aussi douce qu'un lobe d'oreille. Nella les retourne, et son sang bat à ses tempes. Sur le ventre d'un des chiens, on a tracé le même cercle noir que celui qui distingue Dhana.

Nella regarde autour d'elle. L'observe-t-on ? Bien sûr que non, Nella ! Jamais tu ne t'es sentie plus seule. Et si quelqu'un lui jouait un tour ? Cornelia n'aurait pas de quoi payer ces farces, ni le temps de concevoir un tel amusement. Otto non plus — et il ne se risquerait pas à écrire à un étranger.

Elle a l'impression d'une intrusion, qu'on l'accompagne et qu'on l'observe dans ses folies de jeune épouse. C'est Marin ! se dit-elle. Elle se venge du mariage de Johannes, du fait que je m'impose ici. Elle renverse mon parfum au lys, m'interdit la pâte d'amandes, me pince fort le bras. N'est-ce pas elle qui m'a donné sa *Liste de Smit* ? Pourquoi ne paierait-elle pas le miniaturiste afin qu'il me fasse peur ? Pour elle, ce n'est qu'un amusement né de l'oisiveté.

Malgré tout… on a du mal à associer « amusement » et « oisiveté » à Marin Brandt. Nella sait que cela n'a aucun sens. Marin a un appétit de souris et dépense comme une nonne — sauf en ce qui concerne ses livres et ses spécimens, sans aucun doute ramenés de voyage par son frère. Ce n'est donc pas l'œuvre de Marin, puisque ça implique de dépenser de l'agent. Pourtant, alors qu'elle reporte les yeux sur les objets miniatures, Nella espère presque que c'est sa belle-sœur, parce que, dans le cas contraire, quelle étrangeté a-t-elle laissé entrer dans son existence ?

Quelqu'un a regardé la vie de Nella et a troublé son équilibre. Si ces objets n'ont pas été envoyés par erreur, le berceau ironise sur son lit nuptial où elle dort seule et sur cette virginité éternelle qu'elle commence à redouter. Quel genre de personne pourrait être impertinente à ce point ? Les chiens, si particuliers, les fauteuils, si exacts — le berceau, si suggestif. On dirait que le miniaturiste a une vision parfaite de son intimité.

Elle remonte sur son lit et mesure combien ces objets créent de bouleversements en elle, un bouillonnement d'inquiétude, de curiosité et de peur. Ça ne peut pas continuer. Je ne peux pas être tyrannisée de loin comme de près.

Elle écoute le tic-tac du pendule doré de son horloge. Entourée par cette livraison inexplicable, elle rédige une deuxième lettre au miniaturiste.

Monsieur,

Merci pour les objets que j'avais commandés, livrés aujourd'hui par Jack Philips de Bermondsey. Votre travail est exceptionnel. Vous faites des miracles de vos doigts. La pâte d'amandes est particulièrement bonne.

La plume de Nella se soulève, mais la pointe retombe vite sur le papier, et les mots s'inscrivent fiévreusement.

Vous avez cependant ajouté à cette livraison des éléments que je n'avais pas prévus. Les whippets, bien que très exacts, sont sans doute un coup de chance, Seigneur, car beaucoup de gens, en ville, possèdent ce genre de chien. Pourtant, je ne suis pas une personne parmi d'autres, et ces chiens, le berceau et les fauteuils ne sont pas pour moi. En tant qu'épouse d'un marchand émérite de la VOC, je ne me laisserai pas intimider par un artisan. Merci pour votre travail et le temps qu'il vous a coûté, mais je mets fin à nos transactions.

En toute sincérité,

Petronella Brandt

Avant de changer d'avis — car elle doit admettre qu'il est bien possible que cela arrive —, elle appelle Cornelia et lui remet la lettre fraîchement écrite et scellée. A-t-elle renoncé à quelque chose, refusé de relever un défi caché dans ces objets inattendus, d'assumer un dessein qu'elle ne pourra plus jamais découvrir ? Éprouvera-t-elle quelque regret ? Non ! affirme-t-elle. Ce n'est que l'effet de ton imagination.

Cornelia lit l'adresse. « Encore l'artisan ?

— Ne l'ouvrez pas ! » ordonne Nella.

La servante hoche la tête, rendue muette par le ton impérieux de sa jeune maîtresse.

Ce n'est qu'après le départ de Cornelia pour la Kalverstraat que Nella se rend compte qu'elle n'a pas restitué au miniaturiste les objets non commandés. Un par un, elle les dispose dans son cabinet, où ils ont l'air parfaitement chez eux.

Barge

Le lendemain, Cornelia semble revigorée.
« Venez, Madame ! dit-elle en faisant irruption
dans la chambre, Marin sur ses talons. Laissez-moi
arranger ces mèches de cheveux, les cacher sous la
coiffe !

— Qu'est-ce qui se passe, Cornelia ?

— Johannes vous emmène à une fête, celle de la
guilde des argentiers, ce soir, intervient Marin.

— Était-ce son idée ?

— Bien sûr ! répond Marin en se tournant vers
le cabinet dont Nella a tiré les rideaux pour éviter
les regards curieux. Il adore les fêtes. Il pense qu'il
serait bon que vous y soyez. »

Mon aventure est-elle sur le point de commencer ? Est-ce la manière dont mon mari va me lancer, telle une petite embarcation, sur les mers
agitées de tempêtes de la bonne société d'Amsterdam ? Lui, le meilleur des marins, sera mon guide !
Nella écarte de son esprit les whippets et le berceau. Elle se penche sous son lit, recueille de l'huile
de lys sur ses doigts et, sous les yeux de Marin, s'en
frotte le cou.

Sitôt Marin partie, Nella demande à Cornelia ce
qui s'est passé à la Kalverstraat.

« Cette fois non plus, personne n'a ouvert. J'ai donc glissé la lettre sous la porte.

— Au signe du Soleil ? Vous n'avez vu personne ?

— Personne, Madame. Mais Hanna vous salue. »

« Marin, pourquoi ne te joins-tu pas à nous ? » suggère Johannes, le soir, alors que la barge vient les chercher.

Il est tête nue, vêtu d'un superbe costume en velours noir, avec un col blanc amidonné, et il porte des bottes en veau, cirées comme des miroirs par Otto, qui attend, une brosse à habits à la main.

« Tout bien considéré, je crois qu'il vaut mieux qu'on te voie avec ton épouse, réplique Marin, les yeux rivés sur lui.

— Que voulez-vous dire, "tout bien considéré" ? demande Nella.

— Parle aux gens, Johannes. Montre-la...

— Je vais vous présenter, Nella, l'interrompt Johannes en fusillant sa sœur du regard. Je crois que c'est ce que veut dire Marin.

— Et parle à Frans Meermans, mon frère. Il sera là, ce soir. Invite-les tous deux à dîner. »

Nella est surprise de voir Johannes hocher la tête. Pourquoi laisse-t-il sa sœur lui parler de cette façon ?

« Johannes, est-ce que tu promets...

— Marin ! Quand est-ce que j'ai jamais raté une affaire ?

— Jamais. Pas encore, du moins. »

Nella a la bouche sèche et l'estomac en vrac. C'est lors du trajet en barge jusqu'à la guilde des argentiers que les nouveaux époux sont seuls pour la première fois. Elle craint que le silence ne la noie, mais la voix en elle est si forte qu'elle est sûre que Johannes l'entend aussi. Elle aimerait pouvoir l'interroger sur la chambre de Marin tapissée de cartes, sur Otto et son bateau d'esclaves — elle aimerait lui parler des petits whippets, du berceau, du beau luth miniature. Elle ne lui parlera pas de la femme sur la Kalverstraat, celle qui l'observait. Elle a le sentiment qu'il vaut mieux garder cela pour elle. De toute façon, sa bouche refuse de bouger.

L'air absent, Johannes entreprend de se nettoyer les ongles, laissant flotter les croissants de saleté vers le plancher de la barge. Il surprend le regard de Nella. « De la cardamome, explique-t-il. Elle se colle sous les ongles. Comme le sel.

— Je vois. »

Nella inhale l'air du bateau, les indices des lieux où il est allé, l'arôme de cannelle dans chacun de ses pores. Elle retrouve une trace de la forte odeur musquée qu'elle a sentie, le premier soir, à la porte du bureau. Le visage tanné de son mari, ses cheveux trop longs, décolorés, raidis par le soleil et le vent, déclenchent en elle une pulsion embarrassante — le désir de savoir ce qu'elle éprouvera quand ils s'allongeront enfin ensemble. L'offrande du cabinet et maintenant ce voyage en commun vers la guilde — peut-être viendra-t-il ce soir, après la fête ? Éméchés tous deux, ils s'acquitteront de leur devoir conjugal.

Le canal est si lisse, le batelier si habile qu'on a l'impression que ce sont les maisons qui bougent et non leur étroite embarcation. Plus habituée à monter à cheval, Nella est déconcertée par cette allure calme, qui se veut tranquille alors qu'elle-même ne l'est pas du tout. Elle tente d'écraser sa panique entre les paumes de ses mains. *Par quoi dois-je commencer pour vous aimer ?* Cette question monumentale, impossible à ignorer, tourne perpétuellement dans sa tête quand elle le regarde.

Elle concentre ses pensées sur la salle de réception des argentiers, imaginant une pièce pleine de lumière aqueuse, d'assiettes telles des pièces de monnaie géantes, avec le reflet des convives dans chaque surface polie.

« Que savez-vous de la guilde des argentiers ? demande Johannes, interrompant ses réflexions.

— Rien. »

Johannes accepte son ignorance d'un signe de tête et Nella regrette de ne pas pouvoir paraître plus intelligente.

« C'est une guilde qui brasse d'énormes sommes, dit-il, une des plus riches. Elle offre sa protection dans les temps difficiles, forme des apprentis et donne les moyens de vendre, mais elle impose aussi une charge de travail et contrôle le marché. C'est pourquoi Marin insiste tant pour qu'on vende le sucre.

— Que voulez-vous dire ?

— Eh bien, comme pour le chocolat et le tabac — et les diamants, la soie et les livres —, le marché est ouvert. Il n'y a pas de guilde pour ces denrées. Je peux fixer mon prix — ou Frans et Agnes Meermans le peuvent.

— Pourquoi allons-nous donc à la guilde des argentiers ?

— Pour un repas gratuit. Non, je plaisante ! Ils

veulent que j'augmente le soutien que je leur apporte, et c'est une bonne chose de me montrer en train de le faire. Je suis la fissure dans le mur qui conduit au jardin magique… »

Nella se demande à quel point ce jardin est magique et dans quelle mesure Johannes peut dénouer les cordons de sa bourse. Marin avait l'air mal à l'aise, à propos de sa dépense pour le cabinet, et qu'avait dit Otto ? *Ça déborde.* On veut qu'il augmente son soutien — mais peut-être ne le peut-il pas. Ne sois pas idiote ! Tu vis sur le Herengracht !

« Marin semble très impatiente de vous voir vendre le sucre de Frans Meermans », ose-t-elle avant de regretter d'avoir parlé.

Le silence qui suit est si long que Nella se dit qu'elle préférerait mourir plutôt qu'il se prolonge davantage.

« Il vient de la plantation d'Agnes Meermans, finit par dire Johannes. Frans la gère, désormais. Le père d'Agnes est décédé l'an passé sans avoir de fils, bien qu'il y ait travaillé jusqu'à son dernier souffle… Je suis désolé, se reproche Johannes en voyant Nella rougir. Je ne voulais pas être grossier. C'était un homme horrible. Agnes a hérité de ses hectares de canne et, du jour au lendemain, ces pains de sucre les ont rendus cupides, Frans et elle. C'est ce qu'ils attendaient.

— Qu'attendaient-ils ?

— Une bonne occasion, grimace Johannes. Je les ai entreposés chez moi et j'ai accepté de les vendre. Ma sœur doute que je le ferai.

— Pourquoi ?

— Parce que Marin reste assise à la maison et il lui vient plein d'idées, mais elle ne comprend pas ce qu'implique une vraie transaction commerciale.

Je fais ça depuis des dizaines d'années — depuis trop longtemps… On doit avancer à pas de loup et Marin débarque comme un éléphant.

— Je vois », dit Nella qui n'a pas la moindre idée de ce qu'est un éléphant.

Ça lui évoque une fleur élégante, mais Johannes n'a pas eu l'air de faire un compliment à sa sœur.

« Johannes, est-ce que Marin est… *amie* avec Agnes Meermans ?

— Elles se connaissent depuis longtemps, répond-il dans un éclat de rire. Il arrive qu'il soit difficile d'aimer une personne qu'on connaît trop bien. C'est ma réponse. N'ayez pas l'air si choquée ! »

Cette observation se loge en elle telle une aiguille de glace. « Le pensez-vous sincèrement, Johannes ?

— Quand on connaît vraiment une personne, Nella — quand on perce à jour les gestes aimables et les sourires, quand on voit la rage et la peur pitoyable cachées en chacun de nous —, le pardon est la clé. Nous avons tous désespérément besoin d'être pardonnés. Et Marin… n'est pas quelqu'un d'indulgent. Il y a… des échelons, dans cette société, et… Agnes adore les grimper. Le problème, c'est qu'elle n'a pas aimé ce qu'elle y a vu, dit-il en s'amusant de cette plaisanterie invisible. Enfin, bon ! Je vous parie un florin que Frans va porter le plus grand chapeau de la pièce, et qu'elle le lui aura imposé.

— Est-ce que les épouses assistent souvent à ces fêtes ?

— Les femmes sont en général *proibido*, sauf en de rares occasions, répond-il avec un sourire. Même si les femmes d'Amsterdam jouissent d'une

116

liberté que ne connaissent ni les Françaises ni les Anglaises.

— Liberté ?

— Les dames peuvent circuler seules dans la rue. Les couples peuvent même se tenir par la main. Cette ville n'est pas une prison, ajoute Johannes en regardant par la fenêtre, à condition d'y tracer sa route correctement. Les étrangers peuvent s'offusquer, marmonner leur *jamais-je-ne*, mais je suis sûr qu'ils nous envient.

— Bien sûr », dit Nella alors qu'une fois de plus elle n'a pas compris ses mots étrangers, qu'elle ne voit pas du tout ce qu'il veut dire.

Proibido. Elle a remarqué, dans le peu de temps qu'elle a passé avec lui, que Johannes utilise souvent des mots de langues étrangères, et ça la fascine. Il n'a pas l'air de se vanter. C'est plutôt comme recourir à une signification que sa propre langue ne lui offre pas. Nella se rend compte qu'aucun homme — que personne, en fait — ne lui a jamais parlé comme il le fait ce soir. En dépit des allusions mystérieuses, Johannes la traite en égale, comme s'il pensait qu'elle comprenait.

« Approchez, Nella ! » soupire-t-il.

Obéissante, avec une certaine appréhension, elle s'approche de lui. Il lui lève doucement le menton pour allonger son cou. Elle le regarde en retour. Ils se jaugent comme un esclave et un maître au marché. Il prend son visage entre ses mains et touche le contour de ses joues juvéniles. Nella s'avance. Le bout de ses doigts est épais et rugueux, mais c'est ce qu'elle attendait. Sa tête tourbillonne sous ses caresses. Elle ferme les yeux en se remémorant les paroles de sa mère — *la fille veut de l'amour. Elle veut les fraises et la crème.*

« Aimez-vous les objets en argent ? demande Johannes.

— Oui ! » dit-elle dans un souffle. Elle se refuse à gâcher ce moment par trop de paroles.

« Il n'y a rien, rien, de plus beau au monde que l'argent, déclare Johannes en laissant ses mains retomber. Je ferai faire un collier pour ce décolleté. »

Sa voix semble bien loin derrière le rugissement des pensées de Nella.

Elle rouvre les yeux et se trouve soudain gênée de son cou tendu. Elle recule et se frotte la gorge, comme pour la ramener à la vie. « Merci, s'entend-elle dire.

— Vous êtes une épouse, désormais. On est censés vous parer des plus beaux atours. »

Il sourit, inconscient de la brutalité de son langage. Nella sent la petite pierre de peur devenue familière durcir dans sa gorge et elle s'aperçoit qu'elle ne peut rien dire.

« Je ne vous ferai pas de mal, Petronella », promet-il en posant sur elle un regard préoccupé.

Elle contemple l'interminable coulée de façades passant devant les fenêtres du bateau. Elle se tient jambes serrées, imagine le moment où il la pénétrera — y a-t-il quelque chose en elle qui se déchirera ? est-ce que ce sera aussi douloureux qu'elle le craint ? Quelle que soit la sensation que cela procure, elle sait qu'elle ne peut l'éviter, qu'elle devra la surmonter.

« Je suis très sérieux, insiste-t-il en se penchant sur elle au point que l'odeur piégée du sel et de la cardamome, que son étrange virilité menacent de la submerger. Tout à fait sérieux, Nella. Est-ce que vous m'écoutez ?

— Oui, Johannes, je vous écoute. Je… vous ne me ferez pas de mal.

— Bien. Vous n'avez rien à craindre de moi. »

Sur ces mots, il s'éloigne d'elle et se tourne à nouveau vers les maisons qui bordent le canal.

Nella repense au livre de voyage de Marin, à l'indigène et au conquérant, des hectares d'incompréhension entre leurs corps. La nuit est tombée. Elle regarde les lumières dansantes des plus petits bateaux. Elle se sent absolument seule.

Fêtes de mariage

La salle des fêtes de la guilde des argentiers est
vaste et pleine de monde. Les visages se fondent
en un mélange d'yeux, de bouches et de plumes
rebondissant sur des chapeaux. Autour d'eux enfle
la cacophonie des tasses en argent et des rires gras
des hommes qui répondent aux bavardages des
femmes. Il y a une quantité presque monstrueuse
de nourriture. De longues tables sur tréteaux, nap-
pées de damas blanc, ont été mises bout à bout et
garnies de plats de poulets, de dindes, de fruits
confits, de tourtes à la viande et de chandeliers en
argent tordus. Johannes tient fermement le bras
de Nella alors qu'ils avancent le long des lambris
en acajou. On dirait que murmures et ricanements
les suivent.

Les autres épouses présentes glissent à leur place
sur des bancs, semblant savoir où s'asseoir. Elles
sont toutes en noir, le décolleté couvert d'un jabot
en dentelle qui ne laisse deviner que des éclats de
peau blanche. Nella remarque une de ces femmes
qui la scrute et dont les yeux lancent des éclairs
dans la lumière des bougies. Son regard ne pourrait être plus différent de celui de la femme de la
Kalverstraat.

« Souriez et asseyez-vous près de moi, chuchote Johannes en adressant aux femmes un sourire figé. Mettons-nous quelque chose dans le ventre avant d'affronter les masses. »

Nella pense qu'on la dévorerait vivante s'il n'y avait pas tous ces mets à disposition.

Ils prennent place à une longue table où l'on sert du crabe.

« Je me retrouve beaucoup dans la nourriture », l'informe Johannes en levant sa fourchette à crustacés.

Nella, qui contemple les carafes en argent et les pichets ventrus pleins de vin, se demande ce qu'il veut dire. En présence de tous ces gens, ses problèmes avec Marin sont oubliés.

Johannes, cordial, conscient des regards de la compagnie, bavarde avec sa jeune épouse comme s'ils avaient passé deux décennies à écumer les mers ensemble. « Les graines de cumin insérées dans ce nouveau fromage me rappellent que je suis sensible à de telles délices, se réjouit-il à voix haute. Et ce beurre de Delft — si fin, si onctueux, si différent des autres — me procure une immense satisfaction. J'y vends des porcelaines et j'en prends des mottes. Savez-vous que la bière de prunes et marjolaine de Cornelia me rend plus heureux qu'un marché conclu à mon avantage ? Il faudra qu'elle vous en fasse.

— Ma mère en prépare », dit Nella.

Les bruits de mastication et de vaisselle qui s'entrechoque commencent à l'intimider. Elle se sent épuisée par l'énergie de la salle, aussi cristallisée que les grains de sucre sur les fruits confits.

« Les figues et la crème fraîche au petit déjeuner en été, continue-t-il. Une joie toute particulière qui me ramène à l'enfance, une période dont il ne me reste que le goût. Je ne doute pas que vous vous souveniez de la vôtre. Elle n'est pas si lointaine. »

Nella se demande si cette remarque vise à la blesser ou si elle n'est qu'un symptôme de l'excitation d'être là en telle compagnie, sous les regards curieux. Quoi qu'il en soit, elle voudrait le contredire : elle a l'impression que son enfance est incroyablement loin, remplacée par l'incertitude et un léger sentiment de désarroi qui ne la quitte pas. La pierre de peur dans son ventre éclate en une anxiété nauséeuse. Elle déteste cette cacophonie, le timbre de cette conversation, l'invasion écrasante de tout ce qui ne lui est pas familier. « J'ai quitté le berceau il y a longtemps ! murmure-t-elle en pensant soudain au cadeau non sollicité du miniaturiste, ce qui lui donne plus encore l'impression d'avoir perdu pied.

— La mémoire par les aliments, continue Johannes. La nourriture est un langage. Panais, navets, poireaux et endives. J'en croque quand personne ne peut m'entendre. Et le poisson ! Plie, sole, limande et morue sont mon quatuor de tête, mais je dégusterais tout ce qu'offrent les mers et les rivières qui coulent dans ma République. »

Nella remarque son sourire, et elle aimerait penser qu'il veut la protéger, en lui parlant ainsi, comme si ses mots devaient empêcher son esprit de revenir à ses inquiétudes. Elle rassemble tout son courage et décide de jouer le jeu. « Que mangez-vous quand vous êtes en mer ? »

Il pose sa fourchette. « D'autres hommes. »

Elle offre un timide éclat de rire qui retombe entre eux sur la nappe.

Johannes attaque un autre morceau de crabe.

« Le cannibalisme est le seul moyen de survie quand on n'a plus de réserves, affirme-t-il. Mais je préfère les pommes de terre. J'ai ma taverne favorite, dans cette ville. Sur les îles de l'Est, près de l'entrepôt. Les pommes de terre y ont la chair la plus moelleuse. C'est mon refuge secret.

— Vous venez de me le révéler.

— En effet, en effet », admet-il en jouant avec sa fourchette.

Il paraît agréablement surpris par son observation et revient à son crabe.

Comme elle ne trouve plus rien à dire, Nella examine elle aussi la chair périssable dans son assiette, les pinces couleur d'encre, la carapace d'un rouge furieux. Johannes arrache une patte et utilise sa fourchette pour en extraire le moindre filament de chair blanche. Il salue un des argentiers. Nella réussit à prendre une petite bouchée de son crabe, qu'elle trouve salé. Il lui colle aux dents.

Johannes quitte sa femme sitôt le crabe terminé. « Je ne serai pas long, soupire-t-il. Les affaires ! »

À l'entendre, on dirait que c'est une corvée. Il s'installe dans un coin avec quelques hommes.

Nella se sent très exposée, sans lui, mais elle observe, fascinée, la transformation qui s'opère chez son mari. Si Johannes est fatigué de parler de travail, de commissions, de l'état du marché, il réussit à le cacher. Comme il est beau, comparé aux autres, en dépit de leurs luxueux manteaux et de leurs bottes en cuir. Leur rire s'élève au-dessus de leur chapeau, les têtes sont renversées et, parmi les visages ronds comme la lune, les joues rouges, les barbes ornées de bouts de crabe, Johannes, bronzé, souriant, est le centre de l'attention.

Je pourrais l'aimer. Ce devrait être facile d'être

l'épouse d'un tel homme. Il faut que l'amour naisse, sinon, je ne peux pas vivre. Peut-être s'épanouira-t-il lentement, comme une des graines d'Otto.

Des apprentis sollicitent Johannes, lui montrent ce qu'ils ont fabriqué, et il soulève chaque objet, maniant les carafes et les vases en argent avec délicatesse et respect. Un compliment de sa part, et le jeune homme repart ravi. Les autres marchands se mettent en retrait et le dévisagent quand il entame un débat sur l'art, sur les mérites des marines comparées aux tableaux de compositions florales. Il a l'air de s'y connaître ; il est observateur, si différent. Il note des noms, empoche une boîte en argent, dit à un apprenti de venir le voir à la VOC.

Nella contemple sa deuxième assiette de nourriture, un plat de coquilles Saint-Jacques arrosé d'un jus de mouton avec une sauce aux oignons, quand la femme qu'elle a remarquée plus tôt s'approche. Elle se tient très raide et ses cheveux blonds sont arrangés en une coiffure élaborée couronnée d'un ruban en velours noir orné de semences de perles. Nella sent l'intensité de son regard sur elle. En silence, elle remercie Dieu pour Ses petits miracles, pour l'habileté de couturière de Cornelia, qui a ajusté sa robe.

La femme s'arrête à sa table et fait une profonde révérence. « Eh bien ! on disait que vous étiez jeune. »

Nella serre le bord de son assiette creuse. « J'ai dix-huit ans. »

La femme se redresse et balaye la salle des yeux. « Nous nous demandions à quoi vous ressembliez ! murmure-t-elle. Je vois que Johannes Brandt est aussi pointilleux sur le choix de son épouse que sur le reste. Le nom Oortman est *très* ancien. Que dit l'Ecclésiaste ? Qu'une bonne réputation vaut mieux qu'un bon parfum ? »

Le ton est aimable, admiratif, mais il semble aussi vouloir éprouver la vulnérabilité de Nella. Elle tente de s'extraire de la table et du banc, mais le plateau et sa large jupe conspirent pour la coincer. La femme attend, décidée à ne pas renoncer à la nécessité d'une révérence. Elle regarde Nella se battre contre les objets puis se libérer enfin de l'espace étroit entre le tréteau et le banc. Nella s'incline profondément, le visage proche de la jupe en brocart noir qui s'impose à elle comme l'aile d'un corbeau et l'étouffe.

« Oh ! Redressez-vous, mon enfant ! »

Trop tard ! pense Nella.

« Je suis Agnes, l'épouse de Frans Meermans. Nous habitons au signe du Renard, sur le Prinsengracht. Frans adore la chasse, c'est pourquoi il a choisi ce symbole. »

Cette information personnelle crée une gêne entre elles. Nella se contente de sourire. Elle a déjà appris de Marin que le silence présente un avantage certain.

Agnes arrange sa chevelure et Nella voit ce qu'elle est censée voir : les bagues qui ornent chacun de ses doigts — petits rubis, améthyste et l'éclair vert d'une émeraude. Ce n'est pas très hollandais de sa part d'étaler ainsi ces pierres précieuses au regard de tous. La plupart des femmes enfouissent leurs bijoux dans les replis de leurs vêtements. Nella tente en vain d'imaginer ce genre de joyaux sur les mains de Marin.

Devant le silence de Nella, Agnes lui adresse un sourire crispé et continue : « Nous sommes presque voisines, du même *gebuurte* *. »

Elle a une manière très laborieuse de s'exprimer. On a l'impression que ses paroles ne sont pas spontanées, qu'elle a répété son attitude gracieuse devant un miroir. Nella fixe du regard les semences de perles qui forment un halo trop près du front hautain d'Agnes. Elles ont la taille de dents de lait et leur blancheur est exaltée par les flammes dansantes des candélabres.

Il est possible qu'Agnes soit un peu plus âgée que Marin. Son visage fin, mais fade, ne présente ni grains de beauté, ni taches de soleil, ni vaisseaux rouges éclatés sur les ailes du nez ou sur ses joues un peu creuses. Elle n'a pas non plus de croissants sombres sous les yeux, aucun signe de travail ni d'enfants. Elle semble éthérée, sans vie intérieure, et pourtant ses yeux noirs ont la vivacité d'un félin feignant la paresse, et ils jaugent la robe argentée devant elle, la taille fine.

« D'où venez-vous ?

— D'Assendelft. Je m'appelle Petronella.

— Un prénom populaire, que beaucoup portent dans cette ville. Aimiez-vous Assendelft ? »

Agnes sourit et Nella remarque ses dents un peu tachées. Elle réfléchit à la meilleure réponse à donner à cette femme qui semble la tester. « Je n'ai quitté Assendelft que depuis huit jours, Madame, et ça pourrait tout aussi bien faire dix ans. »

Agnes rit. « Le temps ne compte pas, pour les jeunes. Et comment Marin vous a-t-elle trouvée ?

— Trouvée ? »

Agnes rit de nouveau, en une sorte d'expulsion d'air qui sonne comme du dédain. Ce n'est pas une conversation en soi, juste Agnes qui lance des fléchettes et les observe transpercer sa cible. Il y a une ironie permanente dans sa voix, mais, sans pouvoir le définir, Nella est certaine que, sous cette confiance affichée, se cache quelque chose d'autre. Elle regarde Agnes droit dans les yeux et sourit, refoulant sa propre détresse intérieure derrière ses dents plus jeunes et plus blanches.

Autour d'elles, les effluves de poulet grillé et de fruits cuits, ainsi que les pichets de vin qui circulent, menacent de les envahir, mais l'attraction magnétique exercée par Agnes sur Nella repousse tout le reste.

« Une épouse pour Johannes Brandt…, soupire Agnes en tirant avec douceur mais fermeté sur le bras de Nella afin qu'elle se rasseye sur le banc. Cela fait *si* longtemps ! Marin doit être ravie : elle a toujours dit que Johannes devait avoir des enfants. Mais Brandt est si irritant à propos des héritiers !

— Pardon ?

— Un pari risqué, d'après lui : ils sortent tout vilains d'entre les jambes d'une beauté, deviennent grossiers malgré les soins qu'on leur prodigue et stupides malgré des parents intelligents. Ça peut faire rire, bien sûr — Brandt a beaucoup d'humour, mais on doit transmettre le flambeau. »

Nella trouve particulièrement irrespectueux, de la part d'Agnes, d'utiliser le seul nom de famille de son mari, de parler de lui avec tant de liberté. Elle se sent insultée, incapable d'imaginer dans quelles circonstances Johannes pourrait parler d'héritiers à cette femme.

Agnes soulève une carafe en argent et leur verse du vin. Pendant un moment, elles restent silencieuses et observent l'ébriété prendre possession de ceux qui les entourent, le vin qui coule et jaillit sur la nappe damassée, l'éclat des plats à la lumière des bougies, la nourriture déposée sur les langues.

« La Courbe d'Or, dit Agnes en scrutant Nella comme si elle était un jeu de cartes, quand on vient d'Assendelft, ça doit sembler aussi loin que Batavia. »

Elle glisse une mèche imaginaire derrière son oreille pour faire à nouveau scintiller ses doigts bagués.

« Un peu.

— Mais un mariage d'amour comme le mien — si rare ! Frans me gâte, murmure-t-elle sur le ton de la conspiration. Un peu comme Brandt va vous gâter.

— Je l'espère, dit Nella en se sentant ridicule.

— Mon Frans est un homme bon. »

Cette affirmation non sollicitée sonne comme un défi. Est-ce là une conversation habituelle à Amsterdam ? Ce franc-parler combatif et déstabilisant est sans doute normal.

« Avez-vous rencontré le nègre ? Une *merveille* ! J'en ai beaucoup dans mes domaines du Suriname, mais je n'en ai rencontré aucun. »

Nella sent son estomac se contracter. Elle prend une gorgée de vin. « Vous voulez parler d'Otto ? Êtes-vous allée au Suriname ?

— Vous êtes si charmante ! s'exclame Agnes en riant.

— Vous n'y êtes donc pas allée. »

Le sourire d'Agnes disparaît. Elle a presque l'air en deuil. « Le domaine qui nous a été donné est un merveilleux exemple de la bonté de Dieu, Madame. Je n'ai pas de frère, voyez-vous. Il n'y a que moi. Je ne pouvais risquer ma vie en accomplissant un voyage de trois mois, et Dieu m'a chargée des pains de sucre de papa. Comment pourrais-je honorer sa mémoire, coincée sur un navire quelque part ? »

Nella sent le vin lui monter à la tête. Agnes ne le

remarque pas et se penche vers elle. « Je présume que le nègre n'est pas un esclave au sens strict du terme. Brandt ne voudrait pas qu'on le qualifie ainsi. D'autres dames que je connais en ont aussi, à Amsterdam. J'aimerais en avoir un qui jouerait de la musique. Le receveur général en a *trois*, dont une femme, *et* elle joue de la viole ! Une preuve qu'on peut tout acheter sous le soleil, je suppose. Qu'est-ce qu'il a bien pu penser ? On se le demande tous. C'est tout Brandt de l'avoir ramené chez lui...

— Agnes ! » appelle une voix.

Nella se hâte de se lever, mais l'homme devant elles lui fait signe de se rasseoir. « Je vous en prie ! » dit-il pour l'assurer que se lever et faire une révérence n'est pas exigé quand on porte une si lourde jupe en taffetas.

Les doigts fins d'Agnes s'agitent sur ses genoux. « Mon mari, le Seigneur Meermans, annonce-t-elle. Et voici Petronella Oortman.

— Petronella Brandt, dit-il en embrassant la salle des yeux. Je sais. »

À cet instant, tous deux — cet homme debout et cette femme à côté de lui, revêtus de leur richesse, unis par des liens invisibles — offrent l'image du mariage la plus parfaite qu'elle ait jamais vue. Leur unité est intimidante.

Frans Meermans est un peu plus jeune que Johannes, et son visage charnu n'a pas été usé par le vent ni le soleil. Il a la mâchoire forte — on pourrait manger cinq coquilles Saint-Jacques, sur une mâchoire si glabre et si massive. Il tient un chapeau à large bord et à la calotte plus profonde que tous les autres chapeaux de l'assemblée. *Un florin pour vous, Johannes,* se dit Nella en se demandant quels autres paris son mari remporte.

Meermans est le genre d'homme qui pourrait prendre de l'embonpoint. Ce ne serait pas étonnant, vu les mets qu'on sert en ces lieux ! Nella remarque qu'il sent un peu le chien mouillé et le feu de cheminée, comparé à l'onguent fruité dont s'est enduite sa femme.

Meermans se penche et saisit une cuiller rutilante. « Êtes-vous une argentière ? » demande-t-il.

Agnes sourit avec indulgence à cette piètre plaisanterie. « Parlerons-nous avec Brandt, ce soir ? »

Instinctivement, Meermans tourne la tête pour essayer de repérer Johannes, qui s'est éloigné du groupe proche de la table de Nella et a disparu. « Oui. Le sucre est dans son entrepôt depuis près de deux semaines.

— Nous... vous... devez vous mettre d'accord. Ce n'est pas parce qu'*elle* refuse tout ce qui est sucré que c'est le cas de tout le monde. »

Agnes lance un *ha* qui n'a rien d'amusé et se sert un autre verre de vin. Nella remarque que sa main tremble.

« Je dois trouver mon mari, déclare Nella en se levant.

— Le voici qui arrive ! » annonce Agnes.

Meermans s'accroche au bord de son chapeau. Agnes fait une profonde révérence à l'approche de Johannes. Meermans se raidit et gonfle la poitrine.

« Madame Meermans », dit Johannes.

Les deux hommes ne se saluent pas vraiment.

« Seigneur », murmure Agnes en regardant son manteau de belle coupe.

Nella a l'impression qu'Agnes fait un gros effort

pour ne pas tendre la main et caresser ses revers en velours.

« Je vois que votre magie opère ce soir, comme toujours.

— Aucune magie, Madame, juste moi. »

Agnes regarde son mari, qui semble se concentrer sur la nappe.

Comme s'il sentait son regard sur sa nuque, Meermans se décide à parler. « Il faut qu'on discute du sucre. »

Nella discerne un nuage qui passe sur son visage à demi dissimulé.

« Quand le vendrez-vous ? demande Agnes.

— Je contrôle la situation, Madame.

— Bien sûr, Seigneur. Je n'en ai jamais douté.

— La corruption de Van Riebeeck au Goede Hoop, énumère Johannes, ces sales petits empereurs dans nos avant-postes, les intermédiaires de Batavia, le marché noir en Orient — les gens aspirent à de bons produits, et je leur dis que vous allez leur en procurer, Madame. Les Indes occidentales finiront par tous nous sauver, j'imagine — mais je ne porterai pas votre sucre à la Bourse. Les enchères sont un cirque et les commissaires des harpies complètement folles. La vente du sucre doit se faire sous contrôle et avec soin à l'étranger...

— Mais vous ne le vendrez pas aux Anglais ! l'interrompt Agnes. Je déteste les Anglais. Si vous saviez les ennuis qu'ils ont causés à mon père au Suriname.

— Jamais aux Anglais, promet Johannes. Il est stocké en toute sécurité. Vous pouvez aller voir, si vous le désirez.

— C'est très inhabituel, Seigneur, cette insistance sur une vente à l'étranger, fait observer Meermans. La plupart des bons Hollandais garderaient un tel trésor pour eux et, étant donné sa qualité, ils en obtiendraient une belle somme.

— Je trouve ce genre d'*orgoglio* défaitiste. Ça n'aide personne. À l'étranger, on considère qu'on ne peut nous faire confiance. Cela nous nuit et ce n'est pas souhaitable. Pourquoi ne pas diffuser la bonne réputation de votre sucre ?

— À tort ou à raison, nous avons placé toute notre confiance en vous.

— J'ai gardé un pain de sucre chez moi, intervient Agnes pour calmer les esprits échauffés. C'est d'une beauté si… *solide*. "Dur comme le diamant, doux comme un chiot." C'est ce que disait mon père, se souvient-elle en jouant avec le ruban à son cou. Je n'ai même pas le courage de l'entamer. »

Nella oscille en regardant le peu qu'il reste dans son verre de vin. Elle est un peu éméchée.

« J'irai à Venise pour vous deux, promet Johannes. Il ne manque pas d'acheteurs, là-bas. Ce n'est pas le meilleur moment pour y faire venir votre sucre, mais je vous assure que des Vénitiens voudront l'acheter.

— Des Vénitiens ? s'étonne Agnes. Des *papistes* ?

— Son père a travaillé très dur, Seigneur Brandt, intervient Meermans, pour ne pas remplir les estomacs des catholiques.

— Un florin a la même valeur quelle que soit la poche dont il sort, non ? Un véritable homme d'affaires le sait. Venise et Milan mangent du sucre au rythme où les Hollandais respirent…

— Viens, Agnes, le coupe Frans. Je suis fatigué. Et repu. »

Il enfonce son chapeau sur sa tête comme si c'était un bouchon arrêtant ses pensées. Agnes se lève et il s'établit un silence gêné.

« Eh bien, bonne nuit, donc ! dit Johannes, dont le large sourire ne parvient pas à masquer l'épuisement derrière ses yeux.

— Dieu soit avec vous ! » répond Agnes.

Elle passe son bras sous celui de son mari. Tandis que le couple s'éloigne le long des lambris en acajou, des nappes massacrées, des carafes en argent renversées et des restes de nourriture, Nella s'inquiète.

« Johannes, ose-t-elle, Marin a dit que nous devions inviter… »

Il pose sur sa nuque une main si lourde qu'elle fléchit sous son poids. « Nella, soupire-t-il, on doit laisser partir ce genre de personnes tant qu'elles aspirent à davantage. »

Pourtant, quand Agnes lui jette un coup d'œil hautain par-dessus son épaule, Nella n'en est pas si sûre.

Bureau

Sur le trajet du retour, Johannes s'étend comme un phoque échoué sur la banquette couverte de soie du bateau.

« Vous connaissez beaucoup de gens, Johannes. Ils vous admirent.

— Oh, Nella ! Croyez-vous qu'ils me parleraient si je n'étais pas riche ?

— Est-ce que nous sommes riches ? »

Les mots ont jailli de sa bouche avant qu'elle ait pu les arrêter, dissimuler l'inquiétude dans sa voix, atténuer le son accusatoire de l'interrogation.

Il tourne la tête vers elle, ses cheveux piégés sur la banquette sous sa joue. « Qu'est-ce qui ne va pas ? Ne faites pas attention à Marin et à tout ce qu'elle dit ! Elle adore s'inquiéter.

— Marin n'est pas en cause, répond Nella avant de se demander s'il n'a pas raison.

— Ce n'est pas parce que quelqu'un vous dit une chose avec un peu de passion que ça la rend vraie. J'ai été plus riche. J'ai aussi été plus pauvre. Ça n'a jamais fait une différence visible. Ma richesse n'est pas quelque chose de tangible, Nella, continue-t-il à un rythme plus lent, ivre de nourriture et d'épuisement. Elle est dans l'air. Elle gonfle, elle rétrécit, elle gonfle à nouveau. Les choses qu'elle achète sont solides, mais on peut la traverser du tranchant de la main, comme un nuage.

— Mon mari, il ne peut sûrement pas y avoir quoi que ce soit de plus solide qu'une pièce de monnaie, si ? »

Il bâille et ferme les yeux.

Nella se représente l'argent de son mari, sorte d'humidité dont on ne peut prédire quand elle va se dissoudre et se reformer. « Il y a…, tente-t-elle après un silence, un miniaturiste que j'ai engagé… »

Elle le regarde. Voilà que, l'estomac trop plein, il a sombré dans l'oubli. Nella voudrait qu'il se réveille, pour pouvoir lui poser des questions. Contrairement aux réponses dont la gratifie Marin, celles qu'il lui adresse sont toujours intéressantes. Il avait paru impatient, durant la dernière heure passée à la guilde, après le départ de Frans et Agnes, distrait, ses yeux gris tournés vers ses pensées, excluant de nouveau Nella. Pourquoi Meermans était-il tellement moins enthousiaste que son épouse à l'idée de commercer avec Johannes ? Pourquoi Johannes ne les avait-il pas invités chez eux ?

La main de Nella a retenu un peu de l'onguent floral d'Agnes. Son estomac gémit sous son jupon en dentelle, et elle regrette de ne pas avoir mangé davantage. L'âge de Johannes est visible à la manière dont ses paupières tombent et dont son menton repose sur sa poitrine. Il a trente-neuf ans. Le soleil l'a asséché et vieilli, lui donnant un visage de personnage de conte de fées. Elle réfléchit à ses silences, aux brefs rayons de soleil avant qu'il reparte, distrait, vers des pensées sombres. Elle ferme les yeux, pose la main sur son ventre plat. *Un peu comme Brandt va vous gâter.*

Le billet d'amour caché dans la chambre de Marin lui revient à l'esprit. Quelle est son origine ? Depuis combien de jours — ou d'années — est-il inséré entre ces pages ? Nella se demande comment Marin le lit, avec plaisir ou dédain — la douceur de la zibeline dans la sévérité de son bustier noir tout simple, en guise de bouquet nuptial un crâne qui jaunit sur une étagère… Non. Personne n'a jamais pu gâter Marin. Elle ne le permettrait pas.

Nella lève la main dans la pénombre et regarde son alliance, ses petits ongles tels des coquillages roses. Il n'y avait peut-être qu'une seule place publique, à Assendelft, mais là, au moins, les gens l'écoutaient. Jusqu'à présent, ici, elle n'a été qu'une marionnette, un réceptacle pour le discours des autres. Ce n'est pas un homme qu'elle a épousé, mais un monde — argentiers, belle-sœur, curieuses relations, une maison dans laquelle elle se sent perdue, une autre plus réduite qui l'effraie. Bien qu'à l'évidence beaucoup lui soit offert, Nella a au contraire l'impression qu'on lui retire quelque chose.

Quand ils entrent dans la maison, elle se tourne vers son mari, décidée à parler — et voilà que Johannes se penche pour partager un moment de complicité avec Rezeki ! Elle est clairement sa préférée, et Johannes passe sa paume sur le crâne de la chienne, qui découvre ses dents sans agressivité, pour montrer son plaisir. Personne n'a allumé les bougies dans le hall, et l'espace est très sombre, en cette nuit où les rayons de la lune ne traversent pas les hautes fenêtres.

« Est-ce qu'on t'a nourrie, ma beauté ? » demande son maître d'une voix douce, pleine d'amour.

La whippet répond en frappant le sol de sa queue musclée et Johannes rit.

Ce rire irrite Nella, l'attention à laquelle elle aspire offerte à un animal. « Je vais monter me coucher, annonce-t-elle.

— Bien sûr ! Vous devez être fatiguée.

— Non, Johannes, je ne suis pas fatiguée. »

Elle soutient son regard jusqu'à ce qu'il détourne les yeux. « Je dois prendre des notes à propos des hommes que j'ai rencontrés. »

Il part vers son bureau et la chienne le suit.

« Est-ce qu'elle vous tient compagnie ? »

Onze jours, pense-t-elle. Onze jours seule, alors que je suis une épouse. Ça n'en a même pas pris autant à Dieu pour faire le monde !

« Elle m'aide. Si je tente de résoudre un problème directement, je n'y parviens pas. Si je m'occupe d'elle, la réponse me vient.

— Elle est donc utile.

— Elle l'est, assure Johannes avec un sourire.

— Et combien avez-vous payé pour Otto ? Est-il utile ? »

Sa voix est froide, rendue aiguë par son énervement. Ce que lui a dit Agnes lui a porté sur les nerfs.

Un nuage passe sur le visage de Johannes et Nella rougit.

« Qu'est-ce qu'Agnes vous a dit ?

— Rien.

— J'ai simplement payé les gages d'Otto en avance, dit-il d'un ton égal.

— Otto pense-t-il que vous l'avez libéré ?

— Est-ce que ça vous dérange, Petronella,

demande-t-il malgré ses mâchoires serrées, de vivre ici avec lui ?

— Non ! Pas du tout. C'est juste que... Jamais... Je veux dire...

— C'est le seul serviteur que j'aie jamais eu, et que j'aurai jamais », dit-il en se détournant pour s'éloigner de nouveau.

Ne partez pas ! La panique monte en elle. Si vous partez, je deviendrai invisible, ici, dans ce hall, et personne ne pourra plus jamais me retrouver. Elle montre du doigt la chienne assise près de lui.

« Est-ce Rezeki ou Dhana ? »

Surpris, Johannes lève un sourcil. Il caresse tendrement l'animal. « Vous avez été très attentive ! C'est Rezeki. Dhana a une tache sur le ventre. »

Je sais, pense Nella en se souvenant du petit chien qui l'attend dans son cabinet. « Ce sont des noms étranges.

— Pas si on est de Sumatra.

— Que signifie son nom ? demande-t-elle en se sentant jeune et stupide.

— "Fortune" », répond-il en entrant dans son bureau, dont il referme la porte.

Nella scrute l'obscurité. Un courant d'air froid l'atteint et elle est certaine qu'une porte a été ouverte quelque part au-delà de l'étendue de dalles de marbre. Ses cheveux se hérissent sur sa nuque. Il y a quelqu'un dans l'ombre.

« Qui est là ? »

Des profondeurs de la cuisine lui parviennent des voix à peine distinctes, des murmures précipités, le bruit d'une casserole, d'un tamis, d'une écumoire qu'on cogne légèrement. La sensation d'être observée s'estompe un peu, et le son des voix, bien que distant, la réconforte. La maison lui fait perdre tout sens des proportions et, comme pour se rassurer, elle lève la main et touche le bois solide de la porte de Johannes. Soudain, elle entend une respiration derrière elle, quelque chose se frotte à l'ourlet de sa robe. Elle retient son souffle et cogne des deux poings à la porte du bureau.

« Marin, pas maintenant.

— C'est Nella ! »

Silence. Elle perd son regard dans l'obscurité en essayant de ne pas laisser la terreur la gagner.

« Johannes, *je vous en prie*, laissez-moi entrer ! »

Quand la porte s'ouvre, la lumière jaune dans le bureau est si accueillante que Nella pourrait en pleurer.

Ce qui la frappe, c'est qu'on a tellement l'air de vivre, dans cette pièce, plus que dans toute autre de la maison. C'est une pièce qui a un but. Nella a l'impression qu'elle n'a jamais été aussi proche de son mari. Elle fait un pas et il referme la porte. Elle tente de se débarrasser de la terreur qui rôdait quelques instants auparavant.

« Il n'y a rien, dans le hall, Nella. C'est juste l'obscurité. Pourquoi n'allez-vous pas au lit ? »

Elle se demande comment il a su et comment il a pu deviner qu'Agnes l'avait troublée avec ses récits au sujet d'Otto. Être observée par Johannes, c'est comme être regardée par un hibou, se dit-elle, se sentir paralysée.

Il s'est mis à pleuvoir, un doux rythme nocturne, humide, familier. L'odeur âcre du papier imprègne l'air de cette pièce assez petite. Sur une haute table, dont le plateau s'abaisse sur des charnières contre le mur, une multitude de papiers et un encrier en or. Le plafond est bas et taché de noir par la fumée des chandelles. Les volutes des motifs d'un tapis turc au velours profond sont à peine visibles tant d'autres boîtes et des feuilles couvertes d'écrits étrangers le dissimulent. Des bouts de sceaux à la cire rouge crissent sous les pieds, et certains sont incrustés dans la laine.

Il y a des cartes partout, bien plus nombreuses que celles que possède Marin. Nella suit le contour de la Virginie et du reste des Amériques, de la Mare Pacificum, des Moluques, du Japon. Sur chaque carte, de fines lignes partent dans toutes les directions, s'entrecroisent, créent des sortes de diamants taillés sur les pays et les océans. Ce sont des cartes de précision, pas des cartes de légendes rêvées. Sous la fenêtre, on a déposé un énorme coffre en bois sombre sculpté fermé par un cadenas.

« C'est là que je garde les florins », lui révèle Johannes en se hissant sur son tabouret.

Elle préférerait que Johannes, en cet instant, tienne plus du loup que du hibou. Ça lui donnerait un indice sur le comportement à adopter, à défaut de pouvoir jouer son rôle d'épouse. « Je voulais vous remercier… vous remercier… pour mon cabinet. J'ai tant de projets…

— Inutile de me remercier, dit-il avec un geste de la main. C'est le moins que je puisse faire.

— Mais je voudrais vous exprimer ma gratitude. »

Elle étend les bras dans l'idée d'imiter la grâce d'Agnes Meermans, et caresse sa manche de chemise de sa main tremblante. Elle aspire à cette unité, à l'image d'un mariage devenant réel. Il ne réagit pas. Elle voit ses propres doigts, tels ceux d'un enfant qui tire la manche d'un adulte.

« Oui ? » l'interroge-t-il.

Elle baisse la main, et la pose sur la cuisse de son mari. Jamais de sa vie elle n'a touché un homme, sans même parler de quelqu'un de si imposant. Elle sent la masse de sa chair à travers l'épais pantalon en laine, dure, musclée. « Quand vous parlez ces autres langues, vous me fascinez. »

Immédiatement, elle sait qu'elle a eu tort.

Il se lève du tabouret et sa main retombe. « Quoi ? »

Il a l'air si accablé qu'elle ne peut que porter ses doigts à sa bouche comme pour en effacer les mots. « Je voulais juste... juste...

— Viens ! »

À sa grande surprise, il lui caresse les cheveux avec des gestes brusques.

« Je suis désolée ! » dit-elle sans savoir de quoi.

Il se penche, saisit ses bras menus et l'embrasse sur la bouche. Le choc — les restes inquiétants de vin et de crabe — l'assaille, et il lui faut déployer toute son énergie pour ne pas se crisper entre ses mains. Elle entrouvre les lèvres, ne serait-ce que pour laisser échapper la pression que lui imprime sa bouche. Il la retient et elle décide, sur le coup, avant que la peur ne l'arrête, de porter sa main droite sur le devant de son pantalon. C'est ce que toutes les femmes doivent faire — la pratique doit entraîner le plaisir.

Elle parvient juste à le discerner, ce renflement dont elle ne sait rien, mais ce n'est pas la tige promise par sa mère, mais plutôt un ver enroulé sur lui-même, un...

Ses doigts semblent déclencher un ressort et,

tout aussi soudainement, Johannes la lâche, et bondit en arrière jusqu'à son bureau.

« Nella ! Oh, mon Dieu...

— Mon ma...

— Laisse-moi ! Sors d'ici ! »

Elle se précipite maladroitement dehors, accompagnée par un seul aboiement de Rezeki, et Johannes claque la porte. La clé tourne dans la serrure et, bien que la terreur de se retrouver dans l'obscurité du hall l'assaille à nouveau, elle monte en courant jusqu'à sa chambre.

Le cabinet est dans son coin. Elle en écarte les rideaux. Le berceau, à l'intérieur, luit comme une insulte à la clarté de la lune. Nella donne un coup de pied dans un des montants, mais le bois et l'écaille de tortue ne cèdent pas, et elle entend un os craquer. Elle gémit de douleur, mais refuse de pleurer. En boitillant, elle fait le tour de la pièce et retourne les horribles peintures de son mari contre le mur. Lièvre piégé et grenade pourrie. Toutes une par une.

Étapes

« Pourquoi les peintures sont toutes sens dessus
dessous ? » demande Cornelia en en remettant une
à l'endroit.

Une chenille qui sort d'une grenade rampe vers
le bord du tableau. Cornelia frémit en regardant
le cabinet. « Vous pouvez apprendre à vivre ici,
Madame. Il suffit que vous le vouliez. »

Nella la regarde d'un œil. L'humiliation de la
veille la submerge, la cloue au lit. Elle enfonce son
visage dans son oreiller. Est-ce que Cornelia était
dans le hall, hier soir ? A-t-elle écouté la scène du
désastre ? L'idée que son échec en tant qu'épouse
ait pu être entendu l'anéantit.

Le rejet de Johannes recouvre l'esprit de Nella
comme une pellicule. Elle briserait sa propre tête
si ça pouvait en retirer ces folles idées de grand
amour, de lit nuptial, de rire et d'enfants. Cornelia
retourne un autre tableau, celui des huîtres
ouvertes sur fond indigo foncé. Nella a l'impression que les murs se rapprochent en présence de
ces images de gibier mort et de fleurs énormes.

« Je crois que Madame Marin a tenté de vous
refiler les pires », conclut Cornelia avec un sourire.

C'est une miette, au moins, ce sourire, cette

bribe d'information. Marin et ses ruses trahies par quelqu'un de plus malin.

Cornelia ouvre les rideaux et la lumière, en ce matin de fin octobre, met tout en relief. Elle grimace, retire un de ses socques d'une secousse, et entreprend de masser la plante durcie de son petit pied. « Vous aurez peut-être du mal à le croire, mais mes pieds se fatiguent aussi. Ils sont crevés. Comme les pieds d'un mort. »

Nella s'assied. À Assendelft, jamais elle n'a vu de servante comme elle, avec un tel sentiment de liberté l'autorisant à dire et à faire des choses qu'elle s'interdirait ailleurs. Cornelia parle d'une voix naturelle et enjouée, le plaisir tiré du massage de ses pieds trop grand pour s'inquiéter de ce que pense sa maîtresse. Il y a dans cette maison quelque chose, une permissivité que je ne comprends pas, songe Nella. La vie, ici, est bien sens dessus dessous, comme dit Cornelia — apparemment mauvaise, mais projetant sur eux tous une vive lumière. Que les bas de Cornelia sont usés ! Reprisés soigneusement en un enchevêtrement de fils de coton. Est-ce que Marin ne peut pas lui en donner de meilleurs ? Nella se souvient de ce que Johannes a dit de sa richesse, nuage qu'on ne peut toucher.

La légère caresse de Johannes — contenue, insensible — se rappelle à elle. Elle frissonne. En voyant Cornelia retourner la toile du lièvre pendu, l'amertume lui remonte à fleur de peau. *Vous ne pouvez pas comprendre*, veut-elle dire. *Essayez un peu d'être mariée !* « Cornelia, pourquoi est-ce que Marin veut tellement qu'on vende le sucre d'Agnes ? Sommes-nous pauvres ?

— Madame, rit Cornelia, ne soyez pas ridicule !

Pauvres ? Toutes les femmes de la ville donneraient un bras pour être à votre place !

— Je n'ai pas besoin d'une *leçon*, Cornelia. J'ai juste posé une question…

— Avoir un maître qui vous traite avec respect, qui vous emmène à des fêtes et vous achète des robes et un cabinet à trois mille florins ? Il nous nourrit, il s'intéresse à nous. Otto vous le dirait aussi.

— Otto m'a dit que ça pouvait déborder.

— En tout cas, il ne manque pas de choses à admirer, chez le Seigneur, réplique Cornelia sans reprendre son souffle. Il a élevé Toot comme un fils. Qui d'autre ferait ça ? Un serviteur qui sait parler français et anglais ? Qui sait tracer une route sur une carte, qui peut vérifier la qualité d'une balle de laine de Haarlem…

— Mais que peut faire Otto de tout ça, Cornelia ? Que pouvons-nous *faire*, les uns comme les autres ?

— De mon point de vue, Madame, répond Cornelia avec une certaine gêne, votre vie ne fait que commencer. Tenez ! dit-elle en sortant de la poche de son tablier un paquet qu'elle pose sur le lit. C'était sur le perron. Ça vous est adressé. Qu'est-ce qui ne va pas ?

— Rien, souffle Nella en voyant sur sa courtepointe le soleil tracé sur ce paquet qu'elle n'a pas sollicité.

— Vous serez contente d'apprendre qu'il n'y aura pas de hareng, aujourd'hui, déclare Cornelia en regardant le paquet. Confitures d'hiver et beurre crémé. Le Seigneur a demandé qu'on soupe tôt, dit-elle en reprenant son socque pour le remettre sur son bas.

— Ça ne m'étonne pas. Il se retrouve beaucoup dans la nourriture. Je descends très vite. »

La porte refermée, Nella prend le paquet entre ses mains. Je n'ai pas demandé ça ! Ma lettre disait expressément au miniaturiste de cesser son travail pour moi. Pourtant, Nella déchire le papier. Qui n'ouvrirait pas un tel paquet ? raisonne-t-elle. Elle se souvient clairement de sa lettre. *En tant qu'épouse d'un marchand émérite de la VOC, je ne me laisserai pas intimider par un artisan.*

Un billet flotte hors du paquet. Dessus, ces mots :

JE LUTTE POUR ÉMERGER

« Vraiment, Monsieur le Miniaturiste ? » dit Nella à haute voix.

Elle renverse le paquet et un ensemble de minuscules objets domestiques en tombe. Fers à repasser de la taille d'un grain d'orge, petits paniers, sacs tissés, des seaux et des serpillières, un brasero pour sécher les vêtements. Il y a aussi des casseroles et des poêles, des couteaux et des fourchettes, des coussins brodés et même une tapisserie qui, une fois déroulée, révèle le portrait de deux femmes et d'un homme. Nella est convaincue que la même est suspendue sur le mur de Johannes, en bas — Marthe et Marie se disputant à propos de Jésus. La peur commence à se mêler à son indignation.

Dans un petit cadre doré, un vase de fleurs a été peint à l'huile, sans oublier la chenille en train de ramper. Un motif courant, se dit Nella, qui tente de rester calme en regardant la version grandeur nature que Cornelia vient de retourner sur son mur. Il y a quelques livres à la reliure ravissante, certains pas plus grands qu'un *stuiver*, avec à l'inté-

146

rieur des écrits si menus qu'il est impossible de les lire. Elle fait défiler les pages, en quête d'un mot d'amour, mais n'en trouve pas. Il y a deux petites cartes des Indes et une Bible, avec un grand « B » sur la couverture.

Un paquet attire l'œil de Nella, car quelque chose brille à travers le tissu. Dans ses replis, elle trouve une petite clé en or suspendue à un ruban. Elle la fait osciller dans la froide lumière du matin. Pas plus longue que l'ongle de son petit doigt, elle est magnifique, délicatement forgée, avec un motif gravé sur la tige. Trop petite pour ouvrir une porte — inutile mais très ouvragée.

Il n'y a rien d'autre dans le paquet — ni mot, ni explication, juste cette étrange phrase de défi et l'abondance de cadeaux. Cornelia jure qu'elle a bien délivré la lettre disant au miniaturiste de cesser ses envois. Alors, pourquoi ne m'a-t-il pas obéi ?

En regardant ces objets, leur beauté extraordinaire, leur dessein inaccessible, elle se demande pourtant si elle voulait vraiment que le miniaturiste ne travaille plus pour elle. Il est clair que le miniaturiste, lui, ne le désire pas. Avec tendresse, Nella dispose les nouveaux objets dans le cabinet, l'un après l'autre. La gratitude qu'elle éprouve la surprend.

❧·❧

« Où allez-vous ? demande Marin, quand Nella traverse le hall une heure plus tard.

— Nulle part ! répond Nella, dont l'esprit est déjà au signe du Soleil, aux explications qui se cachent derrière la porte du miniaturiste.

— C'est bien ce que je pensais, dit Marin. Le pasteur Pellicorne officie à la Vieille Église, et je suppose que vous voudrez assister à son sermon.

— Johannes vient-il ? »

Johannes ne vient pas. Il a prétendu devoir se rendre à la Bourse, pour connaître les derniers chiffres atteints par les actions. Nella se demande si son mari n'évite pas plutôt la prière.

Comme elle aurait préféré aller à la Kalverstraat, Nella traîne délibérément derrière Marin dont les pieds frappent en cadence le quai comme s'il l'avait offensée. Rezeki, se refusant à quitter son maître, a suivi Johannes à la Bourse, et Nella ne voulait pas laisser Dhana seule. L'autre whippet trottine donc sagement à côté d'elle, son museau noir et humide levé vers sa nouvelle maîtresse.

« Est-ce qu'on emmène souvent les chiennes à l'église ? demande Nella à Cornelia.

— Oui. Madame Marin dit qu'on ne peut pas leur faire confiance et les laisser toutes seules à la maison.

— Je pourrais emmener Peebo.

— Ne soyez pas ridicule », déclare Marin par-dessus son épaule.

Nella s'émerveille de lui trouver l'oreille si fine.

C'est un jour lumineux, qui donne aux toits en terre cuite une teinte presque vermillon, et dont la fraîcheur suffit à dissiper la puanteur du canal. Les sabots des chevaux attelés claquent sur les pavés, les voies d'eaux grouillent de navires pleins d'hommes, de femmes, de biens à vendre, de quelques moutons, même. Ils longent le Herengracht, passent dans la Vijzelstraat et traversent le pont pour le vieux marché Turf qui mène à la Vieille Église. Nella, nostalgique, se tord le cou en direction de sa destination prévue, jusqu'à ce que Cornelia lui rappelle que, si Madame ne regarde pas où elle va, Madame va trébucher sur les pavés.

Des bateaux, des fenêtres, du quai le long du canal, le peuple d'Amsterdam les regarde progresser. À chaque pas qu'ils font devant les maisons hautes et étroites des commerçants de la Warmoesstraat, par-delà les vitrines de majoliques italiennes, de soieries lyonnaises, de taffetas espagnol, de porcelaines de Nuremberg et des draps de Haarlem, ils suscitent l'attention. Pendant un moment, Nella se demande ce qu'ils ont fait, puis elle remarque les muscles tendus sur la nuque d'Otto. Il appelle Dhana pour qu'elle les précède.

« Ça parle ! » dit quelqu'un avant d'éclater de rire.

Au passage d'Otto, presque tous les visages expriment ouvertement leur surprise de le voir accompagner ces dames. On leur adresse des regards variés — captivés, soupçonneux, dédaigneux ou franchement effrayés. Certains sont tout simplement fascinés, et d'autres n'éprouvent aucune gêne, mais ça ne compense pas le reste des badauds. Alors qu'ils quittent la Warmoesstraat à l'approche de l'arrière de la Vieille Église, un homme affligé de cicatrices de variole, assis sur un tabouret à une porte, s'écrie en voyant passer Otto : « J'arrive pas à trouver du travail et vous en donnez à cet animal ? »

Marin hésite, mais c'est Cornelia qui s'arrête. Elle se retourne, rebrousse chemin et brandit le poing à quelques centimètres de sa peau grêlée. « On est à Amsterdam, Tête-de-Passoire. Le meilleur gagne ! »

149

Nella étouffe un éclat de rire, qui meurt quand l'homme lève lui aussi son poing — vers le visage de Cornelia.

« On est à Amsterdam, femelle ! rétorque-t-il en riant. Le meilleur sait qui sont ses vrais amis.

— Cornelia, tiens ta langue ! ordonne Marin.

— On devrait lui couper la sienne !

— *Cornelia !* Doux Jésus, devons-nous tous nous comporter comme des bêtes ?

— Dix ans que Toot est là, et rien n'a changé ! enrage la servante. On pourrait penser qu'ils se sont habitués.

— "Tête-de-Passoire", Cornelia ! Comment as-tu osé ? » la gronde Marin.

Il y a pourtant une approbation assez nette dans sa voix.

Otto regarde l'horizon bien au-delà des immeubles d'Amsterdam. Il ne regarde pas Tête-de-Passoire. « Dhana ! » appelle-t-il.

La chienne s'arrête, se retourne et revient vers lui.

« Ne va pas trop loin, ma fille !

— Moi ou la chienne ? » demande Cornelia en rougissant.

Bien que les gens continuent à les regarder, personne d'autre ne fait de commentaire. Nella remarque qu'on s'intéresse aussi à Marin. Elle est très grande, pour une femme, et, avec son long cou et son port de tête, elle ressemble à une figure de proue qui fend des vagues de visages intrigués. Nella se met à leur place : c'est la Hollandaise parfaite, impeccable, belle, à la démarche assurée. La seule chose qui lui manque, c'est un homme.

« Johannes aurait dû venir, dit Marin à Otto. De quoi ça a l'air… »

Comme il reste silencieux, elle se retourne vers Nella.

« Est-ce qu'il a invité les Meermans à dîner ? »

— Pas encore », répond Nella après une hésitation.

Marin s'arrête. Elle ne peut dissimuler sa colère. Sous le choc, sa bouche s'immobilise en un O indigné, et elle pose sur Nella des yeux accusateurs.

« Je ne pouvais pas le *forcer* à les inviter !

— Mon Dieu ! s'écrie Marin alors qu'elle vient de marcher dans une flaque de boue. Est-ce que je dois tout faire ? »

Elle s'éloigne si vite que les trois autres mettent un moment à la suivre.

Fureur et floraison

Jamais Nella n'est entrée dans la Vieille Église.

« Pourquoi aujourd'hui ? demande-t-elle dans un murmure à Cornelia. Est-ce que la Bible n'occupe pas une place suffisante à la maison ? »

Cornelia grimace, car Marin a entendu.

« On doit aussi prier en public, Petronella, dit Marin.

— Quoi qu'on doive endurer ? » marmonne Otto.

Marin feint de ne pas avoir entendu. « C'est Pellicorne, dit-elle comme si elle parlait d'un acteur connu. Et la *civitas* regarde. »

Comparée à l'église d'Assendelft, celle-ci est énorme. Des colonnes élancées en pierre blanche soutiennent les arches qui longent la nef, et se rassemblent au centre. Plusieurs vitraux dépeignent des scènes de la Bible et, à travers les carreaux chamarrés, les rayons du soleil inondent le sol de rouges aqueux et d'or, d'indigos pâles et de verts émeraude. Nella a envie d'y plonger, mais les noms des défunts gravés dans les dalles lui rappellent que ce qui ressemble à de l'eau est en fait de la pierre.

L'église est pleine de monde. Les vivants revendiquent leur place. Nella est surprise par le niveau sonore autorisé, par les familles entières, par les ragots et les plaisanteries, par les chiens sans laisse et les jeunes enfants. Les aboiements des chiens et les gazouillis des bébés montent le long des murs blanchis à la chaux, leurs derniers échos absorbés par le bois du plafond. Un chien se soulage, une patte relevée contre un pilier. Partout de la lumière, comme si, pour une heure, Dieu avait tourné toute son attention vers cet espace majestueux et vers les cœurs qui y battent.

Nella baisse les yeux devant les gens qui circulent dans l'église et, soudain, son cœur envoie une chaude giclée de sang dans son ventre.

Elle vient de voir la femme de la Kalverstraat, assise seule près d'une porte latérale. Le soleil traversant une vitre claire tombe sur ses cheveux d'un blond exceptionnel. Elle regarde Nella avec une grande intensité. Il n'y a rien de neutre dans son regard — actif, interrogateur, curieux, mais si immobile que Nella se dit que cette femme pourrait aussi bien être une sainte détachée d'un des vitraux de l'église.

Succombant à la sensation d'être évaluée et jugée imparfaite, Nella ne peut résister. Le regard de la femme passe à Otto, à Cornelia, à Marin — même à Dhana. Elle les jauge tous les cinq. Sans y réfléchir, Nella lève une main pour la saluer, quand la voix de Marin interrompt ses pensées.

« Elle est trop vieille pour sortir.

— Quoi ? s'étonne Nella en laissant retomber sa main.

— La chienne. »

Marin se baisse pour tenter de pousser Dhana hors de l'endroit où elle a fermement posé son

arrière-train. Dhana refuse de bouger, gémit, griffe
la pierre.

« Mais qu'est-ce qui ne va pas chez elle ? s'inquiète Marin, qui se redresse et se masse les
reins. Elle allait bien, il y a une minute. »

Nella se retourne vers la femme assise, mais il
n'y a plus là qu'une chaise vide. « Où est-elle passée ?

— Qui ? » demande Cornelia.

Malgré la lumière du soleil, l'église est très
froide. Le brouhaha monte et retombe avant de
s'élever à nouveau, et les gens continuent à circuler. La chaise de la femme reste inoccupée. Dhana
se met à aboyer.

« Personne, répond Nella. Sois sage ! intime-
t-elle à Dhana, tu es dans la maison de Dieu. »

Cornelia pouffe de rire.

« Vous parlez trop fort, toutes les deux ! leur
reproche Marin. Souvenez-vous qu'on ne nous
lâche pas des yeux.

— Je sais bien », dit Nella, mais Marin s'est éloignée.

Conformément aux traditions calvinistes, la
chaire est au milieu de la nef, où la foule se rassemble en grappes de vêtements du dimanche et
de murmures discrets.

« Des mouches sur un bout de viande », désap-
prouve Marin quand ils la rattrapent.

Elle s'avance lentement, digne, dans la nef. « La
parole de Dieu atteint les lieux les plus reculés.
Pas besoin de se bousculer comme des gamins de
quatre ans pour voir le pasteur Pellicorne.

— Plus ils essaient d'avoir l'air pieux, moins je
les crois », déclare Otto.

Un petit sourire se forme aux commissures des lèvres de Marin, mais il disparaît bien vite quand elle repère Agnes et Frans Meermans. Nimbée d'un nuage de parfum intensément fleuri, Agnes vogue dans ses larges jupes noires sur les pierres tombales glacées. «Elles ont amené le sauvage! remarque-t-elle dans un murmure à l'intention de son mari, les yeux rivés sur Otto.

— Seigneur et Mme Meermans», dit Marin en sortant son psautier usé d'une poche à sa taille.

Elle le passe d'une paume dans l'autre comme pour soupeser un projectile potentiel. Les femmes font une révérence. Frans Meermans s'incline en regardant les doigts fins de Marin serrer nerveusement la reliure usée de son livre.

«Où est votre frère? demande Agnes. Le jour du Jugement...

— Johannes travaille. Il remercie Dieu d'une autre façon, aujourd'hui, répond Marin. C'est la vérité, Seigneur! ajoute-t-elle quand Meermans pouffe de rire.

— Oh, oui! On sait que la Bourse est le sanctuaire des fidèles.

— Il y a eu un oubli à la guilde des argentiers, déclare Marin en ignorant sa remarque. Mon frère voulait vous inviter — mais il a tant de choses en tête! Vous devez venir dîner chez nous.

— Nous n'avons pas besoin..., commence Meermans.

— Nous en sommes honorés, Madame Brandt! l'interrompt Agnes, dont les yeux noirs trahissent l'excitation. Mais n'est-ce pas le rôle de son épouse, de lancer l'invitation?»

Nella sent ses joues virer au rouge.

« Venez dîner demain ! décide Marin d'une voix pincée.

— Demain ? ne peut s'empêcher d'intervenir Nella, qui ne reconnaît pas Marin dans une telle hâte. Mais…

— Et apportez donc un pain de sucre. Nous le goûterons et nous trinquerons à votre future fortune.

— Vous souhaitez *goûter* notre trésor des Caraïbes ? » s'étonne Agnes en enfouissant son menton dans son col ostentatoire, ses iris de jais fichés dans les iris gris de Marin.

Marin sourit pendant un court silence, et Nella remarque combien ça la rend séduisante, même si ce sourire n'est que pure façade.

« Je le souhaite, en effet, dit Marin.

— Agnes, intervient Meermans en prononçant ce nom avec précaution, allons prendre place.

— Nous viendrons demain, ajoute Agnes, et nous apporterons une douceur comme vous n'en avez jamais goûté. »

Ils les saluent et s'éloignent en gratifiant d'autres connaissances de signes de tête.

« Je pourrais le tuer ! murmure Marin (et Nella se demande de qui elle parle). Trésor des Caraïbes, mon œil ! Pourquoi a-t-il accepté de faire ça ?

— N'en avons-nous pas besoin, Madame ? chuchote Cornelia. Vous l'avez dit vous-même.

— Ne répète pas mes paroles comme un perroquet, ma fille, rétorque Marin. Écouter aux portes ne t'apprend rien. Veille seulement à ce que le dîner soit bon, demain. »

Sous le choc, Cornelia se recroqueville et feint de s'occuper de la chienne pour dissimuler son orgueil froissé. Marin se frotte les tempes et ferme les yeux pour absorber la douleur.

« Allez-vous bien ? s'inquiète Nella.

— Tout à fait bien, répond-elle d'un ton distant et préoccupé.

— Nous devons gagner nos sièges, fait remarquer Otto. Il y a de la place dans le chœur. »

Il a l'air échoué, entouré par les commentaires à peine discrets qui accompagnent chacun de ses gestes.

Le pasteur Pellicorne monte en chaire. Il est grand, âgé de plus de cinquante ans, rasé de près et les cheveux gris coupés court. Son large col est d'un blanc étincelant. On dirait bien qu'il a des serviteurs très attentifs.

Il ne s'embarrasse pas de mots d'introduction à son sermon. « Les mauvaises pratiques ! » lance-t-il d'une voix qui tonne au-dessus des chiens et des enfants, des pieds agités et du cri des mouettes dehors.

Le silence se fait, tous les yeux sur lui, sauf ceux d'Otto, tête baissée vers ses mains jointes. Nella regarde du côté d'Agnes, dont le visage est levé vers le pasteur comme celui d'un enfant fasciné. Elle est si étrange : désinvolte ou hautaine, puis puérile et voulant impressionner les autres.

« Il ne manque pas de portes closes dans notre ville, à travers lesquelles on ne peut voir, continue Pellicorne d'une voix dure et intense, mais ne pensez pas que vous pouvez cacher vos péchés à Dieu. »

Ses doigts fuselés serrent les bords du lutrin.

« Il vous trouvera, assure Pellicorne en balayant toutes les têtes des yeux. Rien de ce qui est caché n'évitera d'être révélé. Ses anges regarderont à travers les fenêtres et les trous de serrure de votre cœur, et Il vous tiendra pour responsable de vos actes. Notre ville a été construite sur des marécages, et notre terre a déjà subi la colère de Dieu. Nous avons triomphé, nous avons su tirer avantage de l'eau. Mais ne vous reposez pas sur vos lauriers ! C'est la prudence et l'entraide qui nous ont permis de triompher.

— Oui ! dit un homme dans la foule avant qu'un bébé se mette à pleurer et que Dhana gémisse et tente de se glisser sous les jupes de Nella.

— Si nous ne tenons pas serrées les rênes de notre honte, nous retournerons tous à la mer. Soyez droits pour la ville ! Regardez dans vos cœurs et pensez aux fois où vous avez péché contre votre prochain, ou à celles où votre prochain a péché. »

Il s'interrompt, sa rectitude lui coupant le souffle, et juge de l'effet de ses paroles. Nella imagine tous les fidèles présents en train d'ouvrir un tiroir entre deux de leurs côtes, de contempler le chaos sanglant de leur cœur pécheur puis de regarder celui des autres. Ils referment ensuite les tiroirs d'un coup sec. Un étourneau bat des ailes dans un coin. Quelqu'un devrait l'aider à sortir.

« Ils se font toujours piéger », murmure Cornelia.

Pellicorne reprend : « Ne laissons pas Son ire nous blesser à nouveau ! »

Plusieurs grognements approbateurs se font entendre dans l'assistance. À ce stade, la voix de Pellicorne tremble légèrement d'émotion. « C'est l'appât du gain. C'est lui, le chancre qu'on doit arracher. C'est lui l'arbre, et l'argent forme ses racines profondes.

— Ça a aussi payé ton joli col », chuchote Cornelia.

Nella doit retenir son souffle pour ne pas rire. Elle jette un coup d'œil à Frans Meermans. Tandis que son épouse fixe la chaire, il regarde les Brandt.

« Nous ne devons pas nous leurrer : si nous avons réussi à maîtriser la puissance des mers, cela ne durera pas éternellement ! »

Pellicorne module sa voix pour qu'elle ne soit plus qu'un ronronnement insistant, hypnotique, avant de planter le couteau. « Oui, les trésors de Mammon nous ont été offerts, mais, un jour, ils nous noieront tous. Et où serez-vous, en ce jour funeste ? Enfouis jusqu'aux coudes dans des douceurs sucrées et des tourtes au poulet bien grasses ? Engloutis dans vos soieries et vos rivières de diamants ?

— Si seulement, murmure Cornelia avec un soupir, si seulement !

— Méfiez-vous ! Méfiez-vous ! Cette ville prospère. Son argent vous donne des ailes pour vous élever, mais elles ne sont qu'un joug sur vos épaules, et vous feriez mieux de prendre conscience des tuméfactions autour de votre cou. »

Marin serre les paupières. On dirait presque qu'elle va pleurer. Nella espère qu'elle éprouve une sorte de félicité spirituelle, qu'elle s'est abandonnée au pouvoir des saintes mises en garde de Pellicorne. Meermans les regarde toujours et, quand Marin rouvre les yeux, elle le remarque et les articulations de ses doigts blanchissent sur son psautier. Elle change de position sur son siège, le désespoir s'affichant sur son visage blanc comme la cire. Nella a la gorge sèche, mais elle n'ose tousser. Pellicorne est en train d'atteindre l'apogée de son sermon, et la tension est telle que les corps des fidèles sont attirés les uns vers les autres, formant une masse solide, attentive.

« Adultères. Hommes d'argent. Sodomites. Voleurs — méfiez-vous d'eux ! Débusquez-les ! Prévenez votre prochain si vous pressentez l'ombre d'un danger ! Ne laissez pas le mal passer votre seuil car, une fois le chancre installé, il sera ardu de le déloger. Le sol sous nos pieds va s'ouvrir, la colère de Dieu s'insinuera dans la terre.

— Oui, crie à nouveau l'homme dans la foule, oui ! »

Dhana aboie et s'agite.

« Tais-toi ! murmure Cornelia.

— Que pouvez-vous faire pour qu'il s'en aille ? tonne Pellicorne, sa voix revenue à son plein volume, les bras écartés tel le Christ en personne. *Aimer*. Aimez vos enfants, car ils sont les graines qui feront fleurir cette ville. Maris, aimez votre épouse et femmes, soyez obéissantes, car tout cela est saint et bon ! Gardez vos maisons propres, et vos âmes suivront l'exemple ! »

Il a terminé — soupirs de soulagement, paroles d'approbation, yeux qui se réveillent et jambes qu'on étire. Nella commence à se sentir mal. La lumière traverse les fenêtres pour éclairer les dalles des tombes. Être obéissante. Maris, aimez votre épouse. *Ma chérie. Tu es la lumière du soleil par la fenêtre devant laquelle je me tiens, réchauffé.* Le bébé pleure à nouveau et Marin, comme Nella, lève brièvement la tête quand la mère, qui n'est pas parvenue à le calmer, s'éloigne des fidèles et sort discrètement par une porte latérale.

Nella suit le regard de Marin et toutes deux s'arrêtent avec envie sur le rectangle de lumière dorée que la mère laisse brièvement entrevoir en sortant. Dans cet intense nouveau monde qu'est Amsterdam, dans cette église froide, une heure de culte semble durer une année.

◈

Cette nuit-là, dans la chambre de Nella, la lune projette des taches lumineuses sur son cabinet. Le tic-tac de la pendule rythme l'air comme un pouls étouffé qui résonne de plus en plus fort à ses oreilles. Elle pense à la femme qui l'observait en silence dans l'église. « Pourquoi est-ce que vous ne m'avez pas parlé ? demande Nella à haute voix en regardant les neuf pièces sombres. Qu'ai-je, que vous désirez ? »

Aucune réponse, bien sûr. Les objets, dans le cabinet, renvoient une lueur argentée mouvante. Demain, se dit-elle, j'irai chez le miniaturiste pour régler une fois pour toutes cette affaire et ne plus m'embarrasser de ces pièces non désirées. Ce n'est pas bien, à coup sûr, d'envoyer des objets qui n'ont pas été commandés. C'est pénétrer en territoire interdit.

Nella est heureuse d'avoir quitté Assendelft, mais elle n'est plus chez elle nulle part — ni là-bas dans les champs ni ici au bord des canaux. À la dérive, elle se sent prête à échouer entre l'idée qu'elle se faisait de son mariage et sa situation réelle ; et le cabinet, superbe et inutile, le lui rappelle horriblement. La défiance de Johannes envers elle commence à se révéler. Combien de fois a-t-il disparu à la Bourse, à la VOC, aux entrepôts près des tavernes de l'est, où les pommes de terre ont la chair la plus moelleuse ? Il ne s'intéresse pas

161

du tout à elle. Il ne vient pas à l'église. Marin, au moins, m'a fait un bleu ! Être reconnaissante d'un pincement, c'est vraiment ridicule ! Nella a jeté l'ancre, mais elle n'a pas trouvé où toucher terre. La chaîne la transperce — massive, impossible à arrêter, dangereuse — qui plonge dans la mer.

Le son de murmures la sort de son apitoiement sur elle. Elle s'assied et l'odeur de l'huile de lys l'assaille, au point que même elle commence à ne plus l'aimer. Elle descend lentement de son lit, traverse sa chambre en tendant l'oreille et ouvre la porte sans bruit. Le couloir est glacé, mais elle est sûre que deux voix dialoguent un peu plus loin, tamisant les mots dans leur souffle.

Nella se demande si son imagination lui joue des tours, mais les voix sont réelles — elles s'interrompent, poursuivent, excitées ou effrayées, mais en tout cas peu discrètes, puis se taisent tout à fait, avant le bruit de pas discrets et de deux portes qui se ferment. Nella avance dans le couloir et presse son front entre deux barreaux de la rampe. Il n'y a plus que le silence. Les propriétaires des voix se sont fondus dans le lambris des murs.

Quand des bruits de frottement commencent, Nella en a la chair de poule. Elle regarde en bas, terrorisée de constater que le bruit augmente — mais ce n'est que Rezeki. L'animal lève la tête vers elle puis s'aplatit et glisse sur les dalles comme un liquide renversé, une pièce d'échecs qui roule sur le sol aux carreaux noirs et blancs.

L'épouse

Au milieu de la journée, Cornelia a déjà passé plusieurs heures dans la cuisine pour préparer le dîner des Meermans. Ce doit être un somptueux festin — un étalage de mets d'hiver, relevés avec les précieuses épices que Johannes achète en Orient.

Nella trouve Cornelia assise à la table en train de hacher deux énormes choux.

« Vous avez faim ? » demande la servante en voyant apparaître Nella, Dhana sur ses talons.

« Une faim de loup », répond Nella.

Elle repère les traces d'une nuit sans sommeil sur le visage de Cornelia, qui a surtout l'air nerveux.

« On ne peut pas dire qu'on m'a laissé le temps de préparer tout ça ! Pain sec et hareng jusqu'à ce que je termine tous mes plats — Madame Marin insiste, et ce chou a besoin d'être chemisé ! grogne Cornelia avant de céder devant la mine déçue de Nella. Tenez ! dit-elle en poussant vers sa maîtresse une assiette où s'empilent des petites crêpes frites saupoudrées de sucre, prenez un *puffert**! Je viens de les faire frire.

— Qu'est-ce que Hanna vous a donné, dans la pâtisserie de son mari ? »

163

Dhana gagne son panier, près du poêle. Cornelia hésite, la main immobile au-dessus du chou. Elle a la peau à vif, les ongles blanchis par le savon.

Comme ses iris sont ronds et bleus cerclés de noir ! « Ce que vous mangez, murmure-t-elle. C'est la fin du meilleur sucre d'Arnoud. Hanna a raison. Il y a tellement de sucre de mauvaise qualité vendu en ville ! C'est bien dommage que le Seigneur aille vendre celui d'Agnes à l'étranger. »

Entendre Cornelia partager un secret avec elle procure à Nella le sentiment qu'une carapace s'est fendue, qu'un peu de chaleur s'échappe. Jusqu'au chou qui luit comme une planète verte à la lumière des flammes du four.

❧

Nella inspire une grande bouffée d'air froid, et la puanteur des égouts la fait tousser. En été, ce canal sera infernal, se dit-elle en remontant la Courbe d'Or. Pour l'instant, elle est heureuse de marcher seule — et les femmes non accompagnées, comme son mari l'a fait remarquer sur la barge, ne sont pas rares, ici, au point qu'on se retourne sur elle. Nella emprunte la Vijzelstraat, traverse la Reguliersdwarsstraat et arrive sur la Kalverstraat après avoir demandé son chemin. Elle trouve vite le signe du Soleil et sa devise — *Tout ce que voit l'homme, il le prend pour un jouet* — et frappe à la lourde porte. Peu de gens circulent dans la rue. Les boutiques ouvrent à peine et les gens préfèrent rester au chaud à l'intérieur. L'haleine de Nella forme un nuage dans l'air. Elle frappe de nouveau.

« Bonjour ? » appelle-t-elle.

Répondez ! supplie-t-elle intérieurement.

« Il y a quelqu'un ? C'est Nella Oortman. Petronella Brandt. Il faut que je vous parle. Vous m'avez envoyé des objets que je n'avais pas commandés. Je les aime beaucoup, mais je ne comprends pas pourquoi vous avez fait ça. »

Elle colle l'oreille au battant de bois dense, espérant en vain un bruit de pas à l'intérieur, puis recule, lève les yeux vers les fenêtres. Pas de bougie allumée et tout est silencieux. Pourtant, les lieux sont occupés, elle en est certaine.

Quand apparaît tout à coup un visage à la fenêtre, Nella, choquée dès qu'elle le reconnaît, trébuche jusqu'au milieu de la rue, le souffle coupé. Le verre a beau être épais et ondulé, ces cheveux, elle ne peut en douter, sont ceux de la femme qui la regardait à l'église.

Les boucles d'un blond presque blanc rayonnent en un halo sur fond d'ombre. La femme applique ses paumes sur la vitre, son visage telle une pièce de monnaie pâle. Elle reste immobile et pose sur la rue un regard étrange et calme.

« Vous ? s'exclame Nella sans que ça fasse bouger la femme. Pourquoi…

— Elle sortira pas, l'interrompt une voix d'homme. Pas la peine de vous acharner… J'ai vraiment envie de la signaler aux autorités.

— Quoi ? » s'étonne Nella en se tournant vers celui qui a parlé.

Il est à quelques pas, devant ce qui semble être une boutique de laine. Nella déglutit. C'est l'homme à la variole, *Tête-de-Passoire*, celui qui a traité Otto d'animal, celui que Cornelia a rabroué dans la rue. De près, sa peau est trouée comme une éponge, grêlée de cratères roses.

Elle reporte ses yeux sur la fenêtre. La femme a

disparu, la vitre est vide et la maison paraît soudain morte, inhabitée. Elle se précipite contre la porte et tambourine comme pour ramener le bâtiment à la vie.

« J'ai dit qu'elle répond pas. Elle fait la loi », remarque Tête-de-Passoire.

Nella se retourne, le dos à la porte. « Qui est-elle ? Dites-moi qui elle est !

— Elle parle pas beaucoup. Avec un drôle d'accent. Personne ne sait.

— *Personne ?* Je ne vous crois pas.

— C'est qu'on n'est pas tous urbains, Madame. Elle reste seule avec elle-même.

— Dans la *Liste de Smit*, explique Nella après avoir repris son souffle, un miniaturiste est signalé à cette adresse. Est-ce que vous voulez dire, Seigneur, que la seule personne qui vit ici est une femme ?

— Oui, Madame, répond Tête-de-Passoire en chassant un brin de laine de son pantalon. Et qui sait ce qu'elle fabrique, là-dedans !

— Tout et pourtant rien.

— Si vous le dites. »

Il est impossible qu'une femme vive seule au cœur d'Amsterdam, sous les yeux des bourg-mestres, des guildes, des puritains hypocrites comme Tête-de-Passoire. Quelles pensées tourbillonnent sous ces cheveux pâles ? Pourquoi envoie-t-elle des objets si extraordinaires sans qu'on les demande ?

Je veux seulement savoir, se dit Nella en fermant les yeux et en se remémorant la sensation inexplicable du regard de cette femme dans l'église et là, sur la Kalverstraat. C'est trop merveilleux pour le croire — une femme ! Nella a honte de l'en-tête de sa seconde lettre — *Monsieur... je mets fin à nos transactions.* Ça n'avait apparemment eu aucun effet. La miniaturiste semblait prendre plaisir à transgresser les règles.

« Une femme seule, comme ça, ça peut vouloir dire qu'une chose, continue Tête-de-Passoire : c'est une catin. Et le garçon qui vient chercher ses paquets est étranger, lui aussi. Les manigances de ce genre, ça devrait être cantonné aux îles de l'Est. Les gens honnêtes qui veulent juste vivre de leur travail ne devraient pas...

— Depuis combien de temps est-elle là ?

— Trois ou quatre mois, je crois. Pourquoi est-ce qu'elle est si importante pour vous ?

— Elle ne l'est pas. Pas du tout. »

Nella sent la bile lui monter à la bouche. C'est une trahison. Elle se ressaisit, avec l'envie de protéger cette femme, sans bien savoir pourquoi.

Elle croit percevoir un mouvement derrière une fenêtre de l'étage, mais la vitre reflète, au-dessus de la boutique de laine, une autre femme qui bat un tapis, visiblement irritée par les bavardages devant sa porte.

« Seigneur, si vous lui parlez...

— Sûrement pas ! la coupe Tête-de-Passoire. Je suis sûr qu'elle est possédée par le diable. »

Nella cherche un florin, qu'elle dépose dans sa paume crasseuse. « Si vous lui parlez, répète-t-elle en se tournant vers la maison et en haussant le ton, dites-lui que Nella Brandt est désolée, qu'elle n'a qu'à ignorer sa dernière lettre. Je veux juste savoir *pourquoi*. Et, s'il vous plaît, dites-lui... que j'attends avec impatience son prochain envoi. »

En prononçant ces mots, Nella se demande si elle est sincère. Seules les veuves et les putains vivent sans homme, certaines avec bonheur, d'autres parce qu'elles y sont contraintes. Que fait donc la miniaturiste ici, à envoyer des objets, à se promener seule en ville ? Nella ne sait pas du tout à quoi elle joue, là, mais elle n'a pas l'impression qu'il s'agit d'un jeu innocent.

Elle remonte la rue en traînant les pieds. Des gens comme Tête-de-Passoire ne peuvent comprendre l'existence extraordinaire de la miniaturiste, songe Nella. Et elle *sera* extraordinaire — quoi qu'il advienne. Rien que ces yeux, ce regard, ces paquets incroyables pleins d'indices et d'histoires.

Elle frissonne soudain et se retourne d'un bloc, se sentant connectée, en quelque sorte, à cette maison — au signe du Soleil —, mais la Kalverstraat est à nouveau calme, ignorant l'étrange présence en son cœur.

❧·❧

Dès que Nella rentre à la maison, elle se précipite à l'étage vers son cabinet et caresse les objets miniatures. Ils lui semblent désormais chargés d'une énergie différente, lourds d'une signification qu'elle ne décrypte pas encore, leur mystère renforçant toutefois l'attrait qu'ils exercent à ses yeux. Elle m'a choisie ! songe Nella, que cette découverte illumine. Elle veut en savoir davantage.

La voix de Cornelia et ses pas qui approchent la tirent de sa rêverie. Elle ferme à la hâte les rideaux du cabinet au moment où la servante passe la tête dans sa chambre.

« Les Meermans vont arriver dans moins d'une heure, annonce-t-elle, et le Seigneur n'est toujours pas rentré. »

En bas, Cornelia et Otto se sont épuisés à astiquer, balayer, laver, battre les rideaux, taper les coussins — comme si la maison était de guingois et nécessitait qu'on la redresse, qu'on lui donne une harmonie qu'elle ne peut atteindre. Les couverts d'Otto étincellent, les faïences et les porcelaines chatoient à l'office, la nacre incrustée attire l'œil, et toutes les vilaines chandelles ont été remplacées par des bougies à la cire d'abeille. Nella saisit l'occasion de humer leur doux arôme.

« S'acharner contre le chaos ne peut pas provoquer des miracles », murmure Otto en passant près d'elle.

Elle se demande ce qu'il veut dire.

Marin a revêtu sa plus belle robe noire. Si elle ne s'est pas abaissée à se parfumer, elle s'est armée d'un bouclier de jupes volumineuses. Elle arpente le salon, ses pas aussi réguliers que le pendule d'une horloge, ses longs doigts torturant son psautier, ses cheveux écartés de son visage par une coiffe en dentelle blanche amidonnée, ses beaux traits graves.

Nella s'assoit, vêtue d'une autre des robes que Cornelia a ajustées, de la couleur de l'or, cette fois. « Où est Johannes ?

— Il va arriver », répond Marin.

À chaque fois que le pied de Marin heurte le sol, Nella regrette de ne pas pouvoir remonter interroger ses petits objets, en tirer un indice sur ce que la miniaturiste pourrait envoyer — si elle envoie autre chose — et sur ce que signifie sa devise.

Quand les Meermans font leur entrée, une rafale glaciale d'air du canal les poussant dans la maison, Johannes n'est toujours pas de retour. Les fenêtres ont été nettoyées par Otto, et les vitres reluisent dans le noir, reflétant les vingt bougies qui brûlent dans le hall, mêlant leur parfum de miel à l'odeur plus piquante du vinaigre et de la soude.

Si Agnes Meermans remarque les efforts que Marin a imposés à ses serviteurs, elle n'en dit rien. Elle glisse à l'intérieur avec majesté, toute trace de la gamine puérile dans l'église ayant disparu. Les deux femmes se font la révérence, le silence n'étant troublé que par le chuchotement de la soie des jupes qui se froissent au sol. Frans Meermans s'avance, l'air grave. La main de Marin se lève, il la prend, l'anneau d'or de son alliance luisant contre la peau pâle de la jeune femme. Le temps semble ralentir. Les flammes frémissent tout autour d'eux.

« Seigneur, dit Marin.

— Madame.

— Entrez, tous les deux, je vous en prie ! propose-t-elle en lui retirant sa main pour les entraîner au salon.

— Votre nègre est là ? » s'enquiert Agnes.

Marin feint de ne pas entendre.

Il faut un moment aux femmes pour s'installer dans les sièges qui entourent la cheminée, surtout à cause de la quantité de tissu qui les enveloppe. Meermans se plante près d'une fenêtre et regarde au-dehors. Nella scrute le velours vert des fauteuils, leurs clous cuivrés, les lions sculptés dans le bois, et pense à leurs doubles réduits dans son cabinet. Comment la miniaturiste a-t-elle pu savoir ?

Une bouffée de peur l'envahit. Qui est cette femme, qui m'observe de loin, qui se permet de juger ma vie ? Instinctivement, Nella se tourne vers les fenêtres, s'attendant presque à y discerner un visage qui regarderait à l'intérieur depuis le quai, mais les vitres sont noires, et l'imposant physique de Meermans effraierait n'importe qui.

« Cornelia devrait tirer les rideaux, remarque Marin.

— Non ! proteste Nella.

— Il fait froid, Petronella. Ça vaudrait mieux.

— Venez vous asseoir près de moi ! demande Agnes à Nella, qui obéit dans le frou-frou de la soie, se sentant ridicule dans son impressionnante robe couleur soleil. Vous avez l'air d'une pièce d'or ! »

Ce commentaire ridicule, jeté en l'air, dur et lumineux comme l'objet qu'elle mentionne, retombe bruyamment sur le sol.

« Où est Johannes ? s'enquiert Meermans.

— Il arrive, Seigneur, répond Marin. Il a été retardé par un problème imprévu. »

Agnes jette un coup d'œil à son mari. « Nous sommes assez fatigués, confie-t-elle tout bas.

— Oh ? s'étonne Marin. Et pourquoi ça, Madame ?

— Oh, *Agnes*, appelez-moi Agnes ! Marin, je ne sais pas pourquoi, au bout de douze ans, vous ne m'appelez toujours pas par mon prénom ! »

Elle rit et ses *ah-ah* font frissonner Nella.

« Agnes, répète doucement Marin.

— À cause des fêtes, surtout. Tant de mariages, avant l'hiver ! Saviez-vous que Cornelis de Boer a épousé Annetje Dirkmans ?

— Ce nom ne me dit rien », répond Marin.

Agnes fronce les sourcils et fait la moue. « Toujours pareil ! marmonne-t-elle d'une voix à la fois faussement réprobatrice et un peu ennuyée. *J'adore* les mariages, continue-t-elle. Pas vous ? »

Elle regarde Nella et Marin avec un grand sourire, mais ni l'une ni l'autre ne réagit. « Le mariage, c'est… »

Elle s'interrompt, hésite, jauge son auditoire. Les mains de Marin sont si immobiles, sur ses genoux, qu'elles pourraient être sculptées sur une tombe. Nella sent les pièges de cette conversation, les impasses, les sous-entendus qui forment un nœud dans son esprit. Elles restent silencieuses dans les craquements du feu et parfois des impression-nantes bottes en cuir sur mesure de Meermans, quand il passe son poids d'un pied à l'autre devant la fenêtre. De la cuisine montent les arômes des plats préparés par Cornelia — capon au macis et au romarin, pigeons au persil et au gingembre.

« Il faut que je sache ! » annonce Agnes.

Marin se tourne vers elle sans pouvoir dissimu-ler son inquiétude.

« Qu'est-ce que Brandt vous a acheté comme cadeau de mariage, Nella ? »

Nella croise le regard de Marin. « Une maison, répond-elle.

— Il vous a acheté une maison ? s'étonne Agnes, les yeux comme des soucoupes. Quelle folie ! Un relais de chasse ? On en achète un, nous aussi, près de Bloemendaal.

— Celle-ci est émaillée d'écaille de tortue, dit Nella avec un sourire mutin, et on ne pourrait pas y vivre.

— Et pourquoi donc ? répète Agnes, incrédule.

— C'est une maison réduite à la taille d'un cabi-net », explique Marin.

Sans quitter la fenêtre, Meermans se tourne vers elles.

« Oh, une de ces maisons-là ! ironise Agnes. J'ai cru que vous parliez d'une vraie maison.

— En avez-vous une, Agnes ? demande Marin. Celle de Petronella est incrustée d'étain. »

Nella constate qu'Agnes redevient gamine. Son visage se trouble un instant avant de se faire provocateur. « Bien sûr que j'en ai une ! La mienne est recouverte d'*argent*. »

La fierté bravache affichée par Agnes fond jusqu'à n'être plus qu'un bobard maladroit et proféré sans conviction, petite flaque qui s'étend entre les deux femmes silencieuses. Les trois femmes s'absorbent dans l'examen du tissu de leur robe.

« Qui payez-vous pour la meubler ? » finit par demander Agnes.

Nella est prise au dépourvu. L'idée qu'Agnes se rende à la Kalverstraat, qu'elle soit en relation avec la femme, qu'elle connaisse même son existence lui est insupportable. Elle a l'impression que son secret va lui être arraché et que ce qu'il a de meilleur va être pillé.

Comme si elle sentait une faiblesse, Agnes se penche en avant. « Alors ?

— Je…

— Ma mère avait des objets que Petronella utilise. Je vais aller chercher le *rhenish*, déclare Marin en ignorant la gratitude qui s'affiche sur le visage de Nella. Otto a oublié de le sortir. »

Elle sort de la pièce en l'appelant.

Agnes regarde Marin disparaître et s'adosse à son siège. « La pauvre ! gémit-elle en se tournant vers Nella, l'inquiétude déformant son visage. La pauvre ! Je ne sais pas pourquoi elle est si malheureuse. »

Agnes se penche et prend les mains de Nella entre les siennes. Ses doigts sont moites comme un crapaud sorti d'une mare.

« Nos maris, Petronella, étaient de si bons amis ! »

Elle serre si fort la main de Nella que celle-ci sent les pierres de ses bagues lui entrer dans les chairs.

« Ils ont survécu ensemble à quelques-unes des pires tempêtes qu'ait connues la mer du Nord.

— Tu t'intéresses trop au passé, ma chérie, intervient son mari depuis la fenêtre. Est-ce qu'aujourd'hui n'est pas plus passionnant ?

— Oh, Frans ! rit Agnes. Nella, nos maris se sont rencontrés quand ils avaient vingt-deux ans. Ils travaillaient sur les navires de la VOC. Johannes a dû vous le raconter ? Ils ont traversé l'équateur et raté les tempêtes des Caraïbes parce que l'alizé du nord-est les poussait, récite Agnes comme s'il s'agissait d'un conte de fées appris à force d'être répété pendant des années.

— Ma chère…

— Ils exprimaient tant de talent dans leur travail pour la gloire de la République ! Bien sûr, Frans a trouvé sa place au Stadhuis*, mais les murs de briques d'Amsterdam étaient trop étroits pour Brandt. »

Meermans s'arrête à la porte, et Agnes le suit de son regard d'oiseau de proie. « Est-ce que Johannes vous a raconté les histoires de Batavia ?

— Non…

— Il a vendu son chargement et *quadruplé* la somme qu'il y avait investie. Il a pratiquement aspiré l'argent dans sa poche, et il est rentré avec son propre équipage. »

L'admiration dans sa voix, mêlée d'une colère indéfinissable, est hypnotique. Bien qu'à l'évidence ces informations gênent Meermans, Nella veut les entendre.

« C'était il y a dix-sept ans, Agnes, intervient

Frans d'un ton qu'il a du mal à garder enjoué. Aujourd'hui, il est plus heureux sur les îles de l'Est à se gaver de pommes de terre. »

À la surprise de Nella, Meermans quitte la pièce comme s'il vivait là et savait où aller. Elles entendent son pas lourd dans le hall, puis il s'arrête. Nella l'imagine assis dans un des fauteuils de l'entrée, en quête d'une trêve, mais de quoi exactement ? Elle ne saurait le dire.

Frans a raison sur un point : Agnes est la seule personne rencontrée jusque-là qui évoque spontanément le passé. Ça rendait sa mère triste, et ça faisait pleurer son père. Le reste d'Amsterdam semble vouloir aller de l'avant, construire, même si c'est sur un marécage qui risque de tous les engloutir.

Agnes est essoufflée, un peu agitée. Elle ouvre les mains, hausse les épaules et balaye, l'air absent, une poussière invisible sur sa jupe. « Les hommes sont des hommes ! marmonne-t-elle, redevenue adulte.

— Bien sûr ! répond Nella, qui pense que deux hommes ne pourraient être plus différents que Frans Meermans et Johannes Brandt.

— J'ai donné un pain de notre sucre à votre servante, l'informe Agnes. Frans dit qu'on le goûtera après le dîner. Croyez-vous que Marin en prendra une cuiller ? Tous ces pains si parfaits ! continue-t-elle en fermant les yeux. Frans a été… merveilleux. Le raffinage s'est passé sans le moindre accroc.

— C'est votre unique héritage, n'est-ce pas ?

— Dans l'acte de contrition, Madame Brandt, murmure Agnes, on gagne toujours beaucoup plus. »

175

Nella refuse instinctivement cette confidence. Déçue par le silence qui fige l'air entre elles, Agnes se redresse. « Bien qu'il puisse arriver davantage de sucre, il est important que votre mari vende celui-ci un bon prix. Le climat n'est pas toujours généreux, au Suriname, et les étrangers ne cessent d'attaquer les terres de mon père — nos terres, je veux dire. Cette récolte pourrait être notre seule chance avant des années.

— Oui, Madame. Nous sommes très honorés que vous nous ayez choisis.

— Vous êtes-vous déjà rendue dans les bureaux de votre mari, demande Agnes en se radoucissant.

— Jamais, Madame.

— Je vais fréquemment au Stadhuis. Cela fait plaisir à Frans, que je lui rende visite — que je le surprenne en pleine action, dirait-on. C'est si excitant de voir comme il réussit à réglementer cette République. Mon époux est un homme exceptionnel. Mais, dites-moi, est-ce que Marin vous a infligé ses dîners de harengs, ces massacres culinaires de bonification de soi ?

— Nous...

— Dîners d'un seul hareng et robes noires toutes simples... mais c'est *ici*, Madame, pontifie Agnes, une main sur le cœur, les yeux fermés, que Dieu voit vos véritables bonnes actions.

— Je... »

Agnes rouvre les yeux d'un coup et reprend son air inquiet. « Ne trouvez-vous pas que Marin n'a pas l'air d'aller bien ? »

Nella ne sait que dire. Le chaud et le froid que souffle la conversation de cette femme l'épuisent. Le malheur se lit sur le visage d'Agnes en vagues inégales, et pourtant, elle est si convaincante quand elle se montre confiante que ça ne peut que créer de la confusion dans l'esprit de Nella. Agnes semble avide de quelque chose que Nella ne peut lui offrir.

« Marin était toujours la plus forte », fait observer Agnes avec une trace de dépit.

Un aboiement de Rezeki évite à Nella de donner une réponse.

« Ah! se réjouit son invitée en lissant sa robe. Votre mari est enfin rentré. »

Échanges

Malgré la faim qui tenaille Nella, malgré les talents de cuisinière de Cornelia, le dîner est une torture. Par-delà la nappe damassée d'un blanc de duvet, Agnes boit trois verres de *rhenish* et évoque les excellents sermons et la piété du pasteur Pellicorne, l'importance de toujours se montrer reconnaissant — et avez-vous entendu parler de ces sales voleurs que j'ai vus sortir du Rasphuis, la main coupée ?

« Qu'est-ce que le Rasphuis ? demande Nella.

— La prison pour hommes, répond Agnes. Le Spinhuis*, c'est là où on envoie les femmes pécheresses, et le Rasphuis là où on dompte les bêtes sauvages. »

Elle s'est penchée en avant en arrondissant les yeux pour mimer la folie. C'est une vision choquante, et Frans Meermans fixe la nappe, quand Agnes fait cette grimace.

« C'est aussi là où vivent les fous abandonnés par leur famille qui paie la prison pour les garder en sécurité, mais, ajoute Agnes en pointant sur Nella un doigt bagué, les *vrais* sauvages sont envoyés à la chambre de torture dans les caves du Stadhuis, près des chambres fortes qui renferment l'or de la ville. »

Marin ne dit pas grand-chose et se contente de regarder subrepticement son frère, qui accompagne Agnes à chaque verre de vin et en a même un d'avance au moment où Cornelia débarrasse le premier plat.

Johannes arrive à se tenir, mais il a les yeux vitreux et sa barbe de trois jours donne des reflets argentés à sa peau bronzée. Il se concentre sur son assiette, piquant sa fourchette dans les morceaux de pigeon luisants de sauce au gingembre. Quand Agnes devient franchement ridicule, son mari prend le relais afin d'impressionner la compagnie par sa connaissance des produits des îles. Il veut parler du jus de canne et des équipements en cuivre, des pains de sucre et des punitions à infliger ou non aux esclaves. Johannes mastique ses asperges avec une férocité mal dissimulée.

Quand on a fini de se battre avec la tarte aux prunes et à la crème, quand le repas est terminé, la vraie raison de ce dîner ne peut être évitée plus longtemps. Sur un signe de tête de Marin, Cornelia revient avec le pain de sucre au milieu d'une assiette en porcelaine, aussi prudente que si elle tenait un nouveau-né. Derrière elle, Otto arrive avec un plateau de cuillers.

Nella examine le pain de sucre, structure conique scintillante de la longueur de son avant-bras, ses cristaux serrés, compacts.

« La moitié de la récolte a été mise en pains avant l'expédition, dit Meermans. L'autre moitié a été raffinée à Amsterdam.

— Des cuillers ? propose Johannes en les distribuant. Que chacun en prenne un échantillon. Cornelia, Otto, vous devriez essayer, vous êtes les meilleurs experts. »

Agnes fait la moue et ses narines frémissent. Un peu gênée, Cornelia accepte une cuiller et en passe une à Otto.

Alors que Johannes sort un petit couteau de poche et s'apprête à pratiquer la première incision, Meermans se lève et tire une dague de sa ceinture. Cornelia retient sa respiration.

« Permettez ! » demande-t-il en brandissant la lame.

Johannes sourit et se rassied. Marin se tient très droite, les mains sur la nappe damassée.

Le premier copeau blanc tombe, enroulé sur lui-même, au bas du cône.

« Pour vous ! » dit Meermans en le tendant à son épouse d'un geste auguste.

Agnes rayonne.

Frans distribue les autres copeaux, les derniers allant à Johannes et Otto. « *Incroyable* [1] ! se réjouit-il en glissant son propre copeau dans sa bouche. Votre père n'a peut-être pas eu de fils, ma chère, mais avec ce sucre, il a remporté la mise. »

Nella laisse le copeau, sucré et granuleux, fondre dans sa bouche. Il disparaît en un instant, et un parfum de vanille colle sa langue à son palais. Marin détourne le regard de la cuiller et de la douceur qui l'attend. Les yeux d'Agnes ne quittent pas Marin, dont elle voit les doigts se crisper sur le manche, les lèvres s'ouvrir à peine pour avaler le sucre aussi vite que possible.

« Exceptionnellement bon, approuve-t-elle avec l'ombre d'un sourire en reposant sa cuiller.

— Un autre copeau, Madame ? propose Agnes.

---

1. En français dans le texte.

— Cornelia, qu'en penses-tu ? » demande Johannes.

Marin met en garde sa servante d'un regard entendu.

« Très bon, Seigneur. Délicieux. »

Jamais Nella n'a vu Cornelia aussi timide.

« Otto, ton avis ?

— Maintenant, Dieu soit loué, l'interrompt Agnes, vous allez faire notre fortune, Brandt ! »

Johannes sourit et accepte une autre boucle blanche du pain scintillant. Nella regarde Otto qui s'essuie délicatement la bouche, chaque geste étant un modèle d'économie.

« Quand partez-vous pour Venise ? demande Meermans. Avec tous ces *palazzi* et ces *gondole*, c'est presque comme être chez soi. »

Marin, qui a goûté un autre copeau, repose sa cuiller. « Venise ?

— Que sont ces *gondole*, très cher ? demande Agnes à son mari d'une voix stupide, ses yeux brillants à cause du *rhenish* et du désir d'être aimée.

— Des *nave*.

— Quoi ? » dit Agnes.

Nella se demande pourquoi il insiste pour utiliser tous ces mots étrangers.

« Je partirai dans moins d'un mois, déclare Johannes. Peut-être voudrez-vous vous joindre à moi, Frans ? Ah ! ajoute-t-il en levant un doigt. J'oublie que vous n'aimez pas l'eau.

— Très peu d'hommes supportent les vagues courtes, fait remarquer Meermans en reniflant.

— C'est vrai, admet Johannes en vidant son verre, mais il y en a qui le peuvent.

— Petronella, intervient Marin en se levant de table, voudriez-vous nous jouer du luth ?

— Du *luth* ? répète Nella, incapable de dissimuler sa surprise, se souvenant que Marin lui avait demandé de ne pas abîmer les luths de son frère.

— Oui, c'est bien ce que j'ai dit. »

Leurs yeux se rencontrent pour la troisième fois ce soir-là, et Nella, lisant la fatigue sur le visage de Marin, renonce à protester. « Bien sûr, dit-elle. Bien sûr. »

❧·⬥·❧

C'est un plaisir de jouer du luth, mais un plus grand plaisir encore de voir les visages de son auditoire tandis que les cordes rapidement tendues de l'instrument se plient aux mouvements de ses doigts. Pour une fois, Nella est le centre de l'attention d'une assemblée approbatrice. Elle joue pendant quarante minutes au milieu des sièges disposés en fer à cheval. Même Otto et Cornelia viennent l'écouter.

Le pain de sucre, source d'embarras, est retourné dans le sac d'Agnes, et les simples notes pincées évoquant le chant d'un amour perdu apportent la sérénité. Johannes contemple sa jeune épouse avec une expression qui fait penser à de la fierté. Le regard de Marin se perd dans le feu, mais elle écoute. Agnes hoche la tête à contretemps et son mari s'agite sur son siège.

Les Meermans partent peu après, sur la promesse de reprendre contact avec Johannes plus tard en novembre pour suivre ses avancées.

Marin ferme la porte. « Dieu merci, ils sont partis, murmure-t-elle. Tu débarrasseras tout au matin », dit-elle à Cornelia, qui a du mal à cacher sa surprise de se voir épargner une nuit de vaisselle.

Exaltée par son triomphe, Nella berce le luth, appuyée contre la fenêtre du hall.

« De l'*écaille de tortue*, Frans ! enrage Agnes en descendant le perron, sans prendre la peine de chuchoter, ou incapable de se contenir. Avec de l'*étain*.

— Agnes, pas si fort !

— Quel étrange cadeau de mariage ! Je ne comprendrai jamais comment ces grands esprits fonctionnent. Il m'en faut une, Frans. On pourra bientôt se le permettre. Je veux que la mienne soit plus belle que la sienne.

— Je ne dirais pas qu'il est un grand esprit...

— Et, Dieu soit loué — as-tu vu la tête de Marin, quand elle a goûté notre sucre ? Ça fait des *semaines* que j'attendais ça ! Fransy, le Seigneur est bon pour nous...

— Oh, tiens ta langue ! C'est insupportable ! »

Tandis qu'ils s'éloignent, Mme Meermans garde un silence qui ne sera plus brisé.

La fille délaissée

Cornelia a déjà allumé un feu, quand Nella se réveille le lendemain matin. Elle s'habille toute seule, sans s'infliger la constriction d'un corset, préférant une chemise et un gilet à tous les rubans que Cornelia lui imposerait. « On a livré quelque chose pour moi ? demande-t-elle à Otto en arrivant au rez-de-chaussée.

— Non, Madame », répond-il avec un certain soulagement.

La réflexion d'Agnes — *C'est agréable pour Frans que je lui rende visite* — résonne encore aux oreilles de Nella. Bien que jouer du luth et avoir été sauvée des questions d'Agnes par Marin lui aient remonté le moral, la soirée lui a laissé une impression d'insatisfaction.

Nella ne désire imiter Agnes Meermans en rien, mais sans doute en sait-elle davantage sur le mariage que n'importe qui dans cette maison. On doit me voir encourager Johannes, l'admirer dans ses activités professionnelles. En retour, j'espère qu'il finira par me complimenter aussi. Elle projette de surprendre Johannes à son travail, et ensuite de passer au signe du Soleil. Si Tête-de-Passoire n'est pas là pour espionner, peut-être la miniaturiste sera-t-elle prête à me parler ?

Par la porte ouverte du bureau de Johannes, Nella voit ses cartes et les papiers qui jonchent le sol. Les autres pièces ont beau avoir retrouvé leur aspect immaculé, toute la maison semble asphyxiée, comme épuisée après une bataille.

Nella atteint la salle à manger et s'arrête en voyant Marin, qui ne s'est pas encore habillée. Elle serre les pans d'une robe de chambre sur une blouse et une jupe. Ses cheveux brun clair détachés tombent sous les épaules et il en émane une vague senteur de muscade. C'est découvrir une Marin plus douce, enrichie.

« Est-ce que Johannes est déjà parti pour la Vieille Hoogstraat ? » demande Nella.

Otto entre et sert des tasses de café, dont l'arôme puissant aiguise ses sens. Quelques gouttes tombent du bec de la cafetière sur la nappe et s'étendent comme des îles vierges sur une carte. Otto, concentré sur la tache qu'il vient de faire, ne lève pas les yeux vers les deux femmes.

« Pourquoi ? veut savoir Marin.

— Je veux lui demander où est Bergen.

— C'est en Norvège, Petronella. Ne le dérangez pas.

— Mais...

— Et en quoi Bergen vous intéresse donc, entre tous les lieux du monde ? Ils ne commercent que le poisson, là-bas. »

Dans le hall, Cornelia frotte le carrelage noir et blanc devant la porte d'entrée, tête baissée, concentrée. Otto redescend à la cuisine, emportant les effluves de café. La faible lumière d'octobre passe à travers les hautes fenêtres, et on a déjà allumé les chandelles de suif récupérées de leur cachette. Quand Nella tire la barre du verrou et ouvre la porte, Cornelia s'interrompt et se redresse dans l'air du dehors qui la caresse, tête droite, les mains serrant son balai comme elle tiendrait un javelot. « Madame, il n'est que huit heures ! Où donc allez-vous si tôt ?

— J'ai des courses à faire. »

Le regard peu convaincu de Cornelia l'irrite. Elle se sent de nouveau emprisonnée. L'impression de pouvoir que jouer du luth lui avait donnée s'estompe trop vite.

« Les dames ne font pas les courses, Madame, affirme la servante. Elles doivent tenir leur rang. »

C'est une gifle, une insulte qu'aucune servante ne se permettrait à Assendelft.

« Vous devriez rester ici », insiste fébrilement Cornelia.

Nella se tourne pour respirer l'air du dehors, loin de la fumée des chandelles et du visage inquisiteur de Cornelia.

« Vous ne devriez pas aller seule où que ce soit, murmure la servante d'un ton plus amène et en posant la main sur le bras de Nella. Je veux juste…

— Contrairement à *vous*, Cornelia, je peux aller où je veux. »

❧

Ce sera intéressant de voir son mari sur son lieu de travail, d'être témoin de ses efforts pour consolider sa richesse. C'est un moyen de le comprendre. Nella tourne dans le Kloveniersburgwal, dans les effluves marins, avec le spectacle des mâts des plus grands bateaux à mi-distance. En longeant le canal, elle envisage même de montrer à Johannes les miniatures de ses chiennes adorées — cela lui plairait sûrement.

Elle passe sous l'arche principale de l'entrée de la VOC sur la Vieille Hoogstraat, près de l'armurerie, où elle entend les boucliers et les plastrons qui s'entrechoquent tandis qu'on les classe par taille. Cet ensemble d'immeubles est le cœur de la ville, de toute la République, prétendent certains. Un jour, son père lui a dit qu'Amsterdam a financé plus de la moitié de toute la levée de fonds nationale pour la guerre. Il avait eu l'air soupçonneux sur l'origine de la richesse et du pouvoir de cette ville, l'admiration et le doute se mêlant dans sa voix.

Elle fait le tour de la première cour, étourdie par l'agencement répétitif des briques. Deux hommes bavardent dans un coin et s'inclinent profondément à son passage. Elle fait une révérence. Ils la regardent, curieux.

« On ne voit jamais de femmes, à la VOC, remarque le premier.

— Sauf à l'approche de la nuit, le corrige le second, les cheveux parfumés de vanille musquée.

— Je cherche Johannes Brandt », leur annonce-t-elle d'une voix rendue nerveuse par leurs manières suggestives.

Le front du second homme est constellé de boutons — il n'est qu'un gamin. Dieu s'est amusé avec son pinceau ! se dit Nella.

Les deux hommes échangent un regard. « Après cette arche, répond le premier homme, traversez la seconde cour et c'est la porte à votre gauche. Ce

187

qui se passe là-haut est confidentiel. Les femmes n'y sont pas autorisées. »

Nella sent leur regard dans son dos, quand elle passe sous l'arche. Arrivée à la porte, elle frappe et, comme personne ne répond, elle entre. Il flotte une odeur de mer, l'air salé ayant imprégné le bois des rares meubles et des murs, ce qui rend la pièce humide. Au fond Nella repère un escalier en spirale et elle monte, de plus en plus haut, jusqu'à atteindre un palier aéré. Un long couloir mène à une grande porte en chêne.

« Johannes ? »

Je passe mon temps à l'appeler, à attendre devant ses portes. Elle court, légère comme un chat, excitée à l'idée de la surprise qu'elle va lui faire. « Johan… ? »

La poignée de la porte est dure et, quand elle parvient à pousser le battant, le nom de son mari s'arrête dans sa gorge.

Elle le voit, son mari, allongé au fond de la pièce, nu sur un canapé, incapable de se redresser à cause de la tête qui cache son entrejambe.

Une tête dont elle ne distingue que les cheveux, une masse de boucles brunes, qui semble coincée, attachée au corps de son mari. Et la tête bouge en rythme de haut en bas. La tête est attachée à un corps, un torse mince, des jambes repliées, à demi cachées derrière le canapé.

Horrifié, Johannes écarquille les yeux en entendant la porte claquer et en voyant sa femme. Son corps se dérobe et la tête bouclée se lève. C'est Jack Philips, figé en plein mouvement, la bouche ouverte, les yeux choqués, son visage blafard tourné vers la porte, vers elle. Jack se redresse d'un bond de l'autre côté du canapé. Sa poitrine nue et lisse attire le regard épouvanté de Nella.

Évoluant comme sous l'eau, presque incapable de respirer, Johannes ne se couvre pas — ne peut pas se couvrir. Sa chose, son *ver*, est comme un mât, un mât de viande, dressé, luisant d'humidité. Son mari gît là, comme une courtisane dans son boudoir, sa large poitrine si poilue comparée à celle de Jack.

La fenêtre grande ouverte projette sur eux une pâleur grise.

« Nella ! souffle Johannes. Vous n'êtes pas censée... Vous n'êtes pas... »

Revenant à la réalité, Jack lance sa chemise à Johannes. Maladroits, saisis de panique, exécutant une dernière danse, ils agitent les bras, les doigts, les genoux — et les propres genoux de Nella cèdent. Du sol, elle voit que son mari réussit à se lever. Il tend les mains — vers elle, vers Jack, vers ses vêtements, elle ne sait pas. On dirait qu'il veut saisir des cordes invisibles. Et Jack de Bermondsey est là qui passe ses doigts dans ses cheveux en gestes inconvenants. Sourit-il ou grimace-t-il ? La question meurt dans le rugissement qui monte dans la tête de Nella, dont la main monte vers son visage et cache ses yeux.

La dernière chose qu'elle voit, c'est le pénis de Johannes qui commence à retomber, long, sombre, contre sa cuisse.

Le silence hurle dans ses oreilles, la douleur explose au centre de son cœur. L'humiliation s'étend en quelques secondes, comme d'une spore noire en jaillissent des milliers, et la souffrance qui hibernait trouve enfin une voix. Elle ne sait pas s'il peut l'entendre, si des mots sortent de sa gorge.

« *Idiot, idiot, idiot !* » murmure-t-elle, les paupières serrées. Ses jambes sont en plomb, sa peau la brûle, son corps a le poids d'une pierre de meule. Elle sent des mains d'hommes sur elle. Elle voit les cinq orteils blancs du pied de son mari. Depuis que Marin l'a pincée, c'est la première fois qu'on la touche.

« Nella ! » dit une voix familière.

C'est Cornelia. Cornelia est venue. Nella la laisse la relever, l'extraire de la pièce, lui faire parcourir l'interminable couloir, comme si elles fuyaient une vague.

Johannes crie son nom. Elle l'entend, mais ne peut répondre — et le voudrait-elle, si elle le pouvait ? Sa bouche refuse de former des mots, qui meurent sur sa langue.

Cornelia lui fait descendre les dernières marches, lui ordonne de poser un pied devant l'autre. « Jésus-Christ, Madame, marchez, s'il vous plaît ! Marchez, que je puisse vous ramener à la maison ! »

Elles passent devant les deux hommes dans la cour. Cornelia doit presque la traîner, cachant sa tête contre son épaule afin que personne ne puisse lire la désolation sur le visage de sa maîtresse.

Alors qu'elles sont sur le Kloveniersburgwal, une nouvelle vague de détresse submerge Nella, et elle a un haut-le-cœur. Cornelia applique fermement sa main sur sa bouche, car un cri risque d'attirer sur elles une attention dont elles ne veulent pas dans ces rues étroites où tout le monde se regarde.

Elles atteignent la maison. La porte s'ouvre comme d'elle-même. Marin et Otto sont là, qui attendaient dans l'ombre. Dissimulant son visage, elle laisse le corps de Cornelia lui servir de barrière tandis que cette dernière lui fait monter l'escalier. Elle grimpe sur son lit, tire ses draps nuptiaux brodés sur elle, et tente de respirer, mais ses larmes l'étranglent. Du tréfonds de son corps sort un hurlement, un hurlement qui déchire l'air.

Nella sent qu'on lui caresse le front, une fois, une fois encore, qu'on la tient, et enfin qu'on la force à boire quelque chose. Elle entend son hurlement faiblir jusqu'à ce que le dernier son expire en elle, tandis qu'Otto, Marin et Cornelia se penchent sur elle tels les mages sur la crèche. Je ne suis pas la bonne. *Idiot*. Je n'étais pas censée… Les visages sont des pleines lunes d'inquiétude.

Je ne suis pas ce qu'il lui faut. Idiot. *Je n'étais pas censée…*

Ils s'évanouissent, et Nella s'enfonce seule, l'image de son mari nu la suivant dans sa chute, disparaissant sous la surface d'un étang sombre.

DEUX

Novembre 1686

> Une source fait-elle jaillir par
> la même ouverture de l'eau douce
> et de l'eau amère ?
>
> *Jacques 3:11*

Dedans dehors

Une odeur suave, irrésistible, réveille Nella. Elle ouvre les yeux et voit Marin, au pied de son lit, plongée dans ses pensées, une assiette de gaufres sur les genoux. Quand elle se croit seule, Marin a l'air beaucoup plus doux, les paupières baissées sur ses yeux gris, la bouche exprimant un certain découragement. Cela fait sept jours que Marin vient s'asseoir là et, chaque jour, Nella a fait semblant de dormir.

L'image de Johannes et Jack Philips s'est imposée pendant des heures à l'esprit de Nella, comme une mite qui battait constamment des ailes. À force de volonté, Nella l'a empêchée de voler, l'a réduite à une croûte, ses ailes arrachées, mais la mite n'a pas disparu.

Que faisaient d'autre les deux hommes avant qu'elle arrive dans ce bureau — en guise de lit un atlas déployé, dieux au-dessus de leur monde en papier ? Je ne suis pas capable de mener cette vie à Amsterdam, se dit Nella en souhaitant partir très loin. Je me sens plus jeune que mes dix-huit ans, mais accablée comme si j'en avais quatre-vingts, toute ma vie se résumant à cet unique moment. Je patauge dans une mer de suppositions, sans moyen de les résoudre. Quelle idiote j'ai été d'imaginer pouvoir m'approprier Amsterdam, pouvoir être à la hauteur de Johannes Brandt ! J'ai rétréci. Je n'ai plus de dignité.

Le cabinet inhabité se dresse dans son coin. Quelqu'un a ouvert les rideaux, et il paraît plus imposant encore à la lumière du soleil. Il attire aussi l'attention de Marin, qui se débarrasse de l'assiette de gaufres, s'en approche lentement, et glisse une main dans le salon. Elle sort le berceau et le fait osciller au creux de sa paume.

« N'y touchez pas ! ordonne Nella. Ces objets ne vous appartiennent pas. »

Marin sursaute et repose le berceau. « Il y a des gaufres à l'eau de rose pour vous, avec de la cannelle et du gingembre. Cornelia a un nouveau gril. »

On a allumé une flambée lumineuse et joyeuse, dans la cheminée. Dehors, l'hiver a fait une apparition brutale. Nella le sait à cause de la brûlure de froid que lui cause l'air qu'elle inhale. « Je croyais que vous prétendiez qu'un ventre vide bénéficie à l'âme », lui rétorque-t-elle.

Elle a accepté les bols de *hutspot* * et les tranches de gouda que Cornelia a laissés pour elle devant sa porte, mais elle n'a pas dit un mot de la semaine. Elle sent en elle les accusations prêtes à exploser.

« Mangez, s'il vous plaît, demande Marin. Ensuite, nous parlerons. »

Nella tend le bras vers l'assiette en porcelaine de Delft, inoffensive avec ses fleurs entrelacées à des feuilles. Marin vient regonfler ses oreillers, puis reprend sa place au pied du lit. Les gaufres sont dorées et croustillantes à la perfection, et l'eau de rose se mêle dans sa bouche à la chaleur du gingembre. Depuis sa cage, Peebo gémit d'envie à l'odeur de ces plaisirs que Nella croyait défendus.

Que dira Marin, se demande Nella, quand je lui révélerai ce que j'ai vu ?

« Peut-être voulez-vous quitter votre lit ? propose Marin du ton d'une reine qui feint l'amitié avec une paysanne.

— Je suppose que vous préféreriez me voir là-dedans, rétorque Nella en montrant le cabinet.

— Que voulez-vous dire ?

— Ma vie ici est terminée. »

Marin se raidit et Nella repousse son assiette vers sa belle-sœur sans avoir terminé ses gaufres.

« Je n'accepterai plus d'ordres de vous, Marin. J'ai tout compris.

— Je n'en suis pas sûre...

— Si ! Et il y a quelque chose que vous devez savoir, ajoute Nella après avoir pris une profonde inspiration.

— Quoi ? demande Marin alors que le sang monte à son visage d'ordinaire si pâle. Quoi ? Qu'est-ce que c'est ? »

Nella jouit de son pouvoir momentané, croise les mains sur la courtepointe et regarde les yeux gris et graves de Marin. Elle sent son corps lourd, ancré dans le lit. « Il y a une raison pour laquelle je suis restée enfermée toute la semaine, Madame. Johannes, votre frère... j'ai du mal à le dire.

— À dire quoi ?

— Johannes est un... *sodomite*. »

Marin cille, et l'image de Johannes et de Jack reprend vie dans l'esprit de Nella. Une miette de gaufre s'est coincée dans sa gorge. Marin ne dit rien. Elle examine les broderies de la courtepointe, les gros *B* entourés de feuillage où nichent des oiseaux des bois. « Je suis désolée que vous soyez bouleversée, Nella. Johannes est différent de la plupart des maris, je dois l'admettre. »

Sur le coup, Nella ne comprend pas, puis un frisson la parcourt, lui rosit les joues, fuse dans ses veines. « Vous le saviez ? Vous *saviez* ? »

Elle sent venir les sanglots, et c'est presque pire que de voir son mari nu sur le canapé de son bureau avec Jack. « Vous vous êtes moqués de moi. Vous m'avez prise pour une idiote dès mon arrivée !

— Nous ne nous sommes pas moqués de vous, proteste Marin, surprise. Jamais. Et vous n'êtes la risée de personne. »

Nella laisse se déverser des mots qu'elle n'aurait jamais cru prononcer. « Vous m'avez humiliée. J'ai tout vu de mes yeux — cette chose dégoûtante, horrible qu'il a faite avec... ce garçon. »

Marin se lève et gagne la fenêtre. « Est-ce que tout en Johannes vous dégoûte ?

— Quoi ? *Oui !* Pellicorne l'a dit : *Méfiez-vous d'eux. La colère de Dieu va inonder la terre.* Je suis son épouse, Marin ! »

Marin écarte les doigts sur la vitre jusqu'à ce qu'ils virent au blanc. « Vous vous souvenez étonnamment bien de ce sermon.

— Vous saviez que Johannes ne pourrait pas m'aimer. »

Marin se retourne et, quand elle reprend la parole, sa voix tremble. « J'ai cru qu'il vous aimerait. Comment peut-il ne pas vous aimer ? Je... Je ne le comprends pas toujours. Il vous aime beaucoup.

— Comme un *animal de compagnie*. Et il aime bien plus Rezeki. Je ne peux pas vous pardonner de m'avoir joué ce mauvais tour. Vous saviez ce que ce serait pour moi. Les nuits où je l'ai attendu…

— Nous ne l'avons pas conçu comme un mauvais tour, mais comme une chance. Pour tout le monde.

— *Nous ?* Ça signifie que ce n'est même pas Johannes qui m'a choisie ?

— Il était réticent. Il ne voulait pas… mais… j'ai fait mon enquête. Un ami de votre père, en ville, a mentionné vos difficultés financières. Votre mère s'est montrée enthousiaste. J'ai pensé que ça satisferait tout le monde. »

Nella repousse son assiette si violemment qu'elle tombe et se brise en trois morceaux. « Et qu'est-ce que ça m'a apporté à moi ? Vous ne m'avez jamais rien laissée faire. Vous commandez mes vêtements, vous tenez le livre de comptes, vous me traînez à l'église, vous m'envoyez à une fête de guilde où tout le monde me regarde. J'ai été si reconnaissante quand vous m'avez proposé de jouer du luth ! C'est pathétique ! C'est *moi* qui suis censée être la maîtresse de cette maison, et vous me reléguez au rang de Cornelia. »

Marin se couvre le visage de ses mains et l'air s'épaissit entre elles. Nella sent son énergie redoubler en regardant Marin s'efforcer de garder son sang-froid.

« Marin, cessez de feindre le calme ! proteste Nella, qui tente vainement de retenir ses larmes. C'est un désastre ! Comment pourrais-je être heureuse avec un homme qui va brûler en enfer ? »

Marin regarde son visage couvert de larmes et le sien se déforme de rage. « Taisez-vous ! *Silence !* Votre famille n'avait rien que son nom, votre père vous a laissés pauvres. Vous vous seriez retrouvée épouse de fermier !

— Quel mal y a-t-il à ça ?

— Vous ne diriez pas une chose pareille dans dix ans, quand les digues auront lâché, quand vos mains seront en sang et que dix enfants s'accrocheront à vos jambes pour que vous leur donniez à manger. Vous vouliez la sécurité, vous vouliez être l'épouse d'un marchand. Petronella ? insiste-t-elle devant le silence de Nella. Qu'allez-vous faire ? »

En sentant la panique qui s'intensifie à chaque mot prononcé par Marin, Nella prend conscience qu'elle a du pouvoir, finalement. Marin craint-elle que j'aille voir les bourgmestres ? Elle regarde, stupéfaite, les traits crispés, pâles de Marin, qui l'imagine, elle, une gamine de dix-huit ans, venue d'Assendelft, révélant aux pères d'Amsterdam que son mari, respectable marchand, est possédé par le diable.

Tu pourrais le faire. Tu pourrais dénoncer Jack Philips aussi. Qui pourrait t'arrêter, si tu le décidais ? Tu pourrais briser la vie de cette femme d'une simple phrase et te libérer de toute humiliation.

Comme si elle lisait dans ses pensées, Marin reprend la parole. « Vous êtes un membre de cette famille, Petronella. Sa vérité vous collera à la peau comme l'huile aux plumes d'un oiseau. Que voulez-vous ? Retourner à une vie de pauvreté ? Et qu'arriverait-il à Otto et à Cornelia si notre secret était révélé ? »

Elle écarte les bras comme des ailes, et Nella sent son propre corps se contracter dans le lit. « On ne peut rien faire, Petronella — nous, les femmes. *Rien !* insiste-t-elle avec des yeux qui brûlent d'une intensité que Nella ne leur a jamais vue auparavant. Si on a de la chance, on peut simplement réparer les erreurs des autres.

— Agnes est heureuse, pourtant.

— *Agnes* ? Oh, Agnes joue très bien son rôle, mais qu'arrivera-t-il quand son personnage n'aura plus rien à dire ? La plantation appartenait à son père, et elle l'a donnée à son mari. Ça me stupéfie qu'elle s'en *vante* ! Certaines peuvent travailler, s'écrie Marin. Elles s'éreintent à la tâche et ne sont payées que la moitié de ce que gagnerait un homme. Les femmes ne peuvent rien posséder, elles ne peuvent faire de procès. La seule chose dont on nous croit capables, c'est de produire des enfants, qui ensuite deviennent la propriété de notre mari.

— Vous ne vous êtes pas mariée, vous n'avez pas…

— Il y a des maris qui ne peuvent laisser leur femme *tranquille*. Elles ont un bébé après l'autre jusqu'à ce que leur corps ne soit plus qu'un sac fripé.

— Je veux bien être un sac fripé, si ça signifie que je ne suis pas seule ! *Une épouse publique, une vie privée* — n'est-ce pas ce qu'on dit ?

— Et combien de femmes meurent en couches, Petronella ? Combien de filles deviennent des cadavres d'épouses ?

— Arrêtez de crier ! Il y a aussi des funérailles à Assendelft, figurez-vous. Je ne suis pas inconsciente des dangers.

— Petronella…

— Est-ce que ma mère savait ce qu'il est ? Est-ce qu'elle le savait ? »

Marin se tourne vers la fenêtre. « Je ne le crois

201

pas, mais elle m'a dit que vous aviez une imagination fertile, que vous étiez forte et intelligente, et que vous pourriez vous épanouir dans cette ville. Elle a écrit : "Nella trouvera sa place." Elle a expliqué qu'Assendelft était trop petit pour un esprit tel que le vôtre, et j'ai été contente de la croire.

— C'est sans doute vrai, mais décider que je n'allais jamais vivre comme une véritable femme ne vous appartenait pas. »

Marin éclate d'un rire qui donne la chair de poule à Nella. « Que voulez-vous dire par "une véritable femme" ?

— Une véritable femme se marie, elle a des enfants…

— Et qu'est-ce que je suis donc, Petronella ? Ne suis-je pas une véritable femme ? La dernière fois que j'ai regardé, c'était le cas.

— Nous ne le sommes ni l'une ni l'autre. »

Marin soupire et se frotte le front. « Je regrette d'avoir crié. Je n'avais pas l'intention de perdre mon sang-froid. J'aurais dû me contrôler. Je suis désolée. »

La sincérité de ces excuses introduit un moment de paix. Épuisée, Nella se rallonge.

Marin prend une profonde inspiration. « Les mots sont comme de l'eau, dans cette ville, Nella. Une goutte de rumeur pourrait tous nous noyer.

— Est-ce que Johannes et vous avez sacrifié mon avenir parce que le vôtre était en péril ?

— Vous avez aussi tiré avantage de ce mariage, non ? demande Marin en fermant les yeux.

— Je ne me serais pas noyée, à Assendelft.

— Là-bas, vous viviez sous l'eau. Quelques vaches, votre maison pleine de courants d'air,

202

l'ennui. J'ai pensé que ce mariage pourrait être pour vous... une aventure.

— Je croyais que vous aviez dit que les femmes ne connaissaient pas l'aventure, dit-elle en pensant à la miniaturiste de la Kalverstraat. Marin, sommes-nous en danger ? Pourquoi avons-nous tant besoin de l'argent de ce sucre ? Johannes ne le vendrait pas s'il n'y était obligé.

— Toujours garder ses ennemis près de soi !

— Je croyais qu'Agnes Meermans était votre amie.

— Les bénéfices du sucre nous protégeront, c'est tout. À Amsterdam, Dieu, malgré toute Sa gloire, ne peut pas tout faire.

— Comment pouvez-vous dire ça, vous qui êtes si pieuse ?

— Mes croyances n'ont rien à voir avec ce que je peux contrôler. Nous ne sommes pas pauvres, mais ce sucre est un barrage contre la montée des eaux. Et vous aussi, vous nous protégez, Petronella.

— *Je* vous protège ?

— Bien sûr, et nous vous en sommes reconnaissants. »

La reconnaissance maladroite de Marin s'épanouit dans le ventre de Nella et la gonfle d'un sentiment d'importance. Elle tente de dissimuler le plaisir qu'elle en tire en se concentrant sur les motifs de sa courtepointe. « Dites-moi, Marin... Qu'arriverait-il si Agnes et Frans savaient, pour Johannes ?

— J'espère qu'ils se montreraient miséricordieux..., dit Marin en allant chercher une chaise, mais je soupçonne que ce ne serait pas le cas. »

Dans le silence lourd, Marin s'assied comme une marionnette, les jambes pliées, les bras et le cou amollis, le menton sur la poitrine. « Savez-vous ce qu'ils font aux hommes comme mon frère ? murmure-t-elle.

— Non.

— Ils les noient. Nos pieux magistrats accrochent un poids à leur cou et ils les jettent à l'eau. Cependant, ajoute Marin alors qu'une lame de désespoir semble écraser son corps, même s'ils ressortaient mon frère de l'eau et qu'ils l'ouvraient, ils ne trouveraient pas ce qu'ils cherchent.

— Pourquoi pas ? »

Des larmes coulent sur les joues pâles de Marin, qui pose la main sur sa poitrine comme pour arrêter ce flot de douleur. « Parce que c'est dans son âme, Petronella. C'est une chose dans son âme et ils ne pourraient l'en extirper. »

Décisions

Une heure plus tard, Nella passe sa porte avec Peebo dans sa cage. Le soleil brille à travers la fenêtre du palier, donnant au mur devant elle une teinte citron pâle. Quand elle entend l'écho changeant des voix tamisées de Johannes et Marin dans la petite chambre de Marin, elle laisse la cage de Peebo sur la première marche et se glisse le long du couloir.

« Pourquoi ne peux-tu pas rester à l'écart de cet homme ? J'imagine comment ça risque de finir, et je ne peux pas le supporter.

— Il n'a personne, Marin.

— Tu le sous-estimes, soupire Marin d'une voix épuisée. Il n'a aucune loyauté.

— Tu penses toujours le pire de tout le monde.

— Je vois clair en lui, Johannes. Il nous saignera à blanc. Combien lui as-tu donné, cette fois ?

— Il aide à veiller sur le sucre. C'est un échange équitable. Au moins, ça évite qu'il continue les livraisons et qu'il vienne ici. »

Nella compte les secondes pendant lesquelles Marin reste silencieuse. « Tu es aveugle au monde qui t'entoure, finit-elle par dire d'une voix tendue qui cache mal sa colère. Pourquoi ton entrepôt serait-il moins exposé que cette maison ? Il devrait être tenu aussi loin que possible de tout ce qui a trait à notre famille. Et si Petronella parle à sa mère — ou aux bourgmestres ?

— Nella a un cœur, Marin...

— Dont tu reconnais à peine l'existence.

— C'est faux. C'est injuste. Je lui ai acheté ce cabinet, des robes. Je l'ai emmenée à la fête. Que suis-je censé faire d'autre ?

— Tu le sais. »

Long silence.

« Je crois, déclare Johannes, qu'elle est la pièce qui manquait à notre puzzle.

— Et tu cours le risque de la perdre. Le mal que tu as fait, en te montrant aussi indifférent aux besoins des autres...

— Moi ? Ton hypocrisie est stupéfiante, Marin. Je t'ai mise en garde, en août, je t'ai dit que je ne pourrais pas...

— Et *moi*, je t'ai mis en garde : si tu ne rompais pas avec Jack, quelque chose de terrible allait se produire. »

Nella ne peut supporter d'en entendre davantage. Elle repart vers l'escalier et reprend la cage de Peebo. En descendant les marches, elle se rend compte que jamais elle ne s'est sentie si puissante ni si effrayée. Elle s'imagine Johannes disparaissant sous l'eau, le visage tordu, ses cheveux ondulant comme des algues grises. Elle pourrait en être la cause. Ils ont été protégés par ces murs et cette lourde porte d'entrée pendant des années, mais ils l'ont ouverte et ils m'ont fait entrer — et voyez un peu ce qui s'est produit ! *On n'aime pas les traîtres* — les paroles de Marin lui reviennent, un rappel de l'étrange unité de cette famille à laquelle Nella appartient désormais, et dont chaque membre attend qu'elle donne une preuve de sa loyauté.

Sur la dernière marche, elle s'assied à côté de la cage. Peebo est sur son perchoir, auquel il s'agrippe sagement. Nella détache la porte, qui s'écarte avec un petit tintement. L'oiseau sursaute, choqué. La tête inclinée par curiosité, il la regarde de ses yeux ronds comme des perles.

Il hésite, puis il saisit sa chance et s'envole. Il fait le tour du hall géant, de plus en plus haut, filant à grands coups d'ailes dans le vaste espace. Nella remarque que son perroquet se soulage abondamment sur le carrelage et elle s'en moque. Soulage-toi ! Couvre ces méchantes dalles de merde !

Cambrée, elle admire Peebo, qui décrit une spirale ascendante. Une fenêtre laissée entrouverte la fait frissonner. L'oiseau ondule d'un côté à l'autre du hall et elle perçoit l'air que déplacent ses battements d'ailes, le claquement lourd et souple des os et des plumes, le chuintement de papier quand il lisse ses plumes, enfin perché, quelque part, hors de la vue de Nella.

Quelles qu'aient été les mises en garde de sa mère — les femmes enterrées trop jeunes dans le cimetière d'Assendelft —, Nella avait toujours pensé qu'un jour elle aurait un bébé. Elle passe la main sur son ventre, imagine une courbe, un ballon de chair dissimulant un petit enfant. La vie, dans cette maison, n'est pas simplement absurde, c'est un jeu, l'imposture poussée à sa perfection. Qui est-elle, maintenant ? Qu'est-elle censée faire ?

« Vous avez faim ? » dit une voix.

Nella sursaute. Cornelia sort de sous l'escalier, pâle, inquiète, ses lèvres d'ordinaire généreuses pincées en une ligne fine. Nella ne prend pas la peine de lui demander ce qu'elle pouvait bien faire, sous l'escalier. Personne n'est jamais vraiment seul, dans cette maison, il y a toujours quelqu'un qui regarde, qui écoute. Est-ce qu'elle-même n'écoute pas ? N'est-elle pas une oreille indiscrète guettant les pas, les portes qu'on ferme, les murmures précipités ?

« Non », répond-elle, mais elle a faim.

Elle pourrait dévorer tout un buffet des argentiers sans s'arrêter, consommer le moindre morceau pour se donner l'impression d'avoir quelque substance.

« Est-ce que vous allez le laisser voler à sa guise ? s'inquiète Cornelia en montrant l'éclat vert des plumes, alors que Peebo vient les effleurer avant de remonter dans l'ombre.

— Oui, affirme Nella. Il attend ce moment depuis le jour de mon arrivée. »

Nella se voûte, Cornelia s'accroupit et pose les mains sur les genoux de sa maîtresse. « Madame, c'est votre foyer, désormais.

— Comment cette maison de secrets peut-elle être un vrai foyer ?

— Il n'y a qu'un secret, dans cette maison. À moins que vous n'en ayez un, vous aussi ?

— Non, affirme Nella en pensant à la miniaturiste.

— Qu'y a-t-il pour vous, à Assendelft, Madame ? Vous n'en parlez jamais. Ça ne doit pas vous manquer.

— Personne ne m'a jamais interrogée à ce sujet… sauf Agnes.

— D'après ce qu'on dit, il y a plus de vaches que de gens.

— *Cornelia !* »

Nella émet un rire nerveux en mesurant la distance qu'elle sent, désormais, entre elle et cette maison, ce lac, ces souvenirs d'enfance, mais elle n'aime pas que les gens méprisent tout ça. Je pourrais y retourner, je suppose. Mama finirait par me pardonner, surtout si je lui disais la vérité. Si je reste, Johannes continuera ses frasques, il s'exposera aux foudres des pasteurs et des magistrats, la perspective de la damnation éternelle ne faisant pas le poids face à l'assouvissement de ses désirs. Moi, par contre, je n'aurai presque rien. Aucune promesse de maternité, pas de secrets partagés sur l'oreiller, pas de maison à diriger — sauf une, dans un cabinet qui n'accueille que des objets inanimés.

Pourtant, *je lutte pour émerger* — tel est le message que la miniaturiste m'a adressé. Assendelft est si petit, la compagnie si limitée et engluée dans le passé. Ici, à Amsterdam, les rideaux moutarde du cabinet ont révélé un *nouveau monde*, un monde étrange, une énigme que Nella aspire à résoudre. Et surtout, il n'y a pas de miniaturiste à Assendelft.

La femme qui vit à la Kalverstraat est mystérieuse, incertaine et potentiellement dangereuse, mais, pour l'instant, elle est la seule chose que Nella peut revendiquer comme étant sienne. Si elle retournait à la campagne, elle ne saurait jamais pourquoi la miniaturiste a choisi de lui envoyer ces objets inattendus, elle ne découvrirait jamais la vérité derrière son travail. Au fond d'elle, Nella veut que ces livraisons continuent plus qu'elle ne souhaite les voir s'arrêter, elle le sait bien. Laissant aller son imagination, elle se dit que l'existence même de ces objets à venir pourrait bien être ce qui la maintient en vie.

« Cornelia, est-ce que vous m'avez suivie, ce jour-là, jusqu'au bureau de Johannes ?

— Oui, Madame, avoue la servante en baissant la tête.

— Je n'aime pas qu'on me suive… mais je suis contente que vous l'ayez fait. »

Cornelia serre fort la main de Nella.

Récits

Dans la cuisine, la servante tend à Nella un *kandeel* * de vin chaud et épicé, et s'en verse un. « Enfin un moment de paix !

— Je ne veux pas de paix, Cornelia. Je préférerais avoir un mari. »

La servante s'essuie les mains sur son tablier et ajoute une bûche dans le feu, ce qui projette une gerbe d'étincelles. Nella pose son *kandeel* sur la surface huilée du billot près de ses genoux. *Je ne vous ferai pas de mal, Petronella*, a promis Johannes dans la barge qui les conduisait à la guilde des argentiers. Elle avait toujours cru que la gentillesse se manifestait par une action, mais ne pas faire une chose, s'en abstenir, cela pourrait-il aussi être une manifestation de gentillesse ?

On a enseigné à Nella que la sodomie était un crime contre nature. La différence est mince entre les sermons du prédicateur d'Amsterdam et ceux du prêtre de son enfance à Assendelft. Pourtant, est-il juste de tuer un homme pour quelque chose qui se trouve dans son âme ? Si Marin a raison, si on ne peut la retirer, quel est le but de tant de douleur ? Nella prend une gorgée de son *kandeel* et laisse le goût des épices bien chaudes laver l'horrible image de Johannes sous les eaux noires de la mer.

« Cinq minutes et cette tourte sera prête ! annonce Cornelia. J'y ai ajouté des asperges — une nouvelle idée. »

Une bouffée brûlante qui sort du four ouvert emplit la pièce. La servante dépose la tourte sur un plat, l'arrose de verjus, de fonds de mouton et de beurre, avant de la passer à Nella.

« Cornelia, Marin a-t-elle déjà été amoureuse ? »

Nella voit les doigts de la servante se crisper sur son verre.

« *Été amoureuse* ? Madame Marin vous dirait qu'il vaut mieux que l'amour soit un rêve qu'une réalité, qu'il vaut mieux le chercher que le trouver. »

Nella regarde les flammes dansantes se tordre et disparaître. « Il est possible qu'elle le *dise*, Cornelia, mais… j'ai trouvé quelque chose. Un billet — un billet d'amour caché dans sa chambre. »

Toute couleur quitte le visage de Cornelia. Nella hésite, puis se lance. « Est-ce que c'est Frans Meermans qui l'a écrit ?

— Oh ! Par tous les anges, souffle Cornelia. Ça ne peut pas… Jamais ils…

— Cornelia… Vous voulez que je reste, n'est-ce pas ? Vous ne voulez pas que je fasse d'histoires ? »

La servante lève le menton et toise Nella. « Est-ce que vous me faites du *chantage*, Madame ?

— C'est possible. »

Cornelia hésite, puis attire un tabouret et pose une main sur le cœur de Nella. « Est-ce que vous me jurez, Madame ? Vous jurez de ne rien répéter à personne ?

— Je le jure. »

« — Alors, je vais tout vous raconter, promet Cornelia en baissant la voix. Agnes Meermans a toujours été une chatte qui cache ses griffes. Elle prend des grands airs et fait des grâces, mais regardez de plus près, Madame. Regardez l'inquiétude dans ses yeux. Jamais elle ne parvient à dissimuler ses sentiments envers Marin — parce que Marin a volé le cœur de son mari.

— Elle l'a *volé* ?

— Je ne peux pas tout vous dire sans m'occuper les mains. Je vais faire des *olie-koecken** . »

Elle prend un bol d'amandes, une poignée de clous de girofle et un pot de cannelle. Tandis qu'elle écrase le tout sous son pilon, sa voix discrète, son air de secret et de conviction font les délices de Nella encore plus que la tourte sur son assiette.

Cornelia vérifie que personne ne descend l'escalier. « Madame Marin était bien plus jeune que vous quand elle a rencontré Frans Meermans, commence Cornelia. Il était l'ami du Seigneur, à l'époque. Ils travaillaient comme employés au Trésor. Le Seigneur avait dix-huit ans et Madame Marin onze, environ. »

Nella essaie d'imaginer Marin enfant. C'est presque impossible. Marin est actuellement ce qu'elle a toujours été, à coup sûr. Quelque chose lui revient, en contradiction avec ce qu'elle vient d'entendre. « Agnes a pourtant dit que, quand ils se sont rencontrés à la VOC, ils avaient déjà vingt-deux ans.

— Eh bien ! Elle l'a inventé — ou Meermans lui a menti. Jamais il n'a travaillé à la VOC. Il a rencontré le Seigneur au Trésor d'Amsterdam, et puis il s'est retrouvé à rédiger les lois au Stadhuis. Il n'y a pas de quoi se vanter, hein, quand on est resté dans un bureau alors que son ami était en mer avec la plus grande compagnie de la République ! Il a le *mal de mer*, Madame ! Est-ce que vous pouvez imaginer ça, un Hollandais qui a le mal de mer ?

— J'avoue préférer les chevaux aux bateaux.

— Tous deux peuvent vous désarçonner, raisonne Cornelia avec un haussement d'épaules. Enfin donc, Meermans a rencontré Madame Marin pour la première fois à la Saint-Nicolas. Il y avait de la musique partout — saqueboutes, cors et violes. Madame Marin a dansé avec Frans Meermans, et plus d'une fois. Elle l'a pris pour un prince. Il était si beau, en ce temps-là ! Maintenant, il mange trop, mais je vous assure qu'il attirait toutes les filles, à l'époque.

— Comment le savez-vous, Cornelia, alors que vous n'étiez même pas *née* ? »

Cornelia fronce les sourcils et ajoute de la farine et du gingembre, épaississant sa pâte à l'aide de son fouet. « Je n'étais qu'un bébé à l'orphelinat, admet-elle, mais je me suis renseignée, hein ! Trous de serrure…, murmure-t-elle en fichant ses yeux bleus dans ceux de Nella d'un air complice. J'ai réussi à tout mettre bout à bout », assure-t-elle en rapprochant le bol de pommes.

Elle pèle chaque fruit d'un seul coup circulaire de son couteau. « Il y a quelque chose, chez Madame Marin. Elle est une embossure qu'on veut tous dénouer. »

Nella doute qu'il existe des doigts assez fins ou assez habiles pour ça. Avec ses humeurs, ses moments de timide générosité arrêtés net par un

214

commentaire acerbe, Marin est le nœud le plus serré qui soit.

Cornelia reprend son fouet et le cœur de Nella enfle contre ses côtes. Cette fille est accourue au bureau de Johannes pour me sauver. Dans ce cas, elle est la première véritable amie que j'aie jamais eue. Nella a du mal à supporter son émotion. Elle est prête à se lever et à jeter ses bras au cou de cette étrange gamine de l'orphelinat, à qui ses talents de cuisinière ont conféré le pouvoir de consoler.

« Le Seigneur et Meermans étaient de bons amis, continue Cornelia. Il s'invitait donc souvent à la maison pour jouer au *verkeerspel**. L'amour est venu plus tard — qu'est-ce que Madame Marin pouvait savoir de l'amour, à onze ans ?

— J'ai presque dix-neuf ans, et je ne suis pas en mesure de mieux prétendre à l'amour qu'une fillette de onze ans. »

Cornelia rougit. Vieillir ne vous rend pas plus certaine, se dit Nella, ça ne vous fait que douter davantage.

« Leurs parents sont morts quand Madame Marin était encore toute jeune, continue Cornelia. Le Seigneur a quitté le Trésor pour rejoindre la VOC et Meermans est passé au Stadhuis.

— Comment leurs parents sont-ils morts ?

— Leur mère était toujours malade, affaiblie par ses grossesses. C'est à peine si elle a survécu à la naissance de Madame Marin. Il y a eu d'autres bébés que le Seigneur et Madame Marin, bien sûr, mais aucun autre n'est resté en vie. Un an après la mort de leur mère, leur père a attrapé la fièvre et le Seigneur a embarqué sur son premier navire de la VOC en direction de Batavia. Madame Marin avait quinze ans. Frans Meermans travaillait en ville, mais, sans chaperon, elle ne pouvait se retrouver seule avec lui. »

Nella imagine son mari sous un ciel bleu incandescent, sur le sable chaud mêlé de coquillages qui s'entrechoquent et de sang versé. Piraterie et aventure, tandis que Frans et Marin étaient échoués entre meubles en acajou et tapisseries étouffantes, canaux puants et cloches appelant à la prière.

« Le Seigneur a tenté d'inciter Meermans à rejoindre la VOC. Il lui a dit de saisir sa chance. "Ne critique pas Frans ! a protesté Madame Marin. Tout le monde n'a pas autant de chance que toi, Johannes, et c'est ce qui te plaît." »

Du manche d'une cuiller en bois, Cornelia remue un bol de raisins secs mis à tremper. « Le problème, c'était que Meermans souffrait de la comparaison avec le Seigneur. Il ne savait pas ouvrir les bonnes portes, il n'inspirait pas les hommes. Il ne pouvait se vanter que d'une très modeste réussite, alors que le Seigneur devenait très riche. Et c'est comme ça que, cinq ans plus tard, dit-elle en versant de l'huile de pépins de raisin dans une poêle profonde, quand Marin avait vingt ans, et sans qu'elle le sache, Meermans est venu voir son ami. Il avait économisé tout l'argent qu'il avait pu, et il a demandé au Seigneur la main de Marin.

— Il a attendu *cinq* ans ? Et qu'a dit Johannes ?

— Il a dit non.

— Quoi ? Il attend cinq ans et il essuie une rebuffade — pourquoi ? Meermans n'avait rien fait de condamnable, si ? Et il devait l'aimer sincèrement.

— Le Seigneur ne fait jamais rien sans une bonne raison », déclare Cornelia, sur la défensive.

Elle dépose un premier ruban de pâte dans l'huile. « Meermans était beau, si on aime ce type

216

d'homme, mais il n'avait pas très bonne réputation, à cause de son mauvais caractère et de sa façon de toujours vouloir mieux que ce qu'il avait. Après ce refus, jamais il n'est revenu. Jusqu'à maintenant. »

Cornelia sort de l'huile le beignet en forme d'anneau et le dépose sur le plateau couvert de sucre. « J'ai gratté le dessus du pain de sucre d'Agnes, confie-t-elle.

— Peut-être que Johannes voulait garder Marin où il avait besoin d'elle. Une femme factice — et maintenant, il en a deux... Oh, Cornelia ! lui reproche Nella devant ses sourcils froncés. Marin reste la maîtresse de cette maison. Vous voyez bien comme elle est stricte, comme elle nous mène tous à la baguette. Ce devrait être mon rôle. Pourtant... Est-ce que vous avez remarqué comme elle a l'air ailleurs, depuis une semaine ?

— Non, répond Cornelia après un silence. Je n'ai remarqué aucune différence, Madame.

— Est-ce que Marin a su ce que Johannes avait fait, à l'époque ?

— Au bout d'un moment, mais Meermans avait déjà épousé une amie de Marin : Agnes Vynke, grogne Cornelia. Son père travaillait avec la Compagnie des Indes occidentales et il s'était enrichi dans le Nouveau Monde. Il lui avait interdit de se marier avant de trouver un prétendant assez riche. C'était un monstre, le Seigneur Vynke — il essayait encore de faire un fils à quatre-vingts ans pour s'assurer qu'elle n'hériterait pas de sa fortune ! Épouser Meermans a été la première et la dernière révolte d'Agnes. Son amour pour Frans est presque une maladie. Dès qu'elle a mis la corde au cou de Frans, elle a retourné les autres épouses de la guilde contre Marin, pour s'assurer que ce chapitre était bien clos. Elle voulait un peu de pouvoir, et puis son père est mort et il lui a laissé tous ces champs. »

Nella se souvient des dames, décrites par Cornelia, qui rendaient visite à Marin et déposaient des passereaux dans les cheveux d'Otto. Agnes Vynke était-elle une de celles à qui Marin avait demandé de ne plus revenir ?

« Les noces ont été somptueuses, payées par Frans avec tous les florins qu'il avait pu emprunter, sans aucun doute. Il a toujours eu des dettes, celui-là ! La fête a duré trois jours, mais vous savez ce qu'on dit, à propos des grands mariages ? Qu'ils cachent un manque de désir. »

Nella rougit. Si l'inverse était vrai, après leur piètre cérémonie, Johannes et elle n'auraient jamais quitté la chambre à coucher !

« Frans et Agnes sont mariés depuis douze ans — et toujours pas d'enfant, continue Cornelia. Et voilà que la plantation de sucre d'Agnes tombe dans les mains de Frans sans qu'il ait à lever le petit doigt. Pour lui, ça vaut bien mieux qu'un héritier ! Il compte sur ce sucre pour changer son destin, mais ça ne change pas son amour pour Madame Marin. »

Elle tend à Nella le premier *olie-koecken*, encore chaud. Sa fine croûte se brise entre ses dents pour révéler le mélange d'amande, de gingembre, de cannelle, de clou de girofle et de pomme.

« Et Marin l'aime encore ? demande Nella.

— Oh, j'en suis sûre. Il lui envoie un cadeau chaque année. Cochons, perdrix, un cuissot de chevreuil, une fois, et Madame Marin ne les lui retourne pas. C'est une sorte de vieille conversation silencieuse qu'ils veulent entretenir. Bien sûr, c'est moi qui fais tout le travail — plumer, couper, farcir, frire, bouillir. Un collier, ça me simplifierait la vie ! ironise Cornelia en essuyant le bol vidé de sa pâte avec un chiffon humide. C'est comme ça que Madame Marin a découvert que le Seigneur avait refusé la demande en mariage de Frans. C'était peu après le mariage de Frans et Agnes, quand il a envoyé le premier cadeau.

— Qu'est-ce que c'était ?

— Je venais d'arriver. Je me souviens très bien de Madame, tenant un cochon de lait dans le hall, l'air si triste. Elle a interrogé son frère : "Pourquoi est-ce qu'il m'envoie un cadeau, Johannes ?" Le Seigneur l'a entraînée dans son bureau, où ils se sont expliqués, je suppose.

— Mon Dieu…

— Des cadeaux arrivent anonymement depuis, continue Cornelia d'un air sombre en se frottant le front. Il a beau ne jamais indiquer son nom, on sait tous qu'ils viennent de lui. Mais un billet d'amour, c'est différent… Un billet d'amour, c'est dangereux. Détournez la tête, Madame Nella, et faites comme si vous ne l'aviez jamais vu. »

❦

Nella monte donner à Peebo les miettes de l'*olie-koecken*, la tête fourmillant d'images d'une jeune Marin jetant en rougissant des coups d'œil à son prince Meermans. Cela revient à tenter d'imaginer ses parents jeunes et amoureux. Je préfère m'élever dans l'amour, songe Nella, monter jusqu'aux nuages, non pas plonger vers la terre. Elle se représente, légère et adorée, délirant en pleine extase.

Les poutres sont désertes. Elle redescend pour appeler Peebo dans les pièces du rez-de-chaussée, le bras tendu dans l'espoir qu'il va battre des ailes et poser là son corps menu et familier, la regarder de ses petits yeux. Elle remonte et vérifie même qu'il n'est pas entré dans le cabinet pour s'y cacher. « Peebo ? » La porte de Marin est close. Elle essaie de dormir. La vision cauchemardesque d'un corps plumé, de pennes vertes pendant du plafond, traverse l'esprit de Nella.

La chambre quasi monacale de Johannes est vide elle aussi. « Peebo ? » Dhana arrive d'un bond, ravie à l'idée de pourchasser un problème. Nella imagine le perroquet entre les mâchoires de la chienne, un coup de dents couronné de succès, la nature dans ce qu'elle a de plus cruel. La peur lui enserre brutalement l'estomac. Elle se précipite en haut de l'escalier menant à la cuisine. « Cornelia ! Est-ce que vous savez où est Peebo ? »

C'est alors qu'elle la voit, la fenêtre du hall, non plus entrouverte, mais grande ouverte, laissant l'air froid s'engouffrer à l'intérieur.

Huit poupées

Tout l'après-midi et jusqu'au soir, Cornelia et elle appellent en vain l'oiseau le long du canal. À l'intérieur, rien sur les poutres, aucune vibration d'ailes. Désorienté, dans le froid glacial, il est impossible que Peebo survive longtemps. La température est tombée dans la nuit et, tandis que la glace forme un fin vernis sur le canal, toute trace de l'ancienne vie de la jeune femme s'est échappée dans le ciel. « Je suis désolée, murmure Nella. Je suis tellement désolée ! »

Épuisée d'inquiétude, privée de sommeil depuis la disparition de Peebo, Nella, le lendemain matin, trouve devant sa porte un petit bouquet de fleurs rouges et bleues. Elle espère qu'il vient de la miniaturiste, mais, surprise, elle voit, commençant son nom, une grande lettre majuscule qui lance la phrase. L'écriture paraît se précipiter vers l'avenir, ardemment inclinée jusqu'au point final.

Nella,
Persicaire pour le rétablissement, pervenche pour l'amitié.

*Je vous achèterais bien un autre oiseau, mais il
ne serait qu'une pâle imitation.*

Johannes

Nella hume les fleurs dans la pénombre de sa
chambre, leur doux parfum luttant contre son chagrin et un sentiment d'humiliation qui refait surface. Qu'est-ce que cela signifiera, pour le reste de
son existence, d'être mariée à cet homme aimant
les plaisirs et si complexe — sans lit conjugal ?
Johannes la fera participer à sa vie sociale, l'emmè-
nera aux fêtes et aux banquets des guildes — il
veut même devenir son ami —, mais demeureront
ces interminables nuits de solitude, ces journées
pleines de désir alors que l'amour lui sera interdit.
Elle espère que la miniaturiste va lui envoyer
quelque chose très bientôt. Quoiqu'elle redoute de
découvrir ce que contiendra le prochain envoi,
cela lui permettra au moins de se changer les
idées.

Nella glisse deux pervenches derrière son oreille.
Jamais elle n'a envisagé une vie sans qu'on la
touche, et pourtant, tout au fond d'elle, une petite
voix lui dit : *Tu es soulagée qu'il ne le fasse pas.* Elle
se souvient du choc éprouvé en voyant Johannes
nu. Depuis son arrivée, elle a en grande partie
aspiré à se conformer à l'idée qu'elle se faisait
d'une véritable épouse, une femme dans tous les
sens du terme. Elle s'y était même efforcée. Elle
avait tant espéré devenir cette femme, cristallisant
son image dans son esprit tout en oubliant l'ambi-
guïté de sa condition, que ses espoirs avaient perdu
toute signification. Son désir si solide se brise à
nouveau en mille morceaux et n'est plus que brume

dans sa tête. Qu'est-ce que ça peut bien *signifier*, d'être une véritable épouse ?

Des coups frappés à sa porte la sortent de ces réflexions stériles. Cornelia passe la tête dans l'embrasure et hésite une seconde à parler en découvrant combien Nella a les yeux rouges. « J'ai demandé à Otto. Il n'a pas laissé la fenêtre ouverte, et ce n'est pas moi...

— Je n'accuse personne, Cornelia.

— Il pourrait revenir, Madame.

— Non, il ne reviendra pas. J'ai été idiote.

— Tenez ! dit-elle doucement en tendant un paquet arborant le signe du Soleil. On a déposé ça devant la porte pour vous. »

Le sang chante aux oreilles de Nella. On dirait qu'elle m'entend, même quand je reste silencieuse. Qu'essaie-t-elle de dire ? « Est-ce que c'est... Jack qui l'a livré ? »

Cornelia grimace en entendant ce nom et remarque que les mains de sa maîtresse tremblent. « C'était là quand je suis sortie laver le perron. Je crois que l'Anglais garde ses distances, Madame. Qu'est-ce qu'il y a, dans ces paquets ? »

Nella sait qu'elle n'est pas prête à partager la femme de la Kalverstraat. Elle a dit à Johannes que l'intimité était la dernière chose qu'elle voulait, mais désormais elle y aspire, souhaitant désespérément se retrouver seule avec ce que la miniaturiste veut lui montrer. « Rien. Des objets que j'ai commandés pour mon cabinet.

— Des objets ?

— Vous pouvez disposer. »

Cornelia repartie, après un dernier coup d'œil par-dessus son épaule, Nella renverse le contenu du paquet sur son lit. Rien ne pouvait la préparer à ce qu'elle voit.

Huit poupées reposent sur une bande de velours bleu, si conformes à la réalité, si délicates, d'une perfection que Nella aurait crue impossible à atteindre. Elle a l'impression d'être une géante, quand elle en saisit une, et elle craint de la briser. C'est Johannes, une cape indigo sombre sur ses larges épaules, une de ses mains serrées en un poing, l'autre ouverte, paume offerte, accueillante. Il a les cheveux longs, plus longs que Nella les a jamais vus, jusqu'au milieu du dos. Ses yeux foncés cerclés d'ombre lui donnent un air plus souffreteux qu'il ne l'est. À sa taille, une lourde bourse pleine de pièces, presque aussi longue que sa jambe. Il est plus mince qu'en réalité, et le poids de la bourse exerce une telle force sur ses articulations et ses hanches qu'il penche de côté.

Des mèches de cheveux s'échappent de la coiffe de la poupée à sa propre effigie, comme elles le font d'ordinaire. Elle porte une jolie robe grise et son visage est figé dans une expression de surprise. Elle tient dans sa petite main une cage à oiseau dont la porte est grande ouverte. Nella sent son ventre se serrer. Elle a l'impression étrange que, de l'intérieur, on pique sa peau de mille aiguilles. Dans son autre main, la poupée tient une minus- cule feuille de papier où est écrit, en capitales noires :

LES CHOSES PEUVENT CHANGER

Incapable de contempler plus longtemps cette représentation miniature d'elle-même, elle passe à Cornelia et s'émerveille de ses yeux bleus. La servante lève la main vers sa bouche. À y regarder de plus près, il semble qu'elle pose un doigt sur ses lèvres.

Otto est à côté, les cheveux en laine d'agneau teinte en noir, d'apparence plus agile que Johannes, mais plus mince aussi que dans la vie. Nella touche ses bras, et sa tenue simple de serviteur laisse percevoir, à travers, la force des muscles sculptés. Gênée, elle écarte ses doigts d'un mouvement brusque. « Otto ? » dit-elle à haute voix — et elle se sent idiote quand il ne répond pas.

Vient ensuite Marin, ses yeux gris fixés sur un horizon invisible. C'est elle, à n'en pas douter : le visage étroit, la bouche solennelle qui retient une pensée indicible, mais qui semble sur le point d'éclater. Comme il se doit, ses vêtements sont sombres — velours noir, ample col en dentelle. Fascinée, Nella caresse les poignets de Marin, ses bras minces, son haut front, son cou rigide. Au souvenir du secret que Cornelia lui a révélé concernant la doublure des vêtements sobres de Marin, Nella glisse un doigt dans le corset et découvre une fine couche de zibeline.

Mon Dieu ! Qu'est-ce qui se passe ? se demande-t-elle. La miniaturiste n'est jamais allée aussi loin. Une petite clé en or, un berceau, deux chiens — tout ça pouvait symboliser les aspects plaisants de la vie dans une maison de commerçant aisé, mais ça... c'est différent. Comment la miniaturiste sait-elle ce que Marin porte sous ses vêtements, ou que Peebo s'est envolé ?

Tu croyais être une boîte fermée dans une boîte fermée, se dit Nella, mais la miniaturiste te voit. Elle *nous* voit. Nella passe un doigt tremblant sur la jupe de Marin, faite de la meilleure laine du marché, et va cacher la poupée de sa belle-sœur tout au fond du salon miniature, derrière un fauteuil, pour ne plus la voir.

Vient alors une figurine représentant un homme, presque aussi grand que Johannes, coiffé d'un chapeau à large bord, armé d'une épée et vêtu en uniforme de la milice de Saint-Georges. Le visage carré est bien celui de Frans Meermans, reconnaissable aussi à sa silhouette malgré l'effort exercé pour amincir son corps charnu.

Suit Agnes et sa taille de guêpe, ses bagues serties de minuscules éclats de verre coloré. Elle a le visage plus étroit que dans les souvenirs de Nella, mais des semences de perles blanches ornent bien sa coiffe noire. Un imposant crucifix pend à son cou et, dans une main, elle tient son fameux pain de sucre conique pas plus long qu'une fourmi.

Quand elle soulève la huitième poupée du velours, elle la lâche en poussant un cri. Elle la ramasse par terre. C'est Jack Philips — veste en cuir dont sortent les manchettes souples de la chemise blanche, bottes en cuir moulant ses jambes. Il a les cheveux en bataille, la bouche rouge cerise. Pourquoi la miniaturiste veut-elle me rappeler cet horrible garçon ? Pourquoi devrais-je le mettre dans ma maison ?

Aucune réponse ne lui vient des poupées, qui la regardent, si petites et pourtant si puissantes. Nella s'efforce de considérer avec calme cet ensemble de personnages dans leur lit de velours. Ces poupées ont été fabriquées avec soin et avec un grand sens de l'observation. Elle les dispose l'une après l'autre dans des recoins discrets du cabinet.

Il n'y a sûrement là aucune malice, tente-t-elle de se convaincre — mais elles recèlent cependant quelque chose qui dépasse la normalité, un commentaire qu'elle ne sait pas déchiffrer et qui va au-delà de la simple imitation.

Reste un petit sachet de tissu noir. Nella ose à peine l'ouvrir, mais la curiosité est la plus forte. Quand elle découvre ce qu'il contient, elle craint d'être malade. Un oiseau vert miniature la fixe de ses yeux noirs brillants. Ses plumes paraissent vraies, prélevées sur une autre créature qui n'a pas eu de chance. Ses serres, en fil de fer recouvert de cire, peuvent être écartées et contractées pour le percher où on veut.

Mon monde se rétrécit, alors qu'il me semble plus encombrant que jamais.

Nella se retourne. La miniaturiste est-elle là, cachée sous le lit ? Nella s'accroupit pour regarder, elle va écarter les tentures du mur d'un geste vif pour la surprendre, elle regarde même derrière les rideaux du cabinet. Elle ne trouve que des espaces vides qui ont l'air de se moquer de ce qu'elle espère trouver. Tu es bien toujours Nella-dans-les-Nuages, avec tes idées et ta folle imagination ! Tu étais censée la laisser à Assendelft, en partant.

À travers la fenêtre, elle voit des gens qui marchent sur le quai du Herengracht, très animé aujourd'hui, puisque la glace empêche de circuler sur l'eau. La vendeuse de harengs tape des pieds sur place pour avoir chaud, des dames et des messieurs passent avec leurs serviteurs, tous emmitouflés pour lutter contre le froid mordant. Rares sont ceux qui lèvent les yeux vers Nella, leur visage tourné comme des flocons de neige vers le ciel d'hiver.

Nella regarde le pont, au loin. Un éclat de cheveux pâles — elle en est certaine ! Sa peau la picote à nouveau et son ventre se serre. Est-ce bien elle ? Beaucoup de gens traversent le pont. Nella ouvre la fenêtre et se penche au-dehors. Oui, il y a bien une tête aux cheveux lumineux dans la marée de silhouettes plus sombres qui hâtent le pas.

« Attendez ! crie Nella. Pourquoi me faites-vous ça ? »

Quelqu'un pouffe de rire sur le quai.

« Est-ce qu'elle est folle ? » demande une femme.

Nella frémit sous ces regards injustes.

Les cheveux pâles ont disparu, laissant ces deux questions sans réponse.

Écrit dans l'eau

Nella se précipite dans l'escalier, son Peebo miniature au fond de sa poche. Ses socques aux pieds, elle se dirige vers la porte d'entrée, mais l'intensité des voix de Marin et de Johannes dans la salle à manger la fige sur place. Elle oscille, tiraillée entre l'envie de courir après la miniaturiste et celle d'écouter la discussion entre le frère et la sœur.

« Tu as dit que tu partais, et c'est ce que tu dois faire, affirme Marin d'une voix sourde et rauque. J'ai demandé une barge pour te conduire au port. Cornelia a fait ta malle.

— Quoi ? Je ne pars que dans deux semaines. On a tout le temps.

— On est en novembre, Johannes. Pense à toutes les pâtisseries et toutes les fêtes qui auront besoin de sucre, en cette saison ! Partir en décembre sera trop tard, et l'humidité de l'entrepôt ne fera aucun bien à ce sucre.

— Et qu'en est-il de ce que fait l'humidité à mes os, quand je saute d'un bateau à l'autre, par ce temps ? Tu n'as aucune idée de combien il est monotone de graisser les pattes, combien il est épuisant de parler italien, combien il est lassant de dîner avec des cardinaux qui n'ont d'autre sujet de conversation que la taille de leur palais en Toscane.

— En effet, je n'en ai aucune idée, soupire Marin, mais tout bien considéré, ce serait prudent... que tu sois... loin.

— Prudent pourquoi ? demande Johannes d'une voix ironique. Que complotes-tu, pour le temps que je passerai au loin ?

— Je ne complote rien, Johannes. Je prévois de faire le point. Petronella en a besoin, elle aussi.

— Je suis fatigué, Marin. J'aurai bientôt quarante ans.

— C'est *toi* qui as décidé de vendre ce sucre à l'étranger. Et si tu prenais la peine de venir dans son lit, dans quinze, seize ans, tu pourrais remettre tout ça entre les mains de ton fils. Tu pourrais passer tes vieux jours dans une taverne, pour ce que j'en ai à faire.

— Qu'est-ce que tu as dit ? Mon *fils* ? »

Nella peut presque goûter le silence qui suit. Il tombe entre eux, entre Johannes et Marin dans la salle à manger et entre eux et elle, hors de la pièce, comme une couverture de neige dense dans laquelle un homme pourrait chuter et disparaître. Elle pose la joue contre le bois et attend. Était-ce de la nostalgie, dans sa voix, ou juste de la surprise ? Jusqu'à quel point Agnes avait-elle vu juste, l'autre soir, à la fête des argentiers ? *Un pari risqué* — c'était d'après elle comme cela que Johannes voyait les héritiers. Si les choses peuvent changer, songe Nella en caressant l'oiseau miniature dans sa poche, peut-être les gens le peuvent-ils aussi.

Johannes interrompt les pensées de Nella, son ton liquéfiant la neige de sa rêverie. « Oh ! soupire-t-il, Marin, ces vies parfaites que tu nous fais mener, que tu organises sur des cartes qui ne nous mènent nulle part ! Dans quinze ans, je serai probablement mort.

— Je vois très clairement quelle est notre destination, mon frère, et c'est de ça que je souffre.

— Si je pars, il faudra que j'emmène Otto.

— On a besoin d'Otto ici. Trois femmes seules et aucun homme pour le bois de chauffage ? La glace s'installe.

— Tu veux diriger mes affaires et tu es incapable de soulever une bûche ? Dans ce cas, lance Johannes devant le silence de sa sœur, il n'y a qu'un autre assistant que je puisse emmener.

— Si tu envisages une seconde... »

Nella fait irruption dans la pièce. C'est la première fois qu'elle se retrouve en présence de son mari depuis l'incident dans son bureau.

Dès qu'il la voit, un voile de douleur passe sur le visage de Johannes. Il se lève de son fauteuil et ne sait pas bien quoi faire de ses pieds. « Nella ? Est-ce que vous...

— Qu'est-ce que c'est ? l'interrompt Nella en montrant la carte que Marin est en train de consulter.

— Le plan de Venise par de' Barbari ! répond Marin, non sans remarquer les pervenches derrière l'oreille de Nella.

— Avez-vous retrouvé votre perroquet ? demande Johannes.

— Non », répond Nella en enfonçant ses mains dans ses poches.

Il se frotte le menton le temps de réfléchir. Il la regarde attentivement, puis regarde Marin. « J'ai décidé d'aller à Venise. Je dois discuter de la vente du sucre d'Agnes.

« — Venise ? répète Nella. Serez-vous de retour pour Noël ?

— Je ne peux pas le garantir.

— Oh ! »

Nella est surprise d'entendre un souffle de déception dans sa propre voix. Marin lève les yeux vers elle.

« Nous avons pensé que ce serait pour le mieux, dit Johannes.

— Pour qui ?

— Pour le sucre.

— Pour nous tous », précise Marin.

Comme Marin l'a voulu, Johannes monte à bord d'une barge de la VOC stationnée devant la maison. Elle va l'emmener aux docks, où il embarquera sur un plus grand navire. Debout sur le seuil de la maison, Nella frissonne en le voyant lever la main, et elle fait de même, sa paume face à lui dans l'air froid, immobile, juste dressée en un au revoir.

« Vous avez mis les fleurs dans vos cheveux, dit-il.

— Oui, confirme-t-elle en regardant la peau bronzée, les fines rides autour des yeux, les courts poils de barbe argentés. Pour le rétablissement. »

Johannes semble incapable d'articuler un seul mot, et pendant ce bref moment, Nella a soudain l'impression d'avoir grandi, de tenir enfin sa dignité entre ses mains.

Rezeki bondit hors de la maison et aboie pour signifier son mécontentement d'être abandonnée.

« Tu as un pain de sucre comme échantillon ?

— Ma parole suffit, Marin », rétorque Johannes, dont la voix trahit encore l'émotion.

Qui est cet homme, ému à ce point par mon au revoir ? se demande Nella.

« Pourquoi est-ce que tu ne l'emmènes pas ? suggère Marin.

— Elle me gênerait, répond Johannes. Veillez sur elle ! »

Nella espère qu'ils parlent de la chienne. La voix de Marin est si dénuée de chaleur, si glaciale quand elle s'adresse à son frère que Nella a du mal à suivre. Peut-être la miniaturiste va-t-elle m'envoyer quelque chose qui me permettra d'élucider le mystère de cette femme étrange, songe-t-elle. Jusque-là, la poupée Marin n'a donné aucun indice. Ce soir, se promet-elle, ce soir j'irai au signe du Soleil.

Marin rentre lentement dans la maison, comme si le froid avait pris possession de ses articulations. Cornelia observe la démarche pénible de sa maîtresse.

Près d'Otto, Nella regarde la silhouette de son mari s'amenuiser au fur et à mesure de la progression de la barge sur la Courbe d'Or. « Est-ce que vous aviez envie d'aller à Venise ? demande-t-elle à Otto.

— J'y suis déjà allé, répond Otto sans quitter des yeux la barge de son maître. Une fois suffit à voir le palais des Doges.

— J'aimerais le voir. Il aurait pu m'emmener. »

Cornelia et Otto échangent un coup d'œil. Alors qu'ils s'apprêtent à rentrer, tous les trois voient Jack Philips au tournant du canal. Nella en a la nausée. Les mains dans les poches, les cheveux toujours autant en bataille, il regarde, les sourcils froncés, le bateau de Johannes disparaître. Otto entraîne Nella en haut des marches. Sans la moindre vigueur, elle se laisse guider et perçoit à peine le souffle de la porte quand Cornelia la ferme derrière eux.

∽❦·❧∾

La nuit hivernale s'est assombrie, le ciel transformé en une profonde rivière indigo, les étoiles comme des étincelles dans son flot mouvant. Nella s'assied près de sa fenêtre, son Peebo miniature sur les genoux. Jack a quitté son poste d'observation depuis longtemps. Où est Johannes ? Montera-t-il dans une de ces *gondole* ? Retournera-t-il au palais des Doges ? Bien sûr que oui ! C'est Johannes. Elle gagne son cabinet et dépose doucement Peebo sur le dossier d'un des fauteuils en velours. *Les choses peuvent changer*. Elle s'efforce de ne pas imaginer son véritable oiseau, dehors dans la nuit, proie facile pour les mouettes. Peut-être la miniaturiste l'a-t-elle mis en sécurité — sinon, d'où viendraient ces plumes vertes ? L'idée que cette femme puisse lui faire du mal lui est intolérable.

Il est temps de connaître la vérité. La Kalverstraat sera gelée, à cette heure, se dit-elle en s'enveloppant de sa cape de voyage, et qui sait combien de temps cela prendra de convaincre la miniaturiste de sortir ?

Nella passe le cordon de la petite clé en or autour du cou de sa poupée, qu'elle couche sur sa courtepointe. « Je n'ai pas peur ! » affirme-t-elle à haute voix en regardant l'éclat doré sur sa clavicule miniature. Elle ne peut pourtant pas effacer l'espoir que seul ce geste garantira son retour saine et sauve. De toute sa vie, jamais Nella n'est sortie à la nuit tombée. À Assendelft, elle aurait seulement risqué de tomber sur un renard venu

234

s'introduire dans un poulailler. Elle suppose que les renards, à Amsterdam, sont une tout autre engeance.

Alors qu'elle ouvre sa porte sans bruit, Nella sent une délicieuse odeur de lavande diffusée par de la vapeur dans le couloir. Le reste de la maison est silencieux, mais elle entend un clapotis d'eau dans la chambre de Marin. On dirait que sa belle-sœur, qui garde ses secrets comme des armes, qui porte de la zibeline sous ses robes, mais mange de vieux harengs, prend un bain de minuit.

À n'importe quelle heure, un bain est un luxe, et Nella s'interroge sur un tel plaisir nocturne. Incapable de résister, elle va coller son œil au trou de la serrure.

Marin lui tourne le dos, bloquant à sa vue la baignoire qui occupe presque tout l'espace libre de sa petite chambre. Qui l'a apportée là et l'a remplie d'eau chaude ? Sûrement pas Marin. Elle n'est pas aussi mince qu'elle l'aurait cru. De dos, Nella remarque combien ses cuisses et ses fesses, d'ordinaire cachées par ses jupes, sont charnues. Marin veut être définie par ses vêtements : ils disent au monde qui elle voudrait être, mais, déshabillée, c'est une créature toute différente. Elle a la peau pâle, les membres longs.

Quand elle se penche pour tester la température de l'eau, Nella note la taille de ses seins. Il est évident qu'elle les écrase dans les corsets les plus punitifs. Ils sont pleins et ronds. On dirait qu'ils appartiennent à quelqu'un d'autre, et le fait que ce corps soit celui de Marin est étrangement déstabilisant.

Marin plonge une jambe dans la baignoire en cuivre, puis l'autre et se laisse lentement glisser, l'air de souffrir. Elle renverse la tête, ferme les yeux et l'eau la recouvre. Elle reste en dessous plusieurs secondes, heurtant de ses jambes les côtés de la baignoire, avant de remonter respirer. Les fleurs séchées de lavande à la surface s'épanouissent et libèrent leur parfum. Marin frotte sa peau jusqu'à ce qu'elle devienne rose.

Sur son cou, les boucles de cheveux enfantines sont d'une vulnérabilité insoutenable. Devant elle, sur l'étagère, entre les livres et les crânes d'animaux, Nella repère un petit bol plein de noix caramélisées qui luisent comme des joyaux à la flamme des bougies. Nella ne se souvient pas d'avoir une seule fois vu Marin manger en public un beignet, un entremets, une gaufre ou une brioche — rien, à l'exception du sucre d'Agnes qu'elle a eu du mal à avaler. Est-ce la servante qui les a posées là, de connivence avec sa maîtresse, pour assouvir ses goûts secrets, ou bien Marin les a-t-elle subtilisées dans la cuisine ?

C'est tout vous, Marin, de cacher des noix caramélisées dans votre chambre et de me critiquer parce que j'aime la pâte d'amandes ! Sucre et harengs — les choix alimentaires de Marin définissent superbement ses contradictions — et de manière exaspérante.

D'un seul coup, Marin ouvre les yeux et fixe le vide devant elle. « Qu'as-tu fait ? demande-t-elle à l'air. Qu'as-tu fait ? »

Marin semble attendre, le regard perdu dans le vide d'où ne sort aucune réponse. Nella se fige, l'œil toujours collé au trou de la serrure, craignant que sa cape froissée ne frotte le sol trop bruyamment. Au bout d'un moment, elle s'extirpe de la baignoire avec quelque difficulté et sèche lentement bras et jambes. Elle a l'air très bien nourrie, pour quelqu'un qui mange comme un oiseau et qui clame à qui veut l'entendre qu'elle se prive des plaisirs du sucre. Elle se revêt d'une longue chemise en lin et s'assied un moment au bord de son lit pour scruter les dos de ses livres.

Nella est incapable de détourner les yeux. Oubliés les jupes parfaites de sa belle-sœur, ses corsets noirs, les demi-halos blancs de sa coiffe. Elle voit ce qu'il y a en dessous. Elle est témoin de sa peau. Marin finit par tendre la main vers la pile, prend un livre et en sort un papier. C'est le billet d'amour, Nella en est sûre ! Marin le déchire en tout petits morceaux jusqu'à ce qu'il n'en reste rien que des confettis à la surface de l'eau du bain. Elle cache son visage dans ses mains et se met à pleurer.

La voir ainsi, entendre ses sanglots devrait donner à Nella un sentiment de puissance, et pourtant, même à cet instant, Marin lui échappe. Comme son idée de l'amour, Marin est plus accessible quand on la cherche. Surprise dans la solitude, elle est encore plus fuyante. Qu'éprouverais-je, se demande Nella, si j'obtenais sa confiance, si je lui enlevais sa douleur, si je l'aidais à l'éteindre ?

Attristée, Nella se détourne. Ça n'arrivera jamais. L'intimité nue qu'elle vient de connaître l'habite, étouffant son désir d'affronter le froid et la nuit au-dehors. Elle veut dormir. Demain, se dit-elle. Pour l'instant, elle va retirer de la courtepointe sa réplique ornée de la clé et la remettre dans le cabinet de la miniaturiste.

Nella serre sa cape contre ses joues. En chemin vers sa chambre, elle a la certitude de percevoir, du coin de l'œil, une ombre qui bouge en haut de l'escalier, le talon d'un pied qui disparaît en silence dans l'obscurité.

Le garçon sur la glace

Un corps est remonté à la surface du Herengracht, sans bras ni jambes, juste un tronc et une tête. Des hommes s'attaquent à la glace pour le délivrer, sous les yeux de Marin, cachée derrière la porte. Cela va faire deux semaines que Johannes est absent. Le canal sert de dépotoir toute l'année et, quand le froid le solidifie, les actions passées se voient révélées aux yeux de toute la ville. Avec le gel, des objets plus prosaïques émergent : meubles brisés, pots de chambre, dix chatons serrés en une boule pitoyable. Nella s'imagine en train de les réchauffer et de les voir reprendre vie, les horreurs qu'ils ont subies n'étant plus qu'un cauchemar oublié. Quand les autorités emportent le corps de l'homme comme une pièce de gibier, Marin prédit que son meurtre restera impuni. « Ces choses sont faites dans l'ombre afin d'y rester », affirme-t-elle.

Elle semble distraite. Elle regarde par les fenêtres. Elle erre de pièce en pièce.

Seule dans sa chambre, enveloppée de deux châles, Nella tient la poupée de Jack Philips entre ses mains. Ça lui paraît plus facile, maintenant que Johannes est loin. La poupée a une souplesse étonnante et le manteau en cuir a été superbement façonné. Nella tire les cheveux et se demandant si Jack, de l'endroit où il se trouve, ressent une douleur au cuir chevelu. Elle ne croit pas ça impossible. J'espère que c'est le cas ! pense Nella. Un sentiment de pouvoir l'inonde, un désir de détruire. Elle y résiste mais, excitée, elle le remet en haut du cabinet, où il roule sur le côté.

Dehors, des gamins téméraires patinent sur le canal gelé, leurs corps menus ne menaçant guère la couche de glace encore mince. Nella se souvient de Carel en les voyant qui sautent et glissent en poussant des cris de joie. Elle ouvre la porte et les entend qui s'interpellent — Christoffel ! Pieter ! Daniel ! Nella sort et lève instinctivement les yeux dans l'espoir de trouver une tache verte. Il n'y en a aucune.

Un des patineurs est le petit aveugle qui a volé le hareng à la poissonnière le jour de son arrivée. Ses compagnons l'appellent Bert. S'il a l'air mal nourri, du moins semble-t-il prendre plaisir à cette récréation temporaire, à l'excitation du patinage, et il virevolte avec ses amis. Nella s'émerveille qu'il puisse patiner aussi vite que les autres, un bras tendu, prêt à amortir une chute. Dans cet univers si glissant, tout le monde se retrouve à égalité. Il s'éloigne sur le rayon de lumière blanc et infini.

Chaque fois que Nella prévoit d'aller à la Kalverstraat, Marin trouve quelque chose à lui faire faire. On n'a plus rien livré depuis les poupées et le Peebo miniature, et Nella s'impatiente. Johannes est parti depuis deux semaines quand arrive décembre, et elle déclare qu'elle doit sortir acheter des cadeaux à sa famille pour les fêtes. Elle jette son dévolu sur une cravache milanaise pour

Carel et un vase à tulipes pour sa mère — des objets qui prouvent la réussite de sa vie d'épouse de marchand. Dans la rue de Buns, cherchant du pain d'épices de qualité pour sa sœur avec Cornelia, elle ne cesse de guetter une chevelure blond pâle, des yeux attentifs. Nella souhaite presque qu'on l'espionne — ça lui donnerait l'impression d'être vivante.

Elle veut tourner dans la Kalverstraat, mais Cornelia la force à s'arrêter dans la boutique d'Arnoud Maakvrede : Arabella mérite ce qu'Amsterdam confectionne de meilleur.

« Le pain d'épices a été interdit, soupire Hanna. En tout cas les gâteaux en forme d'êtres humains. J'ai cru qu'Arnoud allait nous pondre un œuf, tant il était furieux ! On a dû écraser toute la production et la vendre en miettes.

— Quoi ? Pourquoi ?

— Les bourgmestres », dit-elle, comme si ça expliquait tout.

Cornelia frissonne. Arnoud confirme que les biscuits en forme d'hommes et de femmes, de garçons et de filles ont été bannis des commerces, en même temps qu'on fermait les échoppes des vendeurs de poupées sur le Vijzeldam. Ça aurait un rapport avec les catholiques, dit-il, une histoire de fausses idoles et de supériorité de l'invisible sur le tangible.

« Les poupées sont de drôles de choses, dit Cornelia d'un ton méprisant.

— Ça ne donne pas raison à l'Église, proteste Arnoud. On a dû écraser des familles entières !

— On n'a qu'à faire des formes de chien », propose Hanna, toujours pleine de ressources.

Au lieu de biscuits, Nella achète pour Arabella un livre rempli de gravures représentant des insectes. Elle suppose que sa sœur préférerait les délicieuses friandises d'Arnoud, mais elle estime qu'Arabella doit avoir un livre pour s'instruire un peu. Tu n'aurais jamais pensé ça en août! remarque Nella. Elle sent qu'elle devient différente, comme si une force s'exerçait sur elle et qu'elle avait mordu à l'hameçon.

Quand elle rentre à la maison, Marin considère la cravache. «Combien est-ce que ça a coûté? Il n'est qu'un enfant!

— Johannes m'a bien acheté mon cabinet! fait observer Nella, enivrée par ses emplettes, se sentant puissante et riche. Je me suis contentée de suivre son exemple.»

La troisième semaine d'absence de Johannes, des stalactites pendent au-dessus de toutes les fenêtres, de toutes les portes, des toiles d'araignées, même, au jardin, fines aiguilles cristallines. Tous les quatre se réveillent gelés et se couchent en frissonnant. Elle se languit du printemps, des bourgeons, de l'odeur de la terre labourée et des nouveaux animaux nés à l'étable, comme de celle, grasse, puissante, de la laine des moutons qu'on a tondus. Elle attend à la porte un envoi de la miniaturiste, mais rien n'arrive. Se souvenant du commentaire de Hanna à propos des bourgmestres interdisant les poupées pour Noël, elle se demande si la miniaturiste lui enverra jamais un autre paquet.

Quand elle monte dans sa chambre, elle trouve Marin, les mains dans son cabinet. C'est un choc de la voir là, et Nella se précipite pour tirer les rideaux.

« Vous ne m'avez pas demandé l'autorisation d'entrer.

— En effet. Maintenant, vous savez quelle impression ça fait ! »

Elle tient quelque chose et semble agitée. « Petronella, est-ce que vous avez parlé de nous à quelqu'un ? »

Seigneur Dieu, je Vous en supplie, faites qu'elle n'ait pas trouvé sa propre poupée !

Marin ouvre la main. Elle tient Jack Philips, aussi beau qu'en réalité. « Qu'est-ce que vous mijotez contre nous ?

— Marin...

— Les meubles et les chiens, même si cela n'a qu'un intérêt limité, je peux comprendre, mais une poupée de *Jack Philips* ? »

Nella, stupéfaite, voit Marin ouvrir la fenêtre et jeter Jack dehors. Elle court se pencher dehors pour être témoin de la chute. Il tombe au milieu du canal gelé, inerte, piégé dans la masse blanche. La peur la fait frémir. « Vous n'auriez pas dû faire ça, Marin. Vous n'auriez vraiment pas dû !

— Ne jouez pas avec le feu, Petronella. »

Je pourrais vous dire la même chose, pense Nella en regardant tristement la poupée perdue. « C'est mon cabinet, pas le vôtre ! » s'écrie-t-elle avant que Marin n'ait refermé la porte de sa chambre.

Jack reste sur la glace. Nella tente de convaincre Rezeki de rapporter la poupée entre ses mâchoires, mais la chienne grogne dès qu'elle la voit, glisse, hérisse le poil. Nella voudrait s'élancer elle-même sur le canal, mais elle n'est pas aussi légère que

Bert et les autres gamins. Elle imagine la glace cédant sous son poids, elle se voit en train de se noyer, tout ça pour sauver une poupée ! Elle ne sait pas pourquoi elle se sent obligée de la protéger. Elle pense seulement que garder Jack près du cabinet est ce qu'il y a de moins dangereux, parce qu'elle peut le tenir à l'œil. Elle maudit Marin en silence et rentre dans la maison.

Cette nuit-là, Nella s'agite dans son sommeil, l'esprit importuné par le billet d'amour que Marin a déchiré. C'est Jack qui le lit, son accent anglais heurtant les mots tel un esquif sur les vagues. *Tu es la lumière du soleil par la fenêtre devant laquelle je me tiens, réchauffé. Je chéris tout ton être. Une caresse dure des milliers d'heures.* Jack court dans les couloirs du cerveau de Nella, mouillé par la glace, un des crânes d'animaux de Marin sur ses cheveux bouclés. Nella se réveille en sursaut, si bouleversée par ce rêve qu'elle est convaincue que Jack se cache dans un recoin de sa chambre.

Le lendemain matin, c'est la Saint-Nicolas, le 6 décembre. Quand Nella ouvre ses rideaux et regarde dehors, sa respiration s'arrête dans sa gorge. La poupée Jack est assise contre le montant de la porte d'entrée, sous la lumière gelée.

La rebelle

Quand Nella se glisse dehors pour récupérer la poupée gelée sur le porche, la rue est vide. La brume monte en volutes de la glace.

« Où sont tous les gens ? » demande-t-elle au petit déjeuner, Jack caché dans sa poche.

Marin ne dit rien. Elle découpe délicatement un hareng.

« Les bourgmestres ont encore réussi leur coup », lui répond Otto.

Il apporte un plateau chargé de *herenbrood* et d'un disque jaune de gouda pour Nella. Il semble presque se complaire dans sa lassitude envers la bureaucratie, un peu comme Johannes.

Marin abandonne son hareng et remue un bol de compote, le bout de ses doigts bleus sur la cuiller, qu'elle tourne, tourne, les yeux fixés sur les prunes macérées. « On a annoncé publiquement que poupées et marionnettes sont interdites », déclare-t-elle.

Nella sent la poupée Jack gelée contre sa jambe, l'objet offensant diffusant une tache sombre et humide sur la laine.

« Papistes idolâtres ! continue Marin. Une tentative haineuse pour capturer l'âme humaine.

— On dirait que vous avez peur d'elles, remarque Nella. Presque comme si vous craigniez qu'elles ne deviennent vivantes.

— On ne peut jamais être sûr », fait observer Cornelia.

Comme les deux autres femmes, elle est engoncée dans plusieurs couches de vêtements qu'elle enserre dans ses châles de Haarlem.

« Ne sois pas ridicule ! » lance Marin.

Nella revoit des petits grains de sucre assemblés comme de la neige au coin de la bouche solennelle de sa belle-sœur, tandis qu'elle jouissait d'un bon bain. Elle porte de la fourrure en cachette, elle garde une provision secrète de noix caramélisées, elle protège son pécheur de frère — Marin vit dans deux mondes. Son implacable rigueur publique émane-t-elle d'une authentique peur de Dieu ou bien a-t-elle peur d'elle-même ? Qu'est-ce qui bat dans ce cœur si soigneusement préservé ?

L'air glacé siffle à travers les fissures des murs de la salle à manger. La maison paraît plus froide, comme si l'air entré dans la nuit n'avait pas bougé.

« Il y a des flambées dans toutes les cheminées, signale Nella, mais on dirait que ça ne fait pas la moindre différence. L'avez-vous remarqué ?

— C'est parce que nos réserves de bois ont diminué, explique Otto.

— Ça ne fait aucun mal de subir le froid, rétorque Marin.

— Faut-il que notre vie soit une succession d'épreuves, Marin ? »

Tous se tournent vers leur doyenne.

« On trouve son moi profond dans la souffrance », pontifie-t-elle.

Nella, Jack dans sa poche, emboîte le pas à Cornelia pour profiter de la chaleur de la cuisine. La servante a récupéré le pot de compote de prunes et elle brandit un rouleau à pâtisserie pour se lancer dans la confection d'une tarte. Otto les suit et s'arme d'un chiffon pour cirer un bataillon de chaussures de printemps de Johannes alignées contre le mur.

« Otto, demande Cornelia, est-ce que tu pourras chiper un peu de tourbe au grenier ? Madame Marin ne s'en apercevra pas. »

Otto hoche la tête, distrait.

« Elle adore les privations, fait observer Cornelia, mais, à Amsterdam, on est des fêtards dans l'âme. Derrière les portes closes, je vous parie toute ma batterie de cuisine que des bonshommes en pain d'épices disparaissent dans le ventre des femmes, quoi que disent les bourgmestres.

— Et que les hommes dévorent les effigies de leurs femmes », ajoute Nella.

Sa plaisanterie un peu lourde a du mal à passer. Elle parle d'épouses, d'hommes délicieux qu'on tient dans la main, et pourtant, elle qui ne sera jamais dévorée par son mari rougit de honte. Pour dissiper ces idées, elle se représente des intérieurs plus joyeux que le sien, des festivités dans des maisons ornées de guirlandes et de branches de sapin, avec des petits pains sortant du four, des rires, des *kandeels* de vin à la cannelle. C'est ce qui se passe dans toute la ville, aujourd'hui, pour la Saint-Nicolas, patron des enfants et des marins, célébré en un carnaval de transgressions. Sinterklaas leur appartient — de même que la gloutonnerie et la culpabilité.

C'est un peu difficile d'imaginer les Rois mages

traversant le désert brûlant pour aller adorer l'Enfant à naître. Nella veut ouvrir portes et fenêtres pour laisser entrer l'esprit de la révélation. Une fenêtre ouverte pourrait ouvrir l'esprit.

« C'est bientôt Noël, puis... l'*Épiphanie* ! dit Cornelia en dissimulant mal sa joie.

— Qu'y a-t-il de si spécial le jour de l'Épiphanie ?

— Le Seigneur nous laisse, Toot et moi, nous habiller comme des princes et manger à sa table. Aucune corvée de la journée. Bien sûr, il faut quand même que je prépare les repas — Madame Marin ne laisse pas les choses aller aussi loin !

— Je m'en doute.

— Je ferai aussi un gâteau des Rois, avec une pièce cachée dedans. Celui qui l'aura dans sa part sera roi pour un jour. »

Otto émet un rire si amer que Nella se tourne vers lui. Ça ne lui ressemble pas. Il évite son regard.

« C'est arrivé pour vous », déclare Marin en descendant l'escalier.

Le cœur de Nella s'emballe à l'idée que ce soit un paquet de la miniaturiste, mais l'écriture sur le devant déclenche une vague de mélancolie avant même qu'elle n'ouvre la lettre. C'est sa mère qui, en quelques mots, invite sa fille et son gendre à passer une partie de la saison des fêtes à Assendelft. *Tu manques à Carel.* Les boucles et les lignes rappellent douloureusement à Nella une vie qui n'existe plus.

« Irez-vous ? » demande Marin.

Le ton inquiet et suppliant de la question la surprend. Quelque chose a changé, chez Marin, ces trois dernières semaines. Entre les accès de mauvaise humeur, elle montre une certaine vulnérabilité. On dirait qu'elle veut vraiment que je reste, conclut Nella. Et est-ce que je pourrais supporter de rentrer, mon ventre plat enveloppé dans une robe en soie du Bengale, sans aucun enfant en devenir pour me vanter, épouse au sein d'un mariage qui n'est qu'une victoire vide ? Johannes jouerait sans grande difficulté le rôle du mari aimant. Il est très à l'aise quand il s'agit de faire semblant, mais le pourrais-je ? Je perdrais tout contrôle dès l'instant où je verrais le visage plein d'espoir de ma mère. « Non, répond-elle. Je crois qu'il vaut mieux que je reste. Je vais envoyer les cadeaux que j'ai achetés. Nous irons l'an prochain.

— Nous organiserons une fête, propose Marin.

— Sans harengs ?

— Pas un seul. »

Les promesses des deux femmes volent entre elles comme des papillons et chargent l'air d'une toute nouvelle énergie.

Nella, bien qu'indécise, réintroduit Jack dans le cabinet. Il vaut mieux qu'il soit là, où elle peut le surveiller, même si sa présence l'irrite.

Dans la soirée, des musiciens, enfreignant la loi, donnent la sérénade devant la maison pour qu'on leur lance de l'argent. Nella se penche à la fenêtre du hall pour les entendre. Otto et Cornelia hésitent, mi-excités de voir les musiciens, mi-terrifiés à l'idée de ce que Marin pourrait dire.

« La milice de Saint-Georges risque de venir, prévient Cornelia. Vous devriez voir leurs épées ! Ils patrouillent pour que le calme règne, mais le sang pourrait couler.

— Ils fracasseraient des violons ? J'aimerais bien voir ça ! dit sèchement Nella.

— On dirait le Seigneur ! » rit Cornelia

Marin leur demande de fermer la fenêtre et de tirer les rideaux. « On pourrait vous voir, Nella, penchée à la fenêtre comme une lavandière — ou pire ! »

Cornelia s'enfuit. Marin fait les cent pas derrière Nella dans l'ombre du hall, mais, comme Nella continue à écouter les musiciens, Otto la rejoint, un peu à l'écart.

Tandis que la saqueboute accélère le rythme, les battements du tambour, insistants, sur la peau de porc tendue, répondent au battement du cœur de Nella. Otto a dit qu'elle ne devrait pas donner de coup de pied dans la ruche, mais elle restera toujours en partie une fille de la campagne. Elle pense à Jack, en haut — à eux tous, dans les pièces miniatures, qui attendent quelque chose. Non, décide Nella, je n'ai peur de rien de ce qui possède un dard.

Le renard est fiévreux

Le lendemain matin, régénérée par sa rébellion musicale et par sa décision de rester pour Noël, Nella prévoit de se rendre à la Kalverstraat avec une lettre plus longue que les autres destinée à la miniaturiste.

Chère Madame (Je sais que vous êtes une femme — vous avez des voisins désireux de bavarder),

Je vous remercie pour les huit poupées et la miniature de mon perroquet. Je suis certaine que c'était vous, sur le pont du Herengracht, qui observiez mon désespoir, quand j'ai compris que j'avais perdu le dernier lien me rattachant à mon enfance. La réapparition de mon petit oiseau visait-elle à me réconforter ou à me donner une leçon cruelle ?

Saviez-vous ce qu'a fait votre livreur, le malheur qu'il a causé ? Je suppose que c'est vous qui avez rapporté la poupée de l'Anglais sur notre porche — fière artisane ou harceleuse, je ne saurais le dire. Je suis désolée que votre excellent travail ait été jeté sur la glace, mais vos intentions demeurent un mystère, et certaines personnes s'en irritent.

*On me dit que les bourgmestres ont tenté d'inter-
dire les représentations humaines sous toutes les
formes. Je me demande si vous craignez leur
colère, à cause des mondes que vous créez, des
petites idoles qui se sont insinuées dans mon
esprit et prévoient d'y rester. Cela fait un moment
que vous ne m'avez rien envoyé. Il est vrai que, si
je m'inquiète de ce que vous pourriez fabriquer
pour moi, je redoute plus encore que vous cessiez
vos envois.*

*J'ai encore le pouvoir de commander des objets,
n'est-ce pas ? Ainsi, j'aimerais que vous me fas-
siez un plateau de* verkeerspel**, mon jeu de stra-
tégie et de hasard préféré. Dans la mesure où je ne
retourne pas dans la maison de mon enfance
pour Noël et que ma vie manque d'amusements,
je me contenterai d'une version miniature.*

*Un jour, nous nous rencontrerons, vous et
moi. J'insiste ! J'ai l'impression que vous me gui-
dez, lumineuse étoile, mais mon enthousiasme
est voilé par la peur que votre lumière ne soit pas
bienfaisante. Je ne renoncerai pas tant que je n'en
saurai pas davantage sur vous, mais, en attendant, des missives doivent remplacer un échange
plus direct.*

*Je joins un autre billet au porteur, pour cinq
cents florins. Qu'il puisse servir à graisser les charnières de votre porte obstinément close.*

Avec mes remerciements et pleine d'espoir,

Nella signe sa lettre : *Petronella Brandt*

Elle admire par la fenêtre l'étendue de glace. La
ville est si belle, ainsi coiffée de givre, dans l'air
cristallin, les briques plus rouges, les cadres peints

des fenêtres tels des yeux lumineux. À sa grande surprise, elle voit Otto marcher d'un pas vif sur le quai. Cela pique sa curiosité. Sans prendre le temps de déjeuner ou de mettre un manteau, elle sort discrètement de la maison et le suit.

Otto traverse la place du Dam, passe devant les impressionnants nouveaux bâtiments du Stadhuis où Frans Meermans est en poste et où il pourrait bien travailler à cette heure. *Vends le sucre de sa femme, Johannes !* songe Nella en glissant sur le sable qu'on a saupoudré pour faciliter la marche sur les pavés. Elle se souvient de Marin déchirant le billet dans son bain et demandant « Qu'as-tu fait ? ». Il vaudrait mieux que les Meermans ne fassent pas partie de leur vie.

Après les privations de la Saint-Nicolas, le peuple d'Amsterdam semble se rattraper. Le soleil brille, les cloches de la Vieille Église, au-dessus des toits gelés, émettent un son magnifique. Quatre cloches aiguës montent au ciel, annonçant la naissance prochaine du Divin Enfant, et une plus grave — la voix de Dieu, profonde, vraie, longue — bat sous leur chant. Au nom de la foi commune, on dirait qu'on peut laisser la musique résonner haut et fort.

Des effluves de viande rôtie flottent dans l'air. Otto dépasse une baraque à vin épicé qu'on a installée là, diffusant son arôme intense juste devant l'entrée de l'église. Le pasteur Pellicorne chasse les marchands, sous les yeux gourmands d'Amstellodamois qui regardent avec envie, sur les tréteaux, la planche ployer sous le poids des soupières de vin.

« Plus coincé qu'un cul de cochon, celui-là, ronchonne un homme. La guilde a organisé ces

252

échoppes et les bourgmestres ont donné leur auto-risation.

— Dieu avant les guildes, mon ami, répond un autre d'une voix solennelle.

— C'est ce que Pellicorne voudrait qu'on pense.

— J'ai de quoi te remonter le moral, dit le citoyen en sortant deux petits flacons de liquide rouge et bien chaud. Il y a même un bout d'orange dedans. »

Ils se hâtent de gagner un environnement moins respectable et Nella se réjouit de les voir partir — et plus encore qu'ils ne s'arrêtent pas pour regar-der Otto bouche bée. Pellicorne pose sur elle des yeux curieux, mais elle feint de ne pas s'en rendre compte.

Otto pénètre dans la Vieille Église, tête baissée. Nella frissonne en entrant, car l'église semble plus froide que l'air. Elle est censée suivre Otto, mais elle ne peut s'empêcher de guetter des cheveux d'un blond doré, une lumière dans la nef brune et blanche toute simple. Elle tâte la lettre dans sa poche. En cette période de fêtes, est-ce que la miniaturiste ne pourrait pas revenir ici, pour hono-rer le souvenir de sa famille en Norvège, pour implorer la clémence des bourgmestres ? Les fils de l'imagination de Nella commencent à se dévi-der, brodant sur des conversations dont les diffé-rents motifs sont à peine reliés entre eux. Qui êtes-vous ? Pourquoi êtes-vous là ? Que voulez-vous ? Le problème, c'est que s'avancer droit sur la miniatu-riste semble la faire disparaître. Pourtant, elle est si souvent là — elle regarde, elle attend — que Nella se demande qui d'elle ou de la miniaturiste pour-suit l'autre.

Elle ne quitte pas Otto des yeux. Les bancs regroupés autour de la chaire sont presque vides, hormis quelques-uns occupés par des solitaires qui n'ont sans doute nulle part ailleurs où aller. En règle générale, la prière se fait en masse, les gens voulant s'assurer que tout le monde les a bien vus prier. Otto s'assied. Sans qu'il prenne conscience de sa présence, Nella passe derrière un pilier pour l'observer.

Ses lèvres bougent avec ardeur. Il ne s'agit pas d'une prière sereine ; elle est fervente, presque désespérée. Elle n'en revient pas qu'Otto soit là tout seul. Qu'est-ce qui a pu provoquer ce besoin de venir dans la maison de Dieu ? Il se tord les mains et tout son corps trahit la panique qui l'habite. Quelque chose empêche Nella de s'approcher : ce ne serait pas bien d'interrompre quelqu'un dans cet état.

Nella frissonne, mais elle regarde les autres chaises, les murs blancs, le plafond, enfin, couvert d'anciennes images catholiques. Elle voudrait tant que la miniaturiste apparaisse ! Peut-être est-elle cachée là, à cet instant, en train de les observer tous les deux ?

Derrière elle, l'orgue se met à jouer, projetant des sons tonitruants qui la font trembler jusqu'à la moelle des os. Elle n'aime pas les orgues. Elle préfère les sons légers du luth, l'aisance naturelle d'une flûte. Un chat, venu se garder du froid, s'aplatit entre les pieds de chaises et s'enfuit, les poils dressés, les griffes éraflant les pierres tombales. Il distrait Otto, et Nella disparaît derrière le pilier juste avant qu'il la voie. Elle porte ses mains à ses oreilles pour les protéger du grondement de l'orgue et ferme les yeux, en proie à un vertige.

Une main effleure sa manche. Nella serre

d'autant plus les paupières, n'osant pas regarder. Le moment est venu : c'est la femme, elle est là !

« Madame Brandt », dit une voix.

Nella ouvre les yeux. C'est Agnes Meermans, plus mince encore que la dernière fois qu'elle l'a vue, son visage fade et émacié sortant de son tour de cou en renard et de sa capeline en lapin. « Allez-vous bien ? Vous n'êtes pas assez couverte. Pendant un instant, j'ai cru que vous étiez en pleine communion avec le Saint-Esprit !

— Madame Meermans. Je suis venue… prier. »

Agnes glisse son bras sous celui de Nella, ce qui lui fait tirer un de ses châles. « Ou surveiller votre sauvage ? suggère-t-elle en avançant vers le banc où Otto est assis. C'est très sage. On n'est jamais assez prudent, Nella. Et qu'est-ce qui ne va pas, chez lui, pour qu'il ait l'air si perdu ? »

Agnes émet un de ses *ha* qui se veulent un rire, mais qui sont si secs. « Venez ! »

Elle enroule un de ses renards autour du cou de Nella et le serre trop fort. Nella sent à nouveau le parfum fruité de sa pommade, et la fourrure est froide, comme mouillée.

« On n'a pas beaucoup vu Marin à l'église », remarque Agnes, en tapotant la fourrure autour du cou de Nella.

On dirait qu'elle ne peut laisser ses doigts immobiles. Nella note à quel point ils sont blafards, et sans bagues, comme si Agnes était à demi nue. L'orgue s'arrête soudain, et Agnes a l'air mal à l'aise. Quelque chose craque en dessous de son vernis de façade. « Nous n'avons pas non plus beaucoup vu Brandt, ni vous.

— Mon mari est en voyage.

— Ah ! En voyage ? Frans ne me l'a pas dit.

— Peut-être ne le sait-il pas. Je crois qu'il travaille pour vous, Madame. Il est parti à Venise, explique Nella en tentant de se dégager. Je dois rentrer, Madame Meermans. Marin est souffrante. »

Nella regrette immédiatement l'excuse invoquée pour s'échapper.

Agnes écarquille les yeux. « Qu'a-t-elle donc ?

— Une maladie d'hiver.

— Mais Marin n'est jamais malade. Je pourrais lui envoyer mon médecin, mais elle ne leur fait pas confiance. »

L'orgue reprend, ses notes se remettant à tomber les unes sur les autres dans les oreilles de Nella en une cacophonie brutale.

« Elle va se rétablir, Madame. C'est la saison des refroidissements.

— Dites à Marin, ordonne Agnes d'une voix sifflante en posant de nouveau la main sur la manche de Nella, que tout mon héritage se trouve encore sur les îles de l'Est. Les champs de canne ne sont pas fiables, Madame. Votre mari n'a pas vendu *le moindre pain* du sucre que nous avons réussi à raffiner, et il est parti à Venise sans l'emporter ? Nous avons besoin de cet argent.

— Il va le vendre, j'en suis sûre. Sa parole suffit…

— Frans est allé à l'entrepôt. Il l'a vu de ses propres yeux. Il avait encore du mal à le croire, quand il me l'a raconté. Empilé jusqu'au plafond ! "Sous peu, Agnes, m'a-t-il dit, il va cristalliser et notre argent pourrira avant même qu'on l'ait touché !" »

Les notes de l'orgue vibrent dans la cage thoracique de Nella avec la même intensité que l'agitation grandissante d'Agnes. Elle cherche Otto de l'autre côté du pilier, mais il n'est plus là. « Soyez certaine, Madame…

— Mon mari n'aime pas qu'on le prenne pour un idiot. Il doutait que Johannes Brandt soit le meilleur choix pour cette tâche, et c'est moi qui ai insisté. Les Brandt pensent qu'ils peuvent *tout* avoir, mais c'est faux ! Ne vous moquez pas de lui, Madame. Ou de moi. »

Agnes s'écarte de Nella aussi vite qu'elle l'avait agrippée. Nella la regarde se dépêcher de remonter la nef, pliée en deux, curieusement disgracieuse. Elle ouvre une petite porte latérale et disparaît.

Nella juge que la meilleure chose est de rentrer raconter cette conversation troublante à Marin. Cependant, la miniaturiste n'a toujours par reçu sa visite. Je donnerai ma lettre à Cornelia pour qu'elle la poste, décide-t-elle. La tête encore étourdie par la rage d'Agnes, elle prend la direction du Herengracht.

En approchant de la maison, impatiente de tout dire à Marin, Nella sait que quelque chose ne va pas. La porte d'entrée est grande ouverte, gueule béante sur le hall sans éclairage. Elle entend les chiennes qui aboient, mais pas de voix humaine. Elle s'arrête puis monte sans bruit les marches sur le côté de la porte.

Ce sont ses bottes qu'elle voit en premier. Le doux cuir de veau, désormais un peu éraflé. Son estomac se serre. Horrifiée, elle regarde Jack Philips, l'air fiévreux et malveillant, arpenter les dalles du hall.

Fissures

Ils se font face. Il n'est pas rasé, efflanqué, la peau terne, alors qu'elle était si lumineuse dans le souvenir de Nella. Des traînées violettes soulignent ses yeux fixes. Il garde pourtant sa prestance, dans son manteau en cuir et ces bottes désormais usées. La dernière fois que Nella a vu Jack d'aussi près, il était nu, luisant de la sueur de son mari, et cette vision l'empêche de respirer.

Cornelia déboule de la cuisine et tente de le repousser au-delà de la porte.

« Attendez ! J'ai quelque chose pour vous, Madame », s'écrie Jack en levant les mains — l'innocent.

Nella se souvient de son étrange accent anglais, de son incapacité à prononcer les roulements et les raclements du néerlandais. Il plonge la main sous sa veste. Cornelia tend ses muscles comme un chat.

« Je suis de nouveau livreur.

— Quoi ? Vous êtes censé surveiller notre sucre, proteste Nella. Johannes a dit…

— Vous piaillez comme une souris. »

Il tend les mains, comme si ce qu'il offre allait effacer l'insulte. Le paquet est plus petit que le précédent, mais il est là, frappé à l'encre noire du

258

signe du Soleil que Nella reconnaît entre tous. Elle le lui arrache des mains, frissonnant à l'idée que ses doigts le touchaient.

Cornelia file à l'étage, livide de peur.

« Il faut que je le voie. Est-ce qu'il est rentré ? Johannes, vous êtes revenu ? » crie Jack vers le bureau fermé.

En haut, une porte s'ouvre et Nella entend Cornelia murmurer.

« C'est vrai qu'il est à Venise ? demande Jack. C'est tout lui. »

Nella rougit à la pensée de cette intimité si différente entre les deux hommes — un autre aspect de la vie de son mari qu'on lui refuse.

« Il échange notre place du Dam contre le Rialto, ironise Jack. Du poisson frais. Vous l'avez cru, quand il a prétendu y aller pour le travail ? demande-t-il en s'approchant de Nella, sa voix insistante et magnétique.

— Comment osez-vous venir...

— J'en sais plus sur lui que vous n'en saurez jamais, Madame. Personne ne *travaille* à Venise. À Milan, peut-être, mais Venise et ses canaux sombres, ses courtisanes, ses garçons en essaims qui volent vers la flamme la plus brillante... »

Nella se sent faible, hypnotisée par la voix de Jack. Il devait être un bon acteur, dans sa langue. Elle a l'impression que son cœur est de la taille d'un petit pois et qu'il bondit dans sa poitrine.

« Que se passe-t-il ici ? »

Du haut de l'escalier, la voix de Marin vibre d'autorité. « Pourquoi la porte est-elle encore ouverte ? »

Jack fait un pas vers la lumière et écarte les bras.

Il est si beau, songe Nella, si sauvage ! Elle ne peut le quitter des yeux.

« Petronella, fermez la porte ! ordonne Marin.

— Je ne veux pas être enfermée…

— Claquez cette porte, Petronella. *Tout de suite !* »

La main tremblante, Nella repousse le battant. Le hall mal éclairé se transforme en arène — que va-t-il s'y dérouler ? Elle ne supporte pas d'y penser. Elle aimerait savoir si Johannes est heureux d'avoir mis de la distance entre ce garçon sauvage et lui, ou si sa présence fascinante, sa voix sautillante lui manquent.

Au son d'une déchirure, Nella se retourne. Jack a plongé une dague longue et étroite dans la toile d'une nature morte. La profusion de fleurs et d'insectes s'écoule comme d'une plaie ouverte, les pétales pendent de travers. Depuis l'escalier, Cornelia émet un gémissement nauséeux.

« Arrêtez ça ! » s'écrie Nella.

Contrôle ta voix ! Il a raison, tu piailles comme une souris. N'es-tu pas la maîtresse de cette maison ? Son ventre se serre, sa bouche s'assèche. « Otto ! tente-t-elle de crier, mais il ne sort guère plus qu'un murmure.

— Monsieur Philips ! »

Contrairement à la sienne, la voix de Marin porte jusqu'en bas des marches. Il est clair que Jack n'est pas le seul acteur dans cette pièce. Marin se transforme, toute concentrée sur le garçon aux cheveux noirs qui vient de pénétrer dans son royaume. « Combien de fois devrai-je vous dire de ne pas venir ici ? »

Sa voix est reprise en écho, multipliant la menace de sa présence. Jack recule jusqu'au milieu du hall, tandis que Marin arrive au bas des marches, indifférente au sort de la toile. Il baisse mollement la dague le long de sa jambe et crache par terre.

« Nettoyez ça ! » ordonne Marin.

Jack lève la dague vers elle. « Votre frère baiserait un *chien* !

— Monsieur Philips !

— On raconte qu'il vous le fait aussi, qu'il est le seul homme qui vous aura jamais !

— Oh, c'est une insulte éculée, Jack ! »

Elle lève une main et approche sa paume ouverte de l'extrémité de la dague. Jack fait un petit pas en arrière. Il n'y a guère plus de trois centimètres entre la pointe aiguisée et la chair de Marin.

« À quel point êtes-vous courageux ? demande-t-elle. Oseriez-vous faire couler mon sang ? Est-ce ce que vous voulez faire ? »

Jack serre la dague et, quand Marin pose sa paume sur la pointe, il la détourne. « Chienne ! Il m'a dit que je ne pouvais plus travailler pour lui, et de qui vient cette décision ?

— Voyons, Jack ! remarque Marin d'une voix calme et raisonnable. On a déjà joué à ça. Arrêtons ces enfantillages et dites-moi combien ça va me coûter pour vous faire partir.

— Oh ! Je ne veux pas de votre argent. Je suis ici pour vous montrer ce qui arrive quand vous vous mêlez de mes affaires. »

Avec un cri, Jack lève la dague vers lui-même. Marin détourne sa main et le gifle. Il laisse tomber son bras et la regarde, stupéfait.

« Pourquoi êtes-vous si faible ? demande-t-elle avec autorité, alors que Nella voit qu'elle tremble. On ne peut pas vous faire confiance une minute. »

Jack se frotte le visage et se ressaisit. «Vous l'avez forcé à se séparer de moi.

— Je n'ai rien fait de tel. Johannes est un homme libre et vous avez choisi de le croire. C'était à mon père, remarque-t-elle en montrant la dague.

— Eh bien ! Johannes me l'a donnée. »

Marin sort de sa poche une liasse froissée de florins. Elle lui en tend vingt, ses doigts frôlant sa paume qui ne tient plus qu'à peine la dague. «Il n'y a rien pour vous ici », déclare-t-elle.

L'air songeur, Jack tâte les florins puis, sans crier gare, il attire Marin vers lui et l'embrasse brutalement sur la bouche.

«Oh, mon Dieu ! » murmure Nella.

Cornelia et Nella s'avancent de concert vers eux, décidées à les séparer, mais Marin lève la main comme pour leur intimer de se tenir à l'écart — *cette transaction est inévitable*.

Cornelia s'arrête, horrifiée, incrédule. Marin reste rigide, elle n'enveloppe pas le jeune homme de ses bras et le baiser semble durer une éternité. Pourquoi fait-il ça ? s'étonne Nella, et pourquoi Marin le laisse-t-elle faire ? Elle ne peut s'empêcher de se demander ce que doit éprouver Marin au contact d'une telle bouche.

La porte d'entrée s'ouvre. Otto apparaît, de retour de l'église, et tout son corps se fige à la vue des silhouettes entrelacées de Marin et Jack Philips. Puis quelque chose en lui se brise et il se précipite sur eux.

«Il a un couteau ! » s'écrie Nella.

Otto ne prend pas la peine de l'écouter. Il traverse le hall. Au cri de Nella, Jack s'écarte de Marin, qui chancelle à reculons vers l'escalier.

«La vieille garce sent le poisson ! ironise-t-il.

— Sortez, ordonne Otto, avant que je vous tue ! »

Jack se dirige vers la porte. « Tu es vêtu comme un prince, mais tu restes un sauvage.

— Saleté ! tonne Otto de la voix du pasteur Pellicorne.

— Quoi, petit ? réagit Jack en s'arrêtant net. Qu'est-ce que tu m'as dit ? »

Otto s'avance vers Jack.

« Otto ! crie Marin.

— Il a dit qu'il allait se débarrasser de toi, persifle Jack. Il a dit qu'il savait que tu avais fait quelque chose, et il va...

— *Toot !* éloigne-toi de lui ! Ne sois pas idiot !

— Il a dit qu'on ne pouvait pas faire confiance à un nègre. »

Otto lève le poing.

« *Non !* » hurle Cornelia.

Jack recule, mais, au lieu de le frapper, Otto pose la paume sur sa poitrine, une feuille d'acier qui le fige sur place, qui bouge au rythme de la respiration de l'Anglais.

« Vous n'êtes rien pour lui, *petit*, murmure Otto. Partez ! »

Otto retire sa main à l'instant où Rezeki bondit dans le hall, un rayon de lumière grise venant de la fenêtre lui donnant une couleur claire de champignon. Elle grogne devant Jack, les oreilles couchées sur le crâne, le ventre presque au sol, sa manière de le mettre en garde.

« Rezeki, ordonne Otto, va-t'en ! »

L'éclair de panique dans les yeux de Jack pousse Nella à parler. « Jack, *Jack !* Je promets de dire à Johannes que vous êtes... »

Jack a déjà fiché sa dague dans la nuque de Rezeki.

Ils ont tous le regard fixe, comme sous l'eau, personne ne peut respirer. La lame déchire la fourrure et la chair avec un crissement atroce et la chienne s'effondre au sol.

Au loin, Nella entend un gémissement, d'abord grave, puis de plus en plus aigu, et elle se rend compte qu'il provient de Cornelia, qui titube sur les dalles vers Rezeki.

La chienne s'étouffe. La lame a été plantée si fort que les doigts de Cornelia ne peuvent la retirer. Une tache de sang d'un rouge profond s'étend, jupe écarlate, sur le carrelage. Tendre, tremblante, Cornelia berce la tête de Rezeki. La chienne respire par saccades et sa langue trempée de son sang pend hors de sa gueule grande ouverte. Les nerfs font se tordre et se tendre ses pattes, avant qu'elles ne retombent, immobiles. Cornelia serre les mains contre le corps de Rezeki, comme si elle cherchait à y maintenir une chaleur qui se dissipe. « Elle est morte. Sa chienne est morte ! »

Otto se poste entre Jack et le monde extérieur, son corps barrant la porte. Jack arrache la dague de la tête de Rezeki et davantage de sang jaillit sur le carrelage.

« *Dégage* de mon chemin ! » hurle Jack en fonçant vers Otto, qu'il heurte de la tête en pleine poitrine, la lame dressée.

Ils s'empoignent, ils luttent un moment, puis Jack vacille en arrière et baisse les yeux vers son torse, terrorisé. Il se tourne vers Nella, et elle voit la dague qui dépasse du haut de sa poitrine, sous la clavicule, mais assez près du cœur pour que ce soit dangereux. Les mains de Jack papillonnent au-dessus comme deux grosses mites.

« *Mon Dieu*, s'écrie Marin. *Non, je vous en supplie !* »

Jack avance comme un poulain mal assuré, les bras en avant, les genoux pliés. Il se retient à la jupe de Nella, ce qui les entraîne tous les deux par terre, affalés sur les dalles noires et blanches. Sa chemise se colore d'un rouge lumineux, festif, mais l'odeur de terre et de fer de son sang ne dissimule pourtant pas la puanteur de son urine.

« Otto ! veut crier Nella, qui ne parvient qu'à émettre un murmure rauque. Qu'avez-vous fait ? »

Jack attire Nella contre lui, et elle sent la chaleur solide de la poignée du couteau entre leurs corps. Il pleure de douleur et murmure à son oreille : « Je saigne. Je ne veux pas mourir, supplie-t-il.

— Jack...

— Debout ! s'écrit Marin. *Debout !*

— Marin, il se meurt...

— Madame Nella..., chuchote Jack en empoignant Nella comme pour s'accrocher à la vie.

— Tout ira bien, dit Nella. On va vous conduire à un chirurgien. »

Sa voix est étouffée, mais on dirait que Jack rit. Il s'écarte du corps de Nella, puis colle son visage au sien, son haleine curieusement douce. « Oh, Madame... Petite fille. Il faut plus qu'une putain de lame pour m'assassiner. »

Nella met à comprendre le temps que Jack prend pour se relever. Il se précipite vers la porte, le couteau toujours en lui. Il fait des gestes de pilier de taverne, ivre de sa performance. Nella ne parvient pas à associer la chemise imprégnée de sang, la poignée de l'arme qui sort de son épaule et ses suppliques à cette arrogance, cette joie morbide de leur avoir fait croire qu'il était presque mort.

« Je vous ai cru », dit-elle.

Otto recule, stupéfait.

L'Anglais ouvre la porte, avance lentement en pleine lumière, puis se retourne pour leur faire face. Il s'incline, très bas, tandis que ses doigts s'accrochent à la poignée de l'arme. Il grimace et retire la dague de la blessure, ravi de lire sur son visage l'horreur qu'éprouve Nella. « Je vais avoir besoin de ça, dit-il en retenant le flot de sang d'une main tout en levant le métal écarlate de l'autre. Tentative de meurtre. Pièce à conviction.

— J'aurais voulu que ce couteau trouve votre cœur ! lance Nella.

— Je le cache bien. »

Il leur adresse un sourire triomphant, ses boucles collées à son front, le sang dégouttant de la dague dans sa main. Il se détourne et descend maladroitement les marches.

Marin, le visage encore marqué de rouge par les lèvres de Jack, s'effondre contre le lambris. « Doux Jésus ! gémit-elle, ses yeux gris sur Otto. Doux Jésus, sauve-nous ! »

TROIS

Décembre 1686

Son palais n'est que douceur
et toute sa personne est dési-
rable.
Tel est mon bien-aimé, tel est
mon ami, filles de Jérusalem !

Cantique des cantiques 5:16

Taches

« Le Seigneur a trouvé Rezeki dans un sac », raconte Cornelia à Nella d'une voix brouillée par la douleur.

Elles sont dans le couloir et Cornelia regarde sa maîtresse insérer le corps rigidifié de la chienne dans un sac à grain.

« C'était à l'arrière de la VOC. Il y a huit ans. Ils étaient tous morts, tous les chiots. Tous sauf elle.

— Cornelia, on a besoin d'une serpillière. Et de jus de citron. Et de vinaigre. »

Cornelia hoche la tête. Il reste des traînées rouges de sang sur le marbre, mais la servante ne bouge pas. Le tableau vandalisé est posé contre le lambris. Marin a ordonné que la toile soit retirée du cadre.

« Il s'en moquera, Madame, a soupiré Otto.

— Ce n'est pas pour lui. Je ne supporte pas de le voir ainsi à moitié détruit. »

Otto a donc achevé l'œuvre de Jack : les mains un peu tremblantes, il a découpé la toile à ras du cadre.

À l'étage en dessous, Marin et Otto, dans la cuisine, parlent à voix basse. C'est ma faute, s'accuse Nella. C'est moi qui ai ramené la poupée Jack dans la maison après que Marin l'a jetée dehors. Il est revenu le lendemain matin, déposé sur le perron, une prédiction de ce qui allait survenir. Si c'est la miniaturiste qui l'a rendu, c'était un horrible présage de ce qui se produirait dans ce hall. Pourquoi aurait-elle fait ça ? Pourquoi insister pour que cette créature néfaste reste proche de nous ? « Cornelia, il faut qu'on nettoie ça ! » répète Nella en sortant de ses pensées.

Elle pousse les pattes de Rezeki dans le sac, mais elles sont trop longues.

Quand les deux jeunes femmes descendent dans la cuisine, les pattes de Rezeki dépassant du sac, il flotte une atmosphère de fin de bataille, entre les reflets des casseroles et des poêles. Si près de Noël, la mort de la chienne adorée du maître donne l'impression de l'ouverture d'un carnaval macabre. Son meurtrier est dehors, et il soigne plus qu'une blessure physique.

Otto pose ses mains tremblantes sur le plateau en vieux chêne de la table de Cornelia. Les pensées de Nella sont coagulées dans sa tête. Elle voudrait réconforter Otto, mais il ne peut même pas la regarder. Dhana est effondrée devant le feu, vaincue, et elle gémit au passage du sac.

« S'il vous plaît, est-ce qu'on peut l'enterrer, maintenant ? demande Cornelia.

— Non, décide Marin après une hésitation.

— Elle ne va pas tarder à sentir.

— Mettez-la dans la cave. »

C'est Nella qui dépose doucement Rezeki sur le terreau humide et les pommes de terre, dans l'obscurité. « Pauvre, pauvre chienne, murmure-t-elle au bord des larmes. Bonne route !

— Et si Jack me dénonce ? dit Otto. Il a le couteau et la blessure pour le prouver, et la langue bien pendue pour débiter des mensonges. Il a parlé de pièce à conviction, de tentative de meurtre. La milice va m'arrêter. Et s'ils demandent à Jack pourquoi il était ici ?

— Exactement, raisonne Marin en abattant son poing sur la table. J'en sais pas mal sur Jack Philips. Il aime la vie. Jack est un vantard, mais jamais il n'irait voir les autorités. Il signerait son propre arrêt de mort, et il le sait. Il est Anglais, sodomite et ancien acteur. Les bourgmestres ne détestent rien tant que ces trois travers.

— Il n'a pas d'argent, Madame. De quoi un homme est-il capable, quand il est désespéré ? remarque Otto avec gravité. Si on lui demande pourquoi il est venu ici, le Seigneur sera mis en cause. »

Il secoue la tête. Cornelia arrive avec une corbeille de *herenbrood*, des feuilles d'endive et un gouda couleur de soleil bien peu en rapport avec leur humeur. Nella coupe le fromage pendant que la servante retourne à ses fourneaux. Il n'y aura ni pomme de terre ni champignon, dans ce plat. Cornelia ne supporte pas de tourner les yeux vers la porte de la cave, sans même parler d'affronter son obscurité. Nella s'accroche au bruit rassurant des activités domestiques de Cornelia — le choc des poêles, le lard qui rissole, l'oignon qui s'attendrit dans le beurre. Leur rythme irrégulier, mais décidé, est plus doux qu'une musique festive jouée par des musiciens de rue, en cet instant.

Quand Cornelia dépose des tranches de lard frit devant eux, Nella voit à quel point elle est rongée d'inquiétude.

« Le Seigneur m'a sauvé, dit Otto. Il m'a tout appris, et voyez un peu comment je le récompense ! Rezeki...

— C'est Jack, le coupable, pas toi, et tu n'as contracté aucune dette envers lui, assure Marin. Mon frère t'a acheté pour son propre amusement. »

Cornelia laisse tomber une lourde casserole dans l'évier et jure à voix basse.

« Il m'a donné un emploi, Madame », dit Otto.

Marin essuie la graisse du lard avec un bout de pain, mais ne mange pas. Nella n'arrive pas à déchiffrer son humeur. On dirait qu'elle est décidée à ne pas se laisser dépasser par les évènements, et pourtant elle semble trop provocante. « Ce garçon est en vie, tu n'as tué personne. Johannes sera bien plus touché par le sort de Rezeki que par ton acte. »

On dirait qu'Otto reçoit cette déclaration en pleine poitrine. « J'ai attiré le danger dans cette maison. Je vous ai tous mis en danger. »

Marin tend la main vers celle d'Otto. C'est un spectacle extraordinaire, ces doigts, les sombres et les clairs qui s'entrelacent. Cornelia ne parvient pas à en détacher les yeux. Otto se lève et gagne l'escalier. Marin le regarde partir, le visage vidé de toute couleur, les yeux marqués par l'épuisement. « Petronella, vous devez vous changer.

— Pourquoi ? Qu'est-ce qui ne va pas ? »

Marin la montre du doigt, et quand Nella baisse les yeux elle voit son corset et sa jupe couverts de taches du sang de l'Anglais qui brunissent déjà.

❧·❧

À l'étage, Nella s'assied, frissonnant en sous-vêtements, pendant que Cornelia éponge les traces du sang de Jack. Après avoir aidé sa maîtresse à enfiler une robe de chambre, la servante demande à être excusée. « Je m'inquiète pour Otto, Madame. Il n'a personne d'autre à qui parler.

— Allez-y donc ! »

Nella est soulagée de se retrouver seule. Les tensions de la matinée l'ont courbaturée et elle sent encore les mains de Jack serrant ses bras. Elle va chercher sa propre poupée, inerte, dans la cuisine miniature près de Cornelia, et elle serre sa petite représentation comme pour en extirper la douleur qu'elle éprouve. Elle a mal aux côtes, en serrant celles de sa miniature et, un bref instant, elle a le sentiment qu'il n'y a pas de différence entre la version réduite que la miniaturiste a faite d'elle et son corps humain. Car que suis-je, songe-t-elle, sinon un produit de mon imagination ? Pourtant, le petit visage la regarde et ne laisse rien paraître. Rien ne change. La douleur demeure.

Le paquet de la miniaturiste, apporté par Jack quelques heures plus tôt, est sur son lit. Nella a failli l'abandonner sous un fauteuil du hall, doutant de vouloir l'ouvrir. En le regardant maintenant, une terreur humide dénoue son ventre. Qui d'autre pourrait ouvrir ces paquets ? Elle ne supporte pas l'idée que ce soit quelqu'un d'autre qu'elle.

Si la miniaturiste est un étrange professeur qui refuse de baisser les bras, Nella se considère, pour l'instant, comme une élève très récalcitrante. Elle n'a pas réussi à comprendre la signification des leçons, et elle voudrait tant un objet qui lui expliquerait ce que la miniaturiste attend d'elle. Elle déchire le papier et voit qu'il ne contient qu'un objet : un petit *verkeerspel* qui tient au creux de sa paume. Les triangles du plateau ne sont pas sim-

273

plement peints, mais en marqueterie, et il y a aussi les jetons, dans un minuscule sachet. À l'odeur, elle devine que ce sont des graines de coriandre coupées en deux et peintes en noir et en rouge.

Nella met l'objet de côté et fouille dans les poches de la jupe qu'elle portait en sortant ce matin-là. La longue lettre qu'elle a écrite ce matin même, adressée à la miniaturiste et demandant un *verkeerspel*, n'y est plus. Je l'avais ! Je l'avais ce matin ! J'ai suivi Otto jusqu'à l'église, et je la sentais dans ma poche. J'ai parlé à Agnes et je suis rentrée pour la confier à Cornelia. J'ai trouvé Jack dans le hall. Et après cela, la lettre a entièrement disparu de mes pensées.

On aurait dit que le temps avait fondu, qu'il ne signifiait plus rien. Nella secoue le paquet et un morceau de papier en tombe.

NELLA :
LE NAVET NE PEUT MÛRIR
DANS LA TERRE DE LA TULIPE

La miniaturiste a utilisé mon nom ! Le plaisir qu'elle en éprouve s'estompe bien vite devant la déclaration aussi curieuse qu'abrupte qui suit. Elle sent une gêne l'envahir. La miniaturiste me compare-t-elle à un *navet* ? Navets et tulipes sont des phénomènes de la nature tout à fait différents, suppose Nella — l'un pratique et simple dans sa structure, l'autre décorative et modifiée par l'homme.

Nella porte instinctivement la main à son visage, comme si la belle écriture allait transformer ses joues en un légume dense, rond, insignifiant, poussant dans la terre d'Assendelft. La miniaturiste est la fleur brillante, gracieuse, colorée, celle dont le pouvoir attire l'œil. Est-ce sa manière de me prévenir de rester à l'écart, de me dire que jamais je ne parviendrai à comprendre ?

Nella va sortir la poupée Jack de son cabinet et lui retire son manteau en cuir. Elle saisit un minuscule couteau à poisson entre le pouce et l'index et le plante dans sa poitrine comme une épingle, assez près de la gorge pour qu'il s'étrangle. Le trait d'argent entre facilement dans le corps souple.

Après avoir replacé Jack dans le cabinet, la poupée reflétant désormais plus fidèlement la réalité tragique de la situation, Nella prend entre ses doigts la réplique de Rezeki qui ravive douloureusement ses souvenirs. Johannes aurait dû t'emmener, dit-elle à la petite chienne. Comment allaient-ils annoncer à son mari ce qui était arrivé à son animal favori ? Je vais lui offrir cette miniature en souvenir de sa chienne, songe-t-elle avant qu'une pensée plus coupable lui traverse l'esprit : ça lui rappellera qui est vraiment Jack.

Nella lui caresse la tête et ses doigts se figent sur la nuque de la chienne. Là, sur ce petit corps, entre les omoplates, elle découvre une marque rouge qui a presque la forme d'une croix. Elle s'approche de la fenêtre. Aucun doute : c'est une marque couleur rouille. Son cœur s'emballe, sa gorge s'assèche. Elle ne parvient pas à se souvenir si la marque était là auparavant. Elle n'avait pas regardé d'assez près.

C'était peut-être un dérapage accidentel du pinceau, la miniaturiste ayant laissé tomber une minuscule goutte de rouge sur la tête de la chienne au moment où elle allait peindre autre chose. Elle ne l'aurait pas remarqué, et la goutte aurait épousé la courbe du crâne. La réplique de Rezeki roule dans sa main, le cou articulé, la marque comme un baptême macabre. Il fait froid, et la figurine tachée de sang de Rezeki donne des frissons à Nella.

Elle tente de contrôler sa respiration et de réfléchir. La miniaturiste n'a pas l'air d'avoir su ce qu'Otto allait faire — ficher la dague dans l'épaule de Jack — parce que la poupée Jack est revenue sans marque. *J'ai dû raconter cette histoire à sa place. Ces objets sont-ils des échos ou des présages — ou juste des suppositions ?*

Tu dois retourner à la Kalverstraat et, cette fois, tu ne repartiras pas avant que la miniaturiste sorte. Peu importe que tu doives rester plantée là toute la journée en compagnie de Tête-de-Passoire !

Nella repose la chienne dans le cabinet, un peu nauséeuse au souvenir de la conversation entre Cornelia et Marin à propos des idoles papistes. Cornelia a suggéré qu'on ne sait pas si ces objets peuvent prendre vie et, à cet instant, Nella a la sensation que la poupée Rezeki vibre d'un pouvoir auquel elle ne saurait donner de nom. Et la maison même — on dirait qu'elle émet une lueur, l'écaille de tortue si riche, l'intérieur si somptueux. Nella regarde sa représentation tenant la petite cage à oiseau, la grille dorée ne renfermant rien. En silence, elle se récite les anciens messages de la miniaturiste : *Les choses peuvent changer. Toute femme est l'architecte de son propre destin. Je lutte pour émerger.*

Qui lutte pour émerger, ici ? Qui est l'architecte, la miniaturiste ou moi ? La vieille question sans réponse s'impose à nouveau : *pourquoi cette femme lui fait-elle ça ?* Sans nom, elle vit hors de la société, sans être soumise à la moindre de ses règles — mais qu'on soit navet ou tulipe, on finira tous par rendre des comptes. Avec Rezeki morte, Peebo parti, Jack dans la nature et le sucre d'Agnes moisissant sur les îles de l'Est, Nella sent venir le chaos, et tout ce qu'elle désire, c'est un peu de contrôle.

La miniaturiste doit m'aider ! La miniaturiste sait. Tous, dans cette maison, ont trop peur pour faire quoi que ce soit, sauf jeter des poupées par la fenêtre, mais ça ne marche pas. Nella va chercher plume et papier.

> *Chère Madame,*
>
> *Le navet grandit hors de vue, tandis que la tulipe fleurit au-dessus. Cette dernière est là pour le plaisir des yeux, le premier nourrit le corps, mais ces deux créations jouissent de la terre. Séparées, elles ont leur utilité, l'une n'étant pas plus valable que l'autre.*

Nella hésite, puis elle ne peut se retenir.

> *Les pétales de la tulipe ne tomberont-ils pas, Madame ? Ne seront-ils pas au sol bien avant que le navet ne sorte, sale, mais triomphant, de la terre ?*

Nella craint d'avoir été trop brutale, trop directe.

> *Aidez-moi ! Que dois-je faire ?*

Elle pose sa plume. Elle se sent un peu idiote d'avoir digressé sur des plantes, mais elle panique à l'idée que la miniaturiste ait su dès le début ce qui allait arriver à la chienne de Johannes. Avant cette marque sur le cou de Rezeki, Nella l'avait prise pour une observatrice, une enseignante, une commentatrice. Là, il s'agit presque d'une prophétie. Que sait-elle d'autre ? Que peut-elle éviter — ou pire : qu'a-t-elle décidé qu'il allait se produire ?

❧·❧

Juste avant l'aube, le lendemain matin, Nella se faufile hors de sa chambre, sa quatrième lettre à la miniaturiste dans la poche de sa cape de voyage. Je vais veiller sur celle-là, se promet-elle, jusqu'à ce que je la lui remette en main propre. Elle est pour le moins inquiète de ce qu'elle risque de découvrir à la Kalverstraat, face à face, enfin, avec la femme qui non seulement observe son monde, mais semble aussi le construire.

Une bougie à la main, Nella tire lentement les tiges des verrous de la porte. Quand elle l'ouvre, heureuse de percevoir une faible lumière s'insinuer dans le ciel, elle entend une série de chocs dans les profondeurs de la maison. Elle se fige. Le bruit continue. Entre le quai et la cuisine, Nella est déchirée. Encore ! Chaque fois que je me prépare à aller voir la miniaturiste, quelque chose me retient dans la maison.

C'est le bruit qui l'emporte, trop présent pour que sa curiosité l'ignore. Cela fait trop longtemps que je m'interroge sur ces murmures et ces bruits, décide-t-elle en refermant la porte. Elle descend sur la pointe des pieds, et traverse l'office en direction du bruit. Les assiettes — majolique, Delft, porcelaine — luisent dans l'immense buffet, rangées d'yeux ouverts l'observant passer avec son unique bougie.

Nella s'arrête et renifle. Il y a une odeur de métal et de terre humide — et un bruit de respiration embarrassée. Immédiatement, elle pense à Rezeki. Elle est revenue à la vie ! se dit-elle. La miniaturiste est quelque part dans cette maison et elle l'a ramenée à la vie ! Elle emprunte prudemment l'étroit couloir qui sépare l'office de la cuisine et gagne la petite porte, au bout, où l'on conserve les tonneaux de bière et de légumes au vinaigre. L'odeur s'intensifie. Elle la sent à l'arrière de sa langue, elle se colle à son palais. C'est du sang, elle ne peut plus en douter, et la respiration se fait entendre de plus en plus fort.

Elle hésite, la main sur la poignée, assaillie par le cauchemar que Rezeki se soit libérée du sac et gratte pour sortir. Elle déglutit et pousse la porte de la cave, terrorisée.

Marin, les manches relevées, une lanterne sur la table près d'elle, est agenouillée devant une rangée de chiffons blancs, qu'elle semble nettoyer du sang qui les souille.

« Que faites-vous ? demande Nella, le soulagement inondant son corps tandis que son esprit est en pleine confusion devant cette scène étrange. Qu'est-ce que vous êtes en train de faire ?

— Sortez ! Vous m'entendez ? Dehors ! »

Nella recule, choquée par la férocité dans la voix de Marin, par la rage qui tire ses traits, par une traînée de sang sur sa joue. Elle claque la porte, remonte précipitamment l'escalier jusqu'au hall, la marque rouge sur Rezeki se mêlant dans son esprit aux linges écarlates de Marin. Elle franchit la porte d'entrée et dégringole les marches du perron vers l'aube.

Douces armes

La Kalverstraat, longue artère commerciale bruyante, est encore calme. De temps à autre passe une marchande des quatre saisons poussant sa brouette, et un chat roux, matinal et entreprenant, trie des os qu'on n'a pas jetés dans le canal la veille. Il regarde Nella de ses yeux jaunes insouciants, son corps gras prouvant qu'il sait se débrouiller pour trouver à manger.

Elle repère le signe du Soleil et s'arrête devant, la lettre toujours dans sa poche, inspirant l'air humide, les traces de brume, l'odeur des ordures qui monte des caniveaux couverts de paille à la hâte. Elle frappe à la porte, des coups nets et confiants, et elle attend. Personne ne vient. Je vais patienter, Madame Tulipe. Je resterai ici jusqu'à ce que j'obtienne une réponse !

Elle recule d'un pas, lève la tête vers les quatre fenêtres, vers le soleil d'or et la maxime gravée en dessous : *Tout ce que voit l'homme il le prend pour un jouet*. Elle y sent une moquerie, et s'en irrite. Pas moi, se dit-elle. En tout cas, plus maintenant. Mon Peebo miniature ou Rezeki et sa tache de sang n'ont rien de jouets et ne sont pas le moins du monde réconfortants. « Je sais que vous êtes là !

crie-t-elle en dépit de l'heure matinale. Que dois-je faire ? »

Immédiatement, une porte s'ouvre derrière elle. Nella se retourne. Un gros homme en tablier, son ventre pendant généreusement sur ses guêtres, se tient les poings sur les hanches. Par-dessus son épaule, elle distingue une petite pièce où sont suspendus de longs écheveaux de laine naturelle et plusieurs peaux de mouton accrochées aux murs.

« Pas la peine de hurler jusqu'à Anvers, ma fille !

— Je suis désolée, Monsieur. Je suis venue voir la miniaturiste. »

L'homme hausse les sourcils. « La quoi ? »

Nella lève à nouveau la tête vers la maison et l'homme tape des pieds dans le froid.

« Oh ! Elle vous répondra pas, assure-t-il d'une voix plus aimable. Pas la peine d'insister.

— On me l'a déjà dit, rétorque Nella. Je vais attendre.

— Eh bien ! soupire-t-il en plissant les yeux, vous allez geler sur place, parce qu'y a plus personne dans cette maison depuis plus d'une semaine.

— C'est impossible ! proteste Nella en sentant un pincement de désespoir au creux de son ventre. Pas plus tard qu'hier, elle a envoyé...

— C'est quoi votre nom ?

— Pourquoi ?

— J'ai peut-être quelque chose pour vous.

— Mon nom... est Petronella Brandt.

— Bougez pas ! »

Il file dans sa boutique encore plongée dans la pénombre et ressort avec, dans la main, un petit paquet frappé du signe du Soleil. « C'était sur le seuil de la maison d'en face. J'ai eu peur que les chats s'y intéressent. On dirait que son Anglais fait plus les livraisons, alors je l'ai mis en sécurité. »

Il le dépose dans la paume tendue de Nella et lève les yeux vers le soleil terni gravé au-dessus de la porte de la miniaturiste. « Qu'est-ce que ça veut dire : *Tout ce que voit l'homme il le prend pour un jouet* ?

— Ça signifie que nous nous prenons pour des géants, mais que nous n'en sommes pas.

— Ah bon… Je devrais pas me prendre pour grand-chose, c'est ça ?

— Pas du tout, Seigneur. C'est juste que les choses… ne sont pas toujours ce qu'elles paraissent.

— Je suis bien assez géant ! dit le vendeur de laine en éclatant de rire, les bras écartés. Ça se voit, non ? »

Nella renonce avec un petit sourire. Son paquet serré contre sa poitrine, elle tente de regarder dans la boutique. « Est-ce qu'un homme affligé de cicatrices de variole travaille pour vous ?

— Oh, oui. Il a transporté ma laine pendant deux semaines, et puis il a décampé et nous a laissés en plan.

— Pourquoi est-il parti ?

— Il avait l'air épouvanté.

— Épouvanté ?

— Complètement terrorisé. Il s'est enfui une nuit. Dieu sait ce qui lui est arrivé ! »

Le bruit de pas cadencés leur parvient soudain, *boum boum*, du bout de la Kalverstraat. Le vendeur de laine retourne dans sa boutique. « La milice de Saint-Georges, marmonne-t-il en baissant son volet. Mettez-vous de côté, ma fille, si vous voulez pas qu'ils vous écrasent !

— Attendez ! proteste Nella, furieuse. Où est allée cette femme ? L'avez-vous vue partir ? »

Les officiers apparaissent, et le chat aux yeux jaunes se carapate juste à temps. Le ruban rouge dont les gardes barrent leur torse puissant attire le soleil hivernal comme un flot de sang. Leurs bottes ferrées heurtent et frottent le sol, et leurs armes ostentatoires — épée, pistolet à crosse en nacre et *donderbus* * — s'entrechoquent à leur hanche, pour que tout le monde les voie.

Parmi eux, Nella repère Frans Meermans, la poitrine gonflée, qui jette un coup d'œil hargneux au signe du Soleil.

« Seigneur ? » appelle Nella.

Dès qu'il la reconnaît, il se détourne et crispe son poing sur sa hallebarde. Les miliciens disparaissent dans un nuage de poussière, leur marche forcée dans Amsterdam troublant le calme de cette matinée.

La rue retombe dans le silence et Nella remarque que ses orteils sont paralysés par le froid. Elle déchire le paquet, furieuse que la miniaturiste lui ait de nouveau échappé. Chaque fois que je la cherche, je me retrouve abandonnée à moi-même !

Sa frustration se transforme pourtant en ravissement devant ce qu'elle découvre : une petite collection de pâtisseries. *Puffert* et gaufres quadrillées, minuscules personnages en pain d'épices, *oliekoecken* saupoudré de blanc, rond, d'apparence délicieuse. On dirait que ce sont des vraies, mais, quand Nella les touche, les pâtisseries sont dures, impitoyables. Elle trouve un autre message sur un papier en dessous :

Nella lève les yeux vers les fenêtres. «Douces armes?» s'écrie-t-elle en insérant sa lettre sous la porte de la miniaturiste.

Elle bout de frustration alors que la lumière matinale glisse sur les vitres, dissimulant les secrets de la miniaturiste. Elle baisse les yeux vers ces douceurs immangeables. Qu'est-ce que la femme veut dire, à travers elles? Aucune guerre n'a jamais été gagnée, raisonne Nella, avec un arsenal de gâteaux sucrés.

L'espace vide

Quand Nella rentre à la maison, elle trouve Cornelia qui l'attend à la porte.

« Qu'y a-t-il ? s'inquiète Nella devant la mine affreuse de sa servante.

— Le Seigneur... Il est revenu de Venise et il a aussitôt demandé où était Rezeki.

— Quoi ? »

Nella sent l'air s'épaissir et un noyau de peur se loge dans sa gorge. Elle revoit le corps ensanglanté de Rezeki dans la cave, et elle imagine Johannes, ignorant, qui attend le *crr crr* de ses griffes sur le carrelage.

« Il faut que vous le lui disiez, Madame, supplie Cornelia. Je ne pourrai pas. »

Nella referme doucement la porte et regarde le sol, soulagée de ne plus y voir de trace de sang. Cornelia l'a lavé et poli à l'aide de vinaigre et de jus de citron, d'eau bouillante et de soude. Pourtant, en haut, dans le cabinet, il avait été impossible de retirer la marque en croix sanglante sur la tête miniature de Rezeki.

« Pourquoi moi ? murmure Nella.

— Vous êtes forte, Madame. Il vaut mieux que ça vienne de vous. »

Nella ne se sent pas forte. Elle n'est pas prête, trop bouleversée par l'histoire qu'elle devra raconter. Il me faut un peu de temps pour adoucir cette vérité avec un mensonge, se dit-elle. Comment peut-on engager ce genre de conversation ?

Johannes est debout au milieu du salon, les yeux sur le cadre vide posé contre la fresque qui couvre les murs. Il a rapporté deux tapis au tissage dense formant des motifs géométriques. Ils ont déjà vingt ou trente de ces tapisseries ! s'étonne Nella. Pourquoi en acheter davantage ? Il fait un froid glacial dans la pièce, et il n'a pas retiré sa cape de voyage.

Surprise, elle remarque que le regard de Johannes s'illumine — son mari semble réellement content de la voir.

« Johannes ! Vous êtes rentré sain et sauf. Est-ce que Venise était… plaisant ? »

Elle entend encore Jack dans son néerlandais bizarre — *du poisson frais*.

Johannes renifle, fronce le nez en remarquant l'odeur de vinaigre qui provient du hall. Nella prie pour que les senteurs émanant de la marmite de soupe dans la cuisine finissent par l'effacer.

« Venise, c'était Venise. Les Vénitiens parlent sans arrêt, et il faut beaucoup trop danser pour mes pauvres genoux. »

À sa grande surprise, il la prend soudain dans ses bras. La tête de Nella atteint à peine le haut de sa poitrine, et il presse son oreille contre son cœur, dont elle sent les battements. Quand le menton de son mari s'appuie sur ses cheveux, elle éprouve un réconfort inattendu. Elle n'a jamais autant touché de Johannes auparavant. Ses pieds décollent du sol comme si elle s'accrochait à un radeau. Dès qu'elle ferme les yeux, le cou noirci de Rezeki s'impose, et elle a beau serrer les paupières, l'image ne s'efface pas.

« Je suis heureux de vous voir, Nella, dit Johannes avant de la reposer au sol. Pourquoi n'y a-t-il pas de flambée dans cette pièce ? Otto !

— Je suis heureuse aussi, Johannes, répond-elle tandis que son esprit cherche frénétiquement des mots qui lui échappent chaque fois qu'elle tente de les faire siens. Je… Pouvons-nous nous asseoir ? »

Il s'affale dans un fauteuil avec un soupir, et Nella se retrouve seule debout.

« Qu'est-ce qui ne va pas ? » demande-t-il.

Nella croit s'effondrer en percevant l'inquiétude dans sa voix. « Rien, Johannes. C'est que… je… Agnes est en colère contre moi », bafouille-t-elle, hors d'haleine.

Elle ne peut pas. Elle ne peut pas prononcer ces mots. Il est plus facile de parler d'Agnes Meermans plutôt que de sa chienne bien-aimée.

Le visage de Johannes s'assombrit. « Et pourquoi Agnes est-elle en colère ?

— Je… Je l'ai vue à la Vieille Église. Elle dit que tout son sucre est encore dans l'entrepôt et qu'il va moisir.

— Elle n'avait aucun droit de vous parler de cette façon ! » enrage-t-il en passant sa main sur son visage.

Otto apparaît avec un panier de tourbe. Il oscille d'un pied sur l'autre, incapable de lever les yeux.

« Ah, du feu ! se réjouit Johannes. Entre, Otto, et réchauffe-nous !

— Bienvenue à la maison, Seigneur.

— Qu'est-ce qu'on prépare, en cuisine ?

— Pain de foie de porc à l'orge, Seigneur.

— Mon plat de décembre préféré. Je me demande ce que j'ai fait pour le mériter ! dit Johannes avec un sourire tout en humant l'air et en caressant le cadre vide. Qu'est-il arrivé, ici ? C'était un de mes tableaux préférés. »

Johannes scrute le visage d'Otto, presque gris dans la pénombre.

« Un accident, dit Nella.

— Je vois. Allume vite cette cheminée, Otto ! Mes pieds sont si froids qu'il me semble qu'ils vont tomber. »

Marin est à la porte. Nella se tourne vers son visage crispé et la voit hésiter avant de glisser dans le salon et de s'arrêter contre le mur.

« Combien de pains de sucre as-tu vendus à Venise, mon frère ?

— Fais une grande flambée, Otto !

— Mon frère, combien en avons-nous vendu ? »

Toujours assis, Johannes soulève le cadre vide et se place au centre pour prendre une pose de régent plein de suffisance et de ridicule. « C'était aussi peu animé que je l'avais prédit. J'aurais mieux fait d'y aller en début d'année.

— Peut-être pourrais-tu attendre, pour allumer un feu si gigantesque, que le sucre soit vendu ? "Celui qui est assoiffé de profit trouble sa maison", mon frère ! le sermonne-t-elle devant son silence irritant.

— Ton accueil empire à chaque fois, Marin. C'est toi qui m'as poussé sur ce bateau vers l'Italie en plein hiver. Ne me parle pas d'appât du gain et, s'il te plaît, cesse de citer la Bible ! Ça devient fatigant, surtout que tu fais preuve d'une piété douteuse. »

Le rire cinglant de Marin tranche l'air. « C'est

toi, le provocateur permanent, pas *moi* ! » dit-elle en insistant sur chaque mot.

Il retire sa cape de voyage et la jette par terre. « Et cesse de parler de cette maison comme si c'était la tienne. C'est celle de Petronella. »

Ces paroles fusent vers Nella telles des boules de feu.

Marin n'en croit pas ses oreilles. « Que Petronella l'ait donc ! »

Est-ce si facile que ça ? se demande Nella en se tournant vers sa belle-sœur. Ça semble impossible. Les paroles de Marin ont sûrement dépassé sa pensée.

« J'ai gâché toute ma vie pour rendre la tienne plus facile, continue Marin en avançant vers son frère. Nous ne sommes rien de plus que les prisonniers de tes désirs. »

Johannes soupire et tend ses mains vers la cheminée pour les réchauffer. « Prisonniers ? Otto, demande-t-il en se tournant vers lui, agenouillé devant les flammes de plus en plus hautes, est-ce que tu te sens prisonnier ?

— Non, Seigneur, répond Otto d'une voix à peine audible.

— Nella, est-ce que je te garde sous clé ?

— Non, Johannes », assure-t-elle, même si toutes ces nuits où elle l'a attendu lui ont donné l'impression d'être en prison.

Elle aimerait tant être dans sa chambre, à cet instant, enfouie sous sa courtepointe.

Johannes se penche dans son fauteuil et pose sa tête entre ses mains. « Cette maison est le seul lieu où nous sommes tous libres. Marin, tu es la plus mal placée pour le nier.

— Ne sois pas idiot ! »

La dispute semble s'échauffer au rythme des flammes dans la cheminée.

« Tu es tellement égoïste ! Ça te convient de m'avoir ici, pendant que tu te préoccupes à peine de dissimuler ce que tu fais. »

Johannes lève les yeux vers sa sœur, et Nella voit à quel point il est épuisé, les joues creusées, les orbites sombres. « Tu crois que ça me convient ? C'est ça l'histoire que tu te racontes ? Contre tout ce que me conseillait mon âme, j'ai épousé une enfant. Je l'ai fait pour toi !

— Je ne suis pas une enfant », murmure Nella, qui s'effondre enfin dans un fauteuil, écrasée par la force de ces paroles.

Pourtant, elle se sent puérile. Johannes l'a transformée en un instant, et elle voudrait sa mère, quelqu'un qui prendrait sa douleur en compte, quelqu'un qui emporterait le corps de Rezeki à sa place.

« Rien n'a changé, s'écrie Marin sans relever la remarque de Johannes. Ton attitude désinvolte vis-à-vis du sucre de Meermans, notre avenir… »

Johannes donne un coup de pied dans le cadre vide, qui se brise et glisse sur le sol poli à l'instant où Cornelia va franchir le seuil du salon, les manches relevées, le front humide de transpiration. Elle apporte un plateau de vin et de pain. En voyant arriver sur elle le cadre brisé, elle s'arrête à la porte.

« Jamais tu n'as dû faire de compromis ! tonne Johannes.

— J'ai passé ma vie à en faire ! Tu crois que tu peux acheter ce qui ne se vend pas, Johannes — le silence, la loyauté, l'âme des gens…

— Si tu savais…

— Dis-moi : qu'arrivera-t-il quand tu te feras prendre ? Qu'arrivera-t-il quand les bourgmestres découvriront ce que tu es ? »

Près du feu, Otto a l'air de s'étouffer.

« Je suis trop riche pour que ces maudits bourgmestres s'en prennent à moi.

— Non ! grimace Marin. *Non*. Tu n'as pas fait attention ! C'est moi qui vérifie deux fois les livres de comptes. C'est *moi* — et permets-moi de te dire que leur contenu n'a rien de bien réjouissant. »

Johannes se lève, grandissant centimètre par centimètre tandis que les mots de Marin l'atteignent avec la facilité de trente ans de pratique. « Tu t'es toujours crue particulière, n'est-ce pas, Marin ? Ne pas te marier, interférer dans mes affaires... Est-ce que tu crois vraiment que, grâce aux cartes des Indes punaisées sur ton mur et à quelques livres de voyage, à des baies pourries et à des crânes d'animaux, tu sais ce *qu'est* la vie, là-bas ? C'est moi qui t'assure le confort. C'est *toi* qui n'as aucune idée de ce qui t'entoure ! »

Marin le fusille du regard. « J'ai de mauvaises nouvelles pour toi. »

Non, pense Nella. *Pas comme ça !* Otto laisse tomber un gros morceau de tourbe sur le parquet, et des miettes noires s'étalent sur le bois.

« Les bourgmestres te châtieraient pour ton célibat, s'ils le pouvaient, lui rappelle Johannes. La seule chose que tu aurais dû faire — épouser un homme riche, faire un bon mariage — oh ! Seigneur ! Juste te *marier* ! Tu n'as même pas pu y parvenir. On a essayé, n'est-ce pas ? On a essayé de te marier, mais aucun des membres des guildes d'Amsterdam n'était assez bon pour toi. »

Un son funeste, râpeux, s'élève de la gorge de

Marin, sa bouche se tord, des années de frustrations s'inscrivent sur son visage. « Est-ce que tu m'écoutes, Johannes ?

— Tu as été un fardeau, sans utilité aucune et incapable de nouer des amitiés, depuis que tu es née.

— Ton Anglais est venu. Ta morue de bordel a frappé à notre porte, et tu sais ce qu'il a fait ?

— Marin, non ! s'écrie Nella.

— Grâce à lui, ta bien-aimée Rezeki est morte.

— Que dis-tu ? souffle Johannes sans bouger.

— Tu m'as entendue. Rezeki est morte.

— Quoi ?

— Jack Philips lui a enfoncé une dague dans la nuque au milieu du hall. Je t'avais prévenu, je t'avais dit qu'il était dangereux ! »

Johannes recule lentement vers son fauteuil et s'assied avec une étrange prudence, comme s'il n'osait toucher le bois. « Je ne te crois pas.

— Sans l'intervention d'Otto, Jack Philips aurait pu tous nous tuer.

— Marin ! crie Nella. Ça suffit !

— Est-ce que c'est vrai, Nella ? Est-ce que c'est vrai ? »

Nella voudrait parler, mais elle ne peut que hocher la tête. Johannes se couvre la bouche pour réprimer un cri.

Otto se lève, les yeux pleins de larmes. « Il avait une dague, Seigneur. J'ai cru qu'il allait... Je n'avais pas l'intention...

— Jack n'est pas mort, Johannes. Otto a été plus miséricordieux que lui, l'interrompt Marin. Ton petit Anglais s'est relevé et il est parti.

— Otto ? »

Johannes a prononcé le nom de son serviteur

comme une question qu'il ne peut supporter de poser. Sa main quitte son visage, qui n'est plus qu'un masque impassible attendant d'être submergé par la douleur.

« Tout est allé si vite… », murmure Nella.

Johannes s'est déjà levé. Animé d'une étrange énergie, il pousse sa sœur et dépasse Cornelia, que le choc a rendue muette. Ils l'entendent traverser le hall et descendre à la cuisine. Nella le suit.

Il ouvre la porte de la cave. Le désespoir de Johannes est repris en écho dans le couloir. « Ma chienne chérie ! gémit-il. Ma douce, douce chienne. Qu'a-t-il fait ? »

Nella s'approche, en dépit de son désir de rester à distance, parce qu'elle sait qu'elle doit tenter de le consoler. Elle trouve son mari à genoux en train de bercer le corps rigide de sa chienne dans son sac taché de sang. La tête fine de Rezeki repose sur le bras de son maître, sa blessure luisant à la lumière d'une bougie, ses babines noires et ses dents découvertes en un sourire tordu.

« Je suis désolée », murmure Nella.

Johannes ne peut parler, il lève vers sa femme ses yeux humides, et reste accroché à sa chienne adorée, incrédule.

Le témoin

Les deux jours qui suivent, on dirait que la maison panse ses blessures, suspendue dans le silence. Marin reste dans sa chambre, Cornelia prépare les boîtes qu'ils enverront aux orphelinats pour Noël, les gâteaux plus petits, cette année, les tourtes à la viande moins nombreuses. Otto évite tout le monde en ne quittant pas le jardin, où il foule sans but le sol gelé.

« Tu vas abîmer les bulbes, Toot ! » le met en garde Cornelia.

Il l'ignore. Nella sent le potage de pieds de cochons qui mijote et entend casserole et écumoire s'entrechoquer au rythme de la tristesse de Cornelia.

Johannes sort les deux soirs. Personne ne lui demande où il va, de crainte d'entendre la réponse. Le second soir, seule dans sa chambre, Nella s'arrête devant son cabinet et lève la poupée Agnes à la lumière déclinante. Quelque part dans la maison, quelqu'un vomit dans un bol en métal, et elle perçoit des chuchotements, puis les effluves rafraîchissants du thé à la menthe pour calmer un estomac malade. Elle aimerait, elle aussi, se purger des inquiétudes qui se sont logées en elle. Elle espère que Johannes est à l'entrepôt, qu'il travaille à vendre le sucre. Agnes était tellement agitée, à la Vieille Église, que Nella a du mal à croire que cette affaire ait été la seule cause de sa colère.

Alors qu'elle examine la miniature, Nella sent un frisson remonter dans son dos, et elle a la chair de poule : le sommet du cône de sucre que tient Agnes a viré au noir. Nella pousse un cri et gratte les spores pour les faire disparaître, mais elles gagnent le reste du pain de sucre comme de la suie. Elle tente alors de décoller le pain — je vais l'enterrer dans le jardin, décide-t-elle, pour lui retirer son pouvoir. Quand il se casse, il entraîne avec lui la petite main d'Agnes.

Nella jette la poupée brisée par terre sans lâcher le pain de sucre abîmé et la main qui le tenait. « Je suis désolée ! » murmure-t-elle sans bien savoir à qui elle s'adresse — à la poupée, à Agnes, à la miniaturiste ? La cassure de la petite main d'Agnes semble irréversible, et c'est entièrement sa faute.

Nella pense que le mauvais temps a pu causer les spores, mais le cabinet est au premier étage, où l'humidité n'est pas très forte. Cela peut aussi être la fumée de la cheminée, bien que le contenu du cabinet en soit éloigné. Toutes ces possibilités ne sont pas logiques. Comme la marque de Rezeki, cette tache noire a-t-elle toujours été là, presque invisible, ou est-elle inexplicablement apparue en réponse à la panique qu'Agnes a déclenchée en Nella ? Non, non, ne sois pas ridicule ! s'ordonne-t-elle. C'était une mise en garde de plus que tu as ratée. Elle inspecte son cabinet, l'étalage de pâtisseries, le berceau, les tableaux, les couverts et les livres, regrettant de ne pas avoir prêté davantage d'attention aux poupées et aux chiens à leur arrivée. Y a-t-il d'autres petites bombes qu'elle ne voit pas et qui sont prêtes à exploser ?

Marin dit haïr les poupées, car elles représentent l'idolâtrie, mais ce pain de sucre noirci, cette marque rouge sur Rezeki, ces extraordinaires créations artisanales sont plus que de l'idolâtrie. Elles sont des intrusions que Nella ne peut toujours pas définir. L'histoire illustrée là ressemble à celle de Nella, mais Nella n'y a pas son mot à dire. Elle tisse ma vie, songe-t-elle, et je ne peux pas voir les conséquences.

Nella ouvre une fois de plus la *Liste de Smit*. Les maximes de la miniaturiste en tombent comme des confettis. Elle trouve la réclame : *Formation auprès du grand horloger de Bruges Lucas Windelbreke. Tout, et pourtant rien.* Chaque fois que je me rends devant sa maison, chaque fois que je frappe bêtement à sa porte, je n'arrive à rien. Il faut trouver une approche différente. Nella se demande pourquoi elle n'y a pas pensé plus tôt. Il n'y aura plus de longues lettres, plus de ripostes humoristiques, plus de course dans le froid pour se retrouver désemparée au milieu de la Kalverstraat.

Elle bondit vers son bureau en acajou en se souvenant de son attente sur le perron de Johannes, le premier jour, des gens qui passaient sur le Herengracht, de l'enfant aveugle avec le hareng, des femmes qui riaient. La miniaturiste me connaissait-elle même à l'époque ? Savait-elle à quel point j'aspirais à avoir une chambre, un bureau, un bout de papier pour embellir ma triste arrivée ?

Elle sort une feuille, plonge la plume dans l'encre et commence une lettre.

Cher Seigneur Windelbreke,

Je vous écris pour me renseigner sur une de vos anciennes apprenties.

Tout ce que je sais d'elle, c'est qu'elle est grande et qu'elle a des cheveux blond clair. Elle me regarde fixement comme si elle pouvait lire dans mon âme. Elle s'est insinuée dans ma vie, Seigneur, et les miniatures qu'elle m'envoie deviennent de plus en plus déconcertantes. Comment se fait-il qu'elle ne veuille pas me répondre directement et qu'elle choisisse pourtant de me consacrer son ouvrage ?

Dites-moi comment elle est venue à vous et pourquoi elle est partie. Quelles forces la poussent à reproduire ma vie en miniatures que je ne lui ai pas demandées, ravissantes et porteuses de messages mystérieux ? Je l'appelais "professeur" et maintenant — Dieu me pardonne — "prophète", mais si elle était un démon indiscret et que vous avez dû renvoyer, vous devez m'écrire à cette adresse.

J'attends avec une impatience douloureuse votre réponse.

Petronella

On frappe à la porte. Nella cache la lettre sous un livre, va fermer les rideaux du cabinet et rassemble les maximes de la miniaturiste qui se sont dispersées par terre. « Entrez ! »

Elle n'en revient pas : c'est Johannes.

« L'avez-vous trouvé ? » demande-t-elle en serrant sa robe de chambre autour de son corps, incapable de prononcer à haute voix le nom de Jack.

Car c'est en sa compagnie que Johannes devait

297

être, ces deux soirs, même si personne n'ose le dire.

« Hélas, non ! répond-il en se tordant les mains comme un voleur maladroit, comme si Jack lui avait glissé entre les doigts.

— Vous avez l'air d'un enfant, Johannes, qui prétend ne pas avoir volé un *puffert* ! »

Il hausse les sourcils, et bien que Nella soit surprise de son audace, elle trouve de plus en plus difficile de dissimuler ses sentiments en présence de Johannes.

Il ne tente pas de nier l'accusation, mais veut l'amadouer. « Petronella, je sais que vous n'êtes pas une enfant. »

Sa gentillesse la fait presque plus souffrir que sa cruauté.

« Il y a tant de choses que je n'arrive pas à comprendre, Johannes ! avoue-t-elle en s'asseyant sur son lit. Parfois, dans cette maison, je vois des filets de lumière, comme si on me donnait quelque chose. D'autres jours, l'ignorance me plonge dans l'obscurité la plus totale.

— Dans ce cas, nous sommes tous des enfants. Je ne pensais pas ce que j'ai dit, quand Marin... elle me rend...

— Marin veut juste que vous soyez en sécurité, Johannes... comme moi.

— Je suis en sécurité ! »

Nella ferme les yeux, en proie à un profond malaise. Comme cela a dû être dur pour Marin, toutes ces années, de prendre soin de quelqu'un qui pense que, par la force de sa volonté, il pourra tenir à l'écart tous les ennuis de l'existence ! Il est citoyen d'Amsterdam, se dit Nella. Il ne peut sûrement pas croire pouvoir survivre seul !

« Ce n'est sans doute pas le mariage que vous imaginiez », admet-il.

Elle le regarde. Des images de quiétude — fêtes, bébés joufflus qui couinent de rire — fusent dans sa tête avant qu'elle ne voie plus que du noir. Tout ce qui appartient à une autre Nella, qui n'existera jamais. « Peut-être ai-je été folle d'imaginer quoi que ce soit.

— Non. Car peut-il en être autrement ? »

Johannes reste planté là, apparemment peu disposé à partir.

Nella repense à la dernière livraison de la miniaturiste, aux pains et aux gâteaux minuscules dans un petit panier qu'elle a cachés derrière les rideaux moutarde. « Johannes, avez-vous réussi à vendre un peu du sucre d'Agnes, à Venise ?

— C'est une vraie montagne, Nella, soupire-t-il en s'asseyant au pied du lit. Au sens littéral comme métaphorique. Convaincre des acheteurs, à cette époque de l'année, ne sera pas facile.

— Mais en avez-vous convaincu au moins un ?

— Deux : un cardinal et un des courtisans du pape. On dirait que les gens ont moins d'argent à dépenser, ces temps-ci, ajoute-t-il avec un sourire triste.

— Il faudra trouver une solution pour le reste. Marin vous tourmenterait plus encore si elle savait que vous n'avez trouvé que deux acheteurs. Vous devez vous réjouir que je sois la seule à le savoir.

— Je ne m'attendais pas à ce que vous deveniez la femme que vous êtes, sourit Johannes.

— Moi non plus. »

Sa principale obsession est une Norvégienne qui lui échappe, qui modèle sa vie à travers des miniatures. Vient ensuite la volonté d'empêcher que la richesse de Johannes pourrisse près de la mer. Ce n'était pas le tableau que lui avait dépeint sa maman, à Assendelft.

« C'était un compliment, précise Johannes. Vous êtes extraordinaire. En janvier, dit-il après avoir marqué une pause, l'air gêné, je vais repartir, et je leur ferai gagner de l'argent. Mes stocks se vendent toujours bien. »

Il ouvre grand les bras, comme si la taille et les ornements de sa maison du Herengracht étaient une preuve suffisante.

« Est-ce que vous le promettez, Johannes ?

— Je le promets.

— J'ai cru une fois en vos vœux. Je prie pour que, cette fois, vous teniez parole. »

Contre le mur, l'horloge à pendule marque le temps de son battement de velours.

« Tenez ! dit Nella en se levant du lit pour écarter les rideaux de son cabinet. Je veux vous donner ça. »

Elle dépose la reproduction de Rezeki dans la main de Johannes.

Il la regarde de ses yeux fatigués, qu'il plisse, incertain de ce qu'il voit. « Rezeki ?

— Veillez bien sur elle. »

Johannes reste le regard figé sur la petite réplique. Puis il la lève, caresse la fourrure grise et soyeuse, touche les yeux à l'éclat vif, les pattes fines. « Je n'ai jamais rien vu de tel... dans aucun de mes voyages ! »

Nella constate qu'il ne dit rien sur la marque rouge. S'il choisit de ne pas la voir, se dit-elle, tant mieux ! « C'est votre cadeau de Noël. Évitez seulement de le dire aux bourgmestres ! »

Johannes la regarde, trop ému pour parler, serrant son cadeau comme un talisman réconfortant. Nella ferme la porte derrière lui et écoute son pas tranquille gagner sa chambre. Elle se sent étrangement en paix.

À l'aube le lendemain, Cornelia la réveille brutalement. Le ciel est lacéré de raies orange et bleu foncé — il ne peut pas être plus de cinq heures. Avec un frisson, Nella sort de ses rêves de linges tachés de sang et de pièces qui rétrécissent, et prend vite conscience de l'air froid du matin. « Qu'est-ce qui se passe ?

— Réveillez-vous, Madame, *réveillez-vous* !

— Je suis réveillée. Qu'est-ce qui ne va pas ? demande-t-elle en scrutant les traits tirés de Cornelia tandis que la peur s'insinue en elle. Qu'est-il arrivé à Johannes ? »

Les mains de Cornelia retombent du corps de Nella comme deux feuilles mortes. « Ce n'est pas le Seigneur, c'est Otto ! murmure la servante, des sanglots dans la voix. Otto est parti. »

Âmes et escarcelles

Cornelia danse autour de Johannes, jouant le rôle de deux serviteurs à elle seule. Elle l'aide à mettre ses bottes, glisse dans ses poches des biscuits, une pomme, le nourrissant pour se protéger contre ses propres peurs.

Johannes enfile sa veste. « Où est mon manteau en brocart ?

— C'est bien le moment de poser une telle question ! grommelle Marin, grise d'épuisement.

— Je ne l'ai pas trouvé, Seigneur, s'excuse Cornelia.

— Je vais aux docks. Pourquoi s'est-il enfui comme ça ?

— Allez aussi vérifier l'état du sucre, lui rappelle Nella en le poussant dehors.

— Toot est prioritaire ! s'insurge Johannes en la regardant, incrédule. On ne doit pas le perdre. »

Nella ne peut pourtant s'empêcher de penser au petit pain de sucre noirci dans sa chambre. *C'est un signe, j'en suis certaine ! La miniaturiste tente de nous mettre en garde, comme elle nous a mis en garde à propos de Rezeki. Il y a sûrement quelque chose à faire avant que le sucre ne soit perdu, non ?* Johannes est parti, et une épouse ne peut se présenter dans l'entrepôt de son mari sans être annoncée.

Aucun signe de lutte dans le lit d'Otto, pas de meuble brisé, pas de porte forcée. Un sac de vêtements a disparu.

« Il a pris le manteau en brocart du Seigneur, j'en suis sûre, dit Cornelia.

— Il le vendra peut-être, suggère Nella.

— Je crois plutôt qu'il va le porter. Pourquoi est-il parti ? »

Nella est soudain surprise de ne pas avoir eu l'idée de demander à Cornelia pourquoi elle était allée dans la chambre d'Otto à cinq heures du matin, mais Cornelia a l'air à la dérive, ces deux derniers jours, sans gouvernail, et l'interroger ferait peut-être plus de mal que de bien.

« Cornelia, appelle Marin, viens ici ! »

Au salon, couverte de trois vestes, d'un châle et de deux paires de bas de laine, elle tente maladroitement d'allumer un feu de tourbe dans la cheminée. Quand elle se redresse, elle est si massive, tellement plus grande que Nella et Cornelia. « Je ne réussis pas à enflammer la tourbe », dit-elle. Ses mots glissent comme du beurre sur une poêle.

« C'est le travail de Toot, Madame. »

Ce n'est pas la puanteur de la tourbe qui étrangle Cornelia, qui lui fait monter les larmes aux yeux. « Je ne suis pas très habile à ça ! s'excuse la servante en s'agenouillant devant le foyer, son corps affaissé reflétant son âme attristée. J'ai interrogé tout le monde le long du canal, renifle-t-elle. Aucun Africain n'a été emmené au Rasphuis ou dans la prison du Stadhuis.

— *Cornelia !* » proteste Marin en s'asseyant dans

le fauteuil où Johannes s'était effondré en apprenant la mort de Rezeki.

Les yeux rouges, gênée par ses couches de vêtements, Marin ne tient pas en place. Elle mord dans une tranche de tarte aux pommes vieille de plusieurs jours que Cornelia lui a apportée, puis la repose.

Nella adresse une prière à la miniaturiste, où qu'elle soit à cet instant : *Madame, donnez à mon mari une paire d'ailes ! Faites-le voler jusqu'aux navires en partance. Gardez ce cher Otto sur cette terre !*

Marin, qui se frotte les tempes comme si elle tentait de figer ce qui s'agite dans son crâne, interrompt les pensées de Nella. « Il réussira à s'enfuir. Il va aller à Londres. Sur les rives de la Tamise, il y a un espoir pour qu'il se fonde dans le décor.

— Vous en semblez bien certaine, remarque Nella.

— Je lui ai dit qu'il ne lui arriverait rien, gémit Cornelia. Pourquoi est-ce qu'il ne m'a pas écoutée ?

— Parce qu'il avait peur », dit Marin dont la respiration devient plus embarrassée encore.

Elle reprend sa part de tarte et continue, d'une voix sourde, l'air de vouloir se convaincre. « Il vaut mieux qu'il ne soit plus là. En s'éloignant, il nous protège. Qu'arriverait-il à un homme tel qu'Otto si les bourgmestres mettaient la main sur lui ?

— Marin, intervient Nella, saviez-vous qu'il allait partir ? »

Marin regarde Nella, qui lit une certaine surprise dans ses yeux. Puis elle entreprend de lisser sa jupe. « C'est un homme plein de bon sens.

— C'est vous qui lui avez dit de partir ! s'indigne

Nella, rendue furieuse par les réponses obliques derrière lesquelles Marin se cache.

— C'était le moindre de deux maux. Je l'ai peut-être suggéré, mais je n'ai forcé personne.

— Vous savez comment sont interprétées vos suggestions.

— Vous l'avez fait partir, Madame ? s'insurge Cornelia, horrifiée. Vous avez pourtant dit que Jack ne le dénoncerait pas.

— Jack ne se lasse jamais de nous surprendre. C'est un opportuniste. S'il prenait le risque de nous attaquer, Otto n'aurait pas droit à un procès, il n'aurait aucune chance de survivre.

— Vous prenez plaisir à tirer les ficelles, Marin. Procès ou non, Otto pourrait mourir, hors d'ici.

— C'est le serviteur du Seigneur, fait remarquer Cornelia en se redressant.

— N'est-il pas aussi le mien ? » rétorque Marin en lançant sa tranche de tarte sur Cornelia.

La servante bondit et l'évite de justesse. La tarte explose sur la fresque bucolique, les raisins secs s'éparpillant comme de la grenaille sur les moutons en train de paître.

« Est-ce que je ne prends pas son intérêt à cœur ? proteste Marin. Johannes se moque de ce qui peut lui arriver.

— Il est parti le chercher !

— Johannes n'aime que lui, persifle Marin, et c'est pour ça que nous en sommes là. »

Les raisins secs glissent vers le sol, comme s'ils étaient des crottes des moutons. Marin sort lentement de la pièce, alourdie par ses vêtements.

❧·❧

Noël, piètre écho de ses promesses d'autrefois, passe péniblement sans trace d'Otto. Les donations d'aliments sont envoyées aux orphelinats et Johannes enterre Rezeki dans le jardin gelé où hibernent les plantes.

«Jamais je n'ai vu le Seigneur dans cet état! gémit Cornelia, le visage rendu livide par l'inquiétude. Il a même lu un passage de la Bible, mais on avait l'impression qu'il n'était pas *là*. »

Johannes s'étiole, se renferme sur lui-même et sort chaque jour sous prétexte de s'informer sur son majordome disparu et de travailler à la vente du sucre des Meermans. Nella envisage parfois de révéler à Marin qu'il est encore dans l'entrepôt et que Frans est furieux, mais que pourrait-elle y faire ? Et l'humeur de Marin est si imprévisible…

Les spores sur le cône miniature obsèdent Nella, qui vérifie chaque jour si elles se sont étendues. Le cône reste cependant figé dans le temps, et Nella, désormais convaincue du pouvoir prophétique de la miniaturiste, s'accroche à cet indice. Je lutterai pour émerger, songe-t-elle — bien que Nella n'ait aucune idée de ce à quoi cela va la mener. Une impasse, suppose-t-elle, le fond d'un sac, une existence muette et précaire.

Elle ne parvient à se représenter Otto nulle part, et son absence pose une question à laquelle aucun d'entre eux ne peut répondre. Sa poupée ne révèle rien, et Nella se contente des spéculations des autres quant au lieu où il pourrait se trouver. Marin s'en tient à Londres, Johannes penche pour Constantinople, mais Cornelia pense qu'il est encore tout près. Il lui est trop pénible d'accepter qu'Otto parte volontairement au loin.

« Il vaut mieux qu'il soit dans une ville portuaire, raisonne Nella. À Assendelft, les gens lui claqueraient la porte au nez.

— Quoi ? Dans ce froid ! s'insurge Cornelia.

— Je le crois, confirme Marin.

— Quant à *moi*, insiste Nella en regardant sa belle-sœur qui détourne les yeux, je ne peux pas croire qu'il soit parti de son propre gré. Ça ne lui ressemble pas.

— Vous êtes là depuis huit semaines, Petronella, soupire Marin. Une vie entière ne suffit pas pour savoir comment une personne va se comporter. »

Cornelia néglige de plus en plus vinaigre et jus de citron, elle oublie de nettoyer, de balayer et d'astiquer, de faire la lessive, de brosser et de battre les tapis. Nella envoie sa lettre à Lucas Windelbreke et attend une réponse. Le temps hivernal risque de ralentir le messager, elle le sait, mais il semble que ce soit là sa seule solution.

Elle décide qu'elle doit demander à Marin si Johannes lui a parlé du sucre qui n'est pas encore sorti de l'entrepôt. Elle la trouve qui fait les cent pas dans le hall, le regard dans le vide quand elle passe devant le salon où elle s'est disputée avec son frère. Le bol de noix caramélisées est sorti de sa chambre, et les cerneaux luisent comme des scarabées sur une petite table. Nella est surprise de les découvrir. Ça ne ressemble pas à Marin de manger des sucreries au vu et au su de tous, pense-t-elle, mais je suppose que si je m'étais battue de cette manière avec Carel, je mangerais mon poids en pâte d'amandes. « Marin, je dois vous demander quelque chose. »

Sa belle-sœur grimace et serre son châle autour de ses épaules.

« Qu'y a-t-il ? s'inquiète Nella.

— Les noix. J'en ai trop mangé. »

Elle retourne dans sa chambre. L'occasion est passée.

Cornelia et Nella passent des heures dans la cuisine, où il fait le plus chaud. Tard un après-midi, alors que Marin dort et que Johannes est sorti, on frappe lourdement à la porte.

« Et si c'était la milice qui vient pour Toot ? chuchote Cornelia. Dieu nous aide !

— Ils ne le trouveront pas ici, de toute façon », fait remarquer Nella, qui jamais n'avouerait à Marin que ça la rassure, parce qu'elle imagine Jack au milieu d'un gang de la milice et pointant sur lui un doigt accusateur.

Les coups rapides ne cessent pas.

« J'y vais », dit Nella.

Elle veut donner l'impression qu'elle se contrôle, dans cette maison sens dessus dessous, où c'est la maîtresse des lieux qui accueille les invités.

De l'autre côté de la fenêtre, un visage long et charnu coiffé d'un chapeau à large bord occupe tout son champ de vision. Nella ouvre la porte, son soulagement que ce ne soit pas la milice un peu terni par le fait que Frans Meermans, son couvre-chef à peine retiré, entre tout droit dans le hall.

Le froid de décembre s'engouffre avec lui et il s'incline en tripotant le bord du chapeau. « Madame Brandt, je voudrais voir votre mari.

— Il doit être à la Bourse », déclare Marin.

Nella sursaute et se retourne. Marin descend l'escalier, comme si elle savait qui allait venir. L'air se charge d'électricité et Nella attend que l'un ou l'autre trahisse son affection par un signe. Ce n'est pas le cas — bien sûr ! Marin est rompue à l'art de garder une apparence calme.

« Je suis allé à la Bourse, et à la VOC. Dans plusieurs tavernes, aussi, et j'ai été surpris de ne le trouver nulle part.

— Je ne suis pas le chaperon de mon frère, Seigneur.

— Et c'est bien dommage.

— Désirez-vous un verre de vin, pendant que vous l'attendez ? propose Nella en voyant que Marin refuse de sortir de l'ombre.

— Vous avez dit à mon épouse, à la Vieille Église, que votre mari était parti à Venise vendre notre sucre.

— Oui, Seigneur, répond Nella en sentant le regard scrutateur de Marin dans son dos. Il est de retour.

— Je le sais, Madame. On observe chaque geste d'un homme tel que lui. Brandt est revenu de chez les papistes vénitiens. Noël est passé et la Nouvelle Année approche. C'est la raison pour laquelle je me demande : où est mon profit ?

— Je suis sûre qu'il arrive...

— Comme il ne m'a pas écrit, je me suis rendu à l'entrepôt, hier soir, pour savoir comment s'était déroulé son voyage à Venise et, cette fois, j'ai emmené Agnes. Comme je le regrette ! lance-t-il, furieux, en se tournant vers Marin. Il n'en a pas sorti le moindre grain, Madame. Pas un seul cristal de mon sucre ! Vous êtes pires qu'inutiles — toute notre fortune, tout notre avenir qui moisit dans le noir ! Je l'ai touché — une partie s'est transformée en *pâte*. »

Visiblement choquée, Marin est incapable de faire face à la situation et de la tourner à son avantage. Nella se sent coupable que Marin doive se débattre contre la fureur de Meermans.

« Frans, bafouille-t-elle, c'est impossible…

— Ça, ce serait une raison suffisante pour causer la ruine de Johannes Brandt, et Dieu sait que j'avais déjà bien des raisons de la souhaiter, mais, en sortant de l'entrepôt, nous avons vu quelque chose de pire, de bien pire !

— Il est en train de le vendre, Frans, murmure Marin en faisant un pas hors de l'ombre. Je vous assure !

— Savez-vous ce que nous avons vu, Madame, pressé contre le mur ? »

Cornelia monte précipitamment de la cuisine. Nella a l'impression que son cœur grimpe dans sa poitrine. Elle aimerait saisir la main de Cornelia et encercler cet homme pour le tenir en place, sous contrôle, comme elle aimerait le faire pour son cœur. J'aurais dû prévenir Marin ! se dit-elle tandis que l'air vibre de la fureur de Meermans. Marin avait bien des soupçons, mais si je lui avais confirmé que le sucre était encore là et que Frans était déjà allé vérifier, peut-être aurait-elle pu arrêter ça.

Sur l'escalier, Marin recule au fur et à mesure que Meermans avance, vision bien éloignée de celle d'un couple tendrement épris. Alors qu'il la toise, deux images de leur ancienne histoire surgissent dans l'esprit de Nella : le cadeau d'un cochon de lait et le si beau billet d'amour caché dans un livre. *Pourvu que Frans soit bon avec elle !*

« Je l'ai vu ! gronde Meermans d'une voix grave,

intense, paralysante. Je l'ai vu possédé par le Diable !

— De quoi parlez-vous donc ? s'inquiète Marin.

— Je suppose que vous avez toujours su, crache-t-il, comment il passe son temps contre les murs de l'entrepôt — et c'est une image qu'on ne peut oublier.

— *Non !* s'écrie Marin.

— Si ! insiste Meermans en se tournant vers Nella, incapable de détacher les yeux de son visage triomphant. Il faudra que le monde sache, Madame, comment votre répugnant mari prend son plaisir... avec un garçon. »

Nella ferme les yeux comme pour empêcher les paroles de Meermans d'entrer en elle, mais c'est trop tard. Quand elle les rouvre, Meermans la fixe toujours avec une expression de satisfaction grotesque. Oh, ce n'est pas vous qui me l'apprenez ! Nella détourne les yeux, incapable de soutenir son regard. Mon mari m'a au moins accordé ça. Aucune des femmes ne semble en mesure de parler et leur silence irrite Meermans.

« Johannes Brandt est un dégénéré, un ver dans le fruit qu'est cette ville, et je ferai mon devoir de citoyen craignant Dieu.

— Ce doit être une erreur, murmure Marin.

— Il n'y a pas d'erreur ! Qui plus est, le garçon assure que Johannes l'a agressé.

— *Quoi ?* s'insurge Nella.

— Vous êtes son *ami* ! réussit à articuler Marin en lâchant la rampe. Ne faites pas s'abattre sur lui le châtiment, alors que vous savez comment ça se terminera.

— Mon amitié pour cet homme est morte il y a des années.

— Dans ce cas, pourquoi vous êtes-vous adressé à lui ? De tous les marchands, pourquoi avez-vous choisi mon frère ?

— C'est Agnes qui a insisté, répond-il en enfonçant brusquement son chapeau sur sa tête.

— Mais vous avez accepté, Frans. Pourquoi donc s'il ne reste pas quelque affection entre vous ? »

Meermans lève la main comme pour l'interrompre. « Notre sucre est aussi pourri que son âme. Quand j'ai vu quel blasphème il commettait, c'était comme si Belzébuth en personne descendait des cieux.

— Belzébuth descendra sur nous tous, Frans, si vous persistez dans cette voie. Vous parlez de faire votre devoir pour l'amour de Dieu, mais je crois que c'est plutôt pour l'amour de vos florins. Argent, richesse — vous n'étiez pas ainsi... »

C'était forcément Jack, contre le mur de l'entrepôt, raisonne Nella. Elle voudrait presque que ce soit lui — elle a besoin d'un semblant de permanence dans les ombres mouvantes de ce désastre. Elle se demande si Johannes est toujours à l'entrepôt, ignorant qu'il a été découvert. Il faut qu'il sache ! Il faut qu'il s'en aille ! « Avez-vous parlé à mon mari ?

— Certainement pas ! lui répond Meermans avec cynisme. Agnes était... Il était impératif que nous quittions ce spectacle en toute hâte. Elle ne s'en est pas encore remise.

— Ne cherchez pas à triompher ainsi, Frans, supplie Marin. Vous allez tous nous ruiner. On va trouver un arrangement...

— Un *arrangement* ? Comment osez-vous me

parler d'un arrangement, Madame ? Johannes a déjà suffisamment arrangé ma vie comme ça.

— Frans, nous allons vendre votre sucre et tout sera réglé…

— Non, Marin ! lance-t-il en ouvrant la porte. Je suis un homme différent, désormais, et je n'arrêterai pas la marée. »

Évasion

Tandis que Frans Meermans ressort en coup de vent dans le froid, les jambes de Marin cèdent. C'est un spectacle très troublant, comme l'effondrement d'un arbre particulièrement beau. Cornelia se précipite vers elle pour tenter de la relever.

« Je n'arrive pas à le croire, dit Marin en regardant Nella. Ça ne peut pas être vrai ! Comment a-t-il pu être idiot à ce point ?

— Au lit, Madame ! »

Cornelia fait un effort désespéré pour soutenir Marin. Elle ploie sous le poids de sa maîtresse, qui l'écarte et s'assied sur les marches.

« Frans va alerter les bourgmestres », affirme Marin.

Ses mots heurtent l'atmosphère fragile laissée par Meermans. La voir ainsi, les yeux morts, avachie, la voix atone, donne froid dans le dos. « Il n'est pas venu ici pour nous offrir sa clémence, mais pour fanfaronner, murmure-t-elle.

— Nous devons donc profiter de sa vanité, décide Nella. Johannes ne sait pas qu'on l'a vu. Il n'a que quelques heures pour s'échapper.

— Le Seigneur aussi ? s'affole Cornelia. Mais on ne peut pas rester ici toutes les trois toutes seules !

— Vous avez une meilleure idée ? » s'irrite Nella.

Le hall tombe dans le silence. Agacée par sa propre mauvaise humeur, Nella tripote les oreilles soyeuses de Dhana en pensant au pain de sucre d'Agnes qui noircit à l'étage et en se demandant où est Johannes. C'est le sucre qui a mis Meermans dans un tel état de rage, plus que de voir Johannes s'adonner à des plaisirs défendus, raisonne-t-elle. Des florins pourraient peut-être atténuer sa fureur contre les Brandt. « Je ne sais pas comment, mais il faut qu'on vende ce sucre, déclare-t-elle. Il ne peut pas être entièrement pourri.

— Comment en êtes-vous si sûre ? s'étonne Marin.

— Meermans attend un paiement. Il pourrait se taire si on vendait son stock.

— Rien ne le fera taire. Croyez-moi. Et que proposez-vous ? Connaissez-vous tous les acheteurs d'Europe et d'Orient, Petronella ? Les cuisiniers de Londres, les pâtissiers de Milan, les duchesses, les marquises, les sultans ? Parlez-vous cinq langues ?

— Je cherche la lumière, Marin, au milieu de toute cette boue. »

❧

Une heure plus tard, Nella se plante devant son cabinet et scrute les pièces pour y trouver un indice, un signe lui montrant que faire. L'horloge à pendule doré est un rappel aussi horrible que régulier du fait que son mari n'est toujours pas rentré et que les minutes passent. Comme il est curieux, songe-t-elle, que certaines heures donnent l'impression de durer des jours, tandis que d'autres filent si vite ! Il fait un froid mordant, de l'autre côté de la fenêtre, et elle sent ses orteils s'engourdir en imaginant sa chair rendue inerte comme celle de l'homme retrouvé sans tête sous la glace. Du moins sa respiration se voit-elle à la buée qui s'échappe de sa bouche. Je suis encore en vie !

La lune laisse filtrer entre les rideaux une lueur extraordinaire, qui souligne chaque courbe d'étain de son cabinet, les transformant en traits de mercure parcourant le bois. Dans les neuf pièces embrasées, les visages des personnages rayonnent, la coupe de fiançailles est un pâle dé à coudre, la dentelle du berceau un réseau étincelant. Elle a posé la main arrachée d'Agnes sur un fauteuil, sorte de breloque argentée, et le pain de sucre est toujours blanc comme un os, sauf à sa pointe. Nella le prend pour vérifier s'il a foncé davantage. Elle ne saurait le dire. Les spores noires sont bien visibles et, dans sa paume, l'objet a l'air contaminé par un parasite.

Je ne suis pas l'artisan du destin, moins encore son architecte, soupire-t-elle. Les maximes elliptiques de la miniaturiste et ses superbes objets restent enfermés dans leur propre monde, et on peut les toucher mais ils restent insaisissables. Ce soir, on dirait qu'ils la défient. Moins Nella comprend les raisons des agissements de la miniaturiste, plus elle lui semble puissante. Elle prie pour que Lucas Windelbreke ait reçu sa lettre et qu'il soit en mesure de l'éclairer suffisamment, qu'il lui donne la clé lui permettant d'élucider ce mystère.

Nella sort du cabinet la poupée représentant son mari et la soupèse. La miniaturiste a-t-elle aussi pressenti que Johannes serait découvert sur les docks par son ennemi ? Son dos est toujours incliné de côté, alourdi par son escarcelle pleine de pièces. On ne dirait pas qu'elle s'est allégée et Nella tente d'y trouver un encouragement, sans vraiment se croire capable d'en décrypter la signification.

Elle entend qu'on claque la porte d'entrée, puis elle reconnaît le déclic particulier de la porte du bureau, quand Johannes l'ouvre. Elle repose la poupée dans le cabinet, court dans l'escalier et fait irruption dans le bureau sans frapper. «Johannes, où étiez-vous ? demande-t-elle en enfonçant les pieds dans l'épais velours de son tapis, qui retient encore l'odeur de Rezeki.

— Nella ? »

Il a l'air fatigué, vieux — et elle se sent plus vieille, elle aussi. Elle conclut qu'il ne sait pas qu'on l'a vu. Il est évident qu'il n'en a aucune idée. Elle se précipite sur lui et le saisit par les manches. «Vous devez partir, Johannes. Vous devez vous enfuir !

— Quoi ?

— Avant, vous devez savoir une chose : je crois que vous avez fait de votre mieux pour moi — le cabinet, la fête des argentiers, les fleurs, les robes, des conversations comme je n'en avais jamais eu... Je veux que vous le sachiez avant de partir.

— Asseyez-vous et calmez-vous. Vous n'avez pas l'air bien.

— Johannes, non ! »

Nella s'interrompt et regarde autour d'elle les cartes, les papiers, l'encrier en or — tout sauf ses yeux gris attentifs et inquiets. «Agnes et Frans... Ils vous ont vu, Johannes, à l'entrepôt... avec un jeune homme. »

Johannes baisse la tête et s'appuie à son tabouret. On dirait que les rouages en lui se sont cassés, qu'il ralentit et s'arrête.

« Les bourgmestres vont vous tuer ! insiste Nella en entendant les mots tomber de sa bouche, précipités, se mêlant les uns aux autres. Était-ce Jack ? Alors même qu'il vous a trahi en tuant Rezeki…

— Ce n'est pas Jack Philips qui m'a trahi, Nella, dit Johannes d'une voix plus dure que jamais. C'est cette ville. Ce sont les années que nous avons tous passées dans une cage invisible, dont les barreaux sont faits d'une hypocrisie meurtrière.

— Mais il…

— Le comportement de chacun est observé en permanence. Et toute cette bigoterie — les voisins qui surveillent leurs voisins, tressant des cordes pour tous nous ligoter !

— Vous avez pourtant dit un jour que cette ville n'était pas une prison, si l'on trace convenablement son chemin.

— Eh bien ! admet-il en écartant les mains, c'est une prison. Je vais partir cette nuit, avant que ma fuite devienne impossible. »

Il est brutal, il souffre, Nella ne le reconnaît pas. Elle a l'impression que ses os se cassent en elle, qu'elle va glisser sur le tapis de son mari et ne plus jamais se relever. « Où irez-vous ?

— Je suis désolé, délicieuse jeune fille, murmure-t-il avec une tendresse presque insupportable, mais il vaut mieux que je ne vous le dise pas. On vous le demandera — et ils ont des moyens d'obtenir des réponses, dit-il en fouillant dans son bureau pour lui tendre un papier. J'ai travaillé sur une liste de personnes que le sucre pourrait intéresser. Transmettez-la à Marin. Elle est experte en livres de comptes, ce qui vous évitera tout problème. Je vais vous donner le nom d'un agent en qui j'ai confiance, à la VOC.

— Il faudra partager la commission, Johannes ! Tout profit en sera diminué d'autant.

— Vous avez fait bien attention ! dit-il avec un sourire douloureux en soulevant le couvercle de son coffre pour en sortir une liasse de florins. Mais je ne vois pas comment vous pourriez le vendre sans un agent.

— Reviendrez-vous vers nous ? demande-t-elle en remarquant combien le coffre paraît vide.

— Cette ville ne ressemble à aucune autre ville au monde, Nella, soupire-t-il. Elle est brillante et boursouflée, mais jamais je ne m'y suis senti chez moi.

— Où est-ce, chez vous, Johannes ?

— Je ne sais pas, répond-il en regardant les cartes au mur. Où je me sens à l'aise. Et ça, c'est difficile à trouver. »

Cette nuit-là, Nella est la seule à voir partir Johannes, drapé dans sa cape de voyage, voûté contre le froid.

« Au revoir ! dit-il.

— Vous… me manquerez. »

Il hoche la tête et elle remarque qu'il a les larmes aux yeux. « Vous ne serez pas seule, dit-il en refoulant son émotion. Vous avez Cornelia. »

Il s'arrête et ajuste la bandoulière de son sac sur son épaule. Nella lui trouve une silhouette si vulnérable, celle d'un vieillard contraint à entreprendre une aventure qu'il ne désire pas.

« J'ai des amis dans de nombreux pays, dit-il comme s'il lisait en elle. J'irai bien. Je penserai à vous. Veillez sur Marin, Nella ! Prenez soin d'elle !

Elle en a plus besoin que vous ne le croyez. Et ne la laissez pas vous nourrir de harengs ! » conclut-il, tandis que son haleine, telle de la fumée brûlante, monte dans l'air glacé.

Elle le regarde disparaître, sa plaisanterie prenant une ampleur douloureuse qu'elle n'attendait pas. Elle se loge en elle jusqu'à ce qu'elle doute de pouvoir supporter cette camaraderie venue trop tard, la douceur de leur connivence qui s'échappe hors du temps. « Johannes, murmure-t-elle, promettez que vous reviendrez ! »

Son mari ne répond pas. Il s'est déjà engagé en silence sur le quai, habitué à disparaître, son escarcelle oscillant contre sa jambe. Je ne le reverrai jamais ! se dit Nella.

À cette pensée, la nuit lui paraît plus noire, les étoiles inamicales et le froid un couteau sur son cou, mais elle attend jusqu'à ne plus pouvoir faire la différence entre Johannes et l'obscurité qui l'emporte.

Fer à cheval

Des bruits métalliques réveillent Nella. Elle a passé la nuit dans le bureau de Johannes, et le tapis a laissé une marque sur son visage. Au début, elle croit que le bruit est produit, sur le Herengracht, par les servantes et leurs seaux dans lesquels elles trempent leur serpillière pour laver les perrons des débris du dernier jour de 1686. Pendant un moment, elle oublie tout et contemple les superbes cartes, puis la colère de Meermans et la fuite de Johannes s'imposent brutalement à sa mémoire, empêchant ses pensées de gagner une contrée plus calme. Elle lève les yeux vers le plafond, où les chandelles ont projeté des taches aussi noires que celles sur le pain de sucre miniature d'Agnes.

On crie son nom. C'est Cornelia, d'une voix sur-aiguë, hystérique — *Nel-la ! Nel-la !* Elle se frotte les yeux. Le bruit a cessé. Dans une demi-conscience, elle se hisse sur le coffre et regarde par la fenêtre. Des rubans rouges barrant leurs poitrines puissantes, des éclairs de métal, des épées et des pistolets — la milice de Saint-Georges. C'est alors qu'on commence à cogner à la porte.

Cornelia entre en courant. « C'est eux ! s'écrie-t-elle, terrifiée. Ils sont venus ! »

Nella ferme les yeux et se félicite qu'à cette heure Johannes soit sur un bateau, loin d'ici. Marin est dans le hall. Les coups continuent. Les trois femmes se concertent précipitamment, Dhana serrée entre elles.

« Est-il parti ? » demande Marin.

Nella hoche la tête et remarque la douleur qui passe sur le visage de sa belle-sœur, bien vite masquée par une expression d'indifférence plus familière.

« Je ne peux pas les affronter, dit Marin en gagnant l'escalier.

— Marin, non ! proteste Nella en retenant la chienne.

— Je perdrais mon sang-froid, surtout si Frans Meermans est parmi eux.

— Quoi ? Vous ne pouvez pas me laisser seule avec eux...

— Je vous fais confiance, Petronella. »

Marin disparaît. Cornelia ouvre la porte. Sur la plus haute marche se tiennent six officiers de la garde civile, vêtus du costume des guerriers riches, avec leur armure en argent et en étain, leurs casques, leur *donderbus* à la hanche. Nella ne dit rien, les mains serrées, son ventre qui commence à gronder. Elle note avec soulagement que Frans Meermans n'est pas dans leurs rangs.

« On est venus pour Johannes Brandt », déclare le garde le plus proche.

Il a un accent de La Haye, les syllabes prononcées en une sorte de staccato qui n'est pas d'Amsterdam.

« Il n'est pas là, Seigneur », répond Nella.

Elle sent sa mâchoire s'amollir et tente de se souvenir de l'attitude impérieuse de Marin pour pouvoir imiter sa belle-sœur partie se cacher. Je ne vais pas lui demander la raison de leur venue. Pas de main tendue, pas un pas en avant, je ne lui permettrai pas de nous humilier davantage.

Le garde civil la regarde dans les yeux. Il est grand, de l'âge de Johannes environ, chauve, mais avec une barbe grise spectaculaire travaillée en pointes à l'ancienne mode. « Où est-il donc ?

— En voyage », ment Nella dans un souffle, sa langue si grosse et sèche qu'elle doute d'être convaincante.

Elle perçoit la confiance que leur donne le groupe, tandis qu'ils baissent les yeux vers elle, avec leurs épaulettes et leurs médailles qui reluisent, leurs rubans rouges bien repassés, bannières à la fraternité menaçante. Ils gonflent vers elle leur poitrine et leur ventre rond plein des meilleurs mets.

« On sait qu'il est là, affirme un autre. Vous ne voulez pas faire de scandale sur votre perron.

— Au revoir », dit Nella en poussant la porte.

Le milicien interpose son pied. Accompagné du rire des autres, il pousse le battant et, pendant un instant, la jeune femme et le soldat grisonnant s'affrontent. Il gagne, et les six hommes entrent d'un pas martial sur les dalles de marbre. Ils retirent leur casque et regardent les tapisseries et les tableaux, l'escalier en bois poli, les appliques aux murs et les fenêtres étincelantes. Ils ont moins l'air de militaires que d'avocats faisant l'inventaire d'un mort.

« Toi ! aboie le premier garde à Cornelia. Va chercher ton maître ! »

Comme Cornelia ne bouge pas, il pose la main

323

sur la poignée de son épée. « Va le chercher, sinon on t'embarque aussi !

— On la déposera au Spinhuis pour une bonne leçon de discipline », suggère un autre en riant.

Nella regarde les six hommes et doute qu'ils aient jamais connu un seul jour de vraie bataille. Ils semblent beaucoup trop aimer leur uniforme. *Cours, Johannes. Cours, enfuis-toi très loin !*

« Je vous l'ai déjà dit, répète-t-elle : il n'est pas là. Maintenant, Seigneurs, bonne journée !

— Savez-vous pourquoi nous le cherchons ? demande le premier garde en s'approchant de Nella, alors que les cinq autres se déploient en fer à cheval autour d'elle et de Cornelia. Nous sommes sous la juridiction du *schout** Slabbaert et du bourgmestre en chef au Stadhuis, Madame Brandt. Les gardiens de la prison du Stadhuis attendent avec impatience sa visite.

— Fermez la porte ! ordonne Nella, et Cornelia s'exécute. Vous pourrez parler à mon mari quand vous le trouverez.

— L'avez-vous perdu ? ironise un des hommes.

— Je parie que je sais où il est ! » dit un autre.

Il déclenche des éclats de rire. Nella voudrait les voir tous morts.

« Un Anglais a signalé une agression sur les îles de l'Est, Madame, déclare le premier garde. La représentation diplomatique anglaise le soutient au nom de leur roi, et il y a deux témoins pour corroborer ses dires. »

Les Meermans et Jack ont dû se liguer, raisonne Nella. Ce garçon a sans aucun doute été payé pour inventer un de ses mensonges. Agnes et Frans sont des alliés plus qu'improbables de Jack Philips, mais peu importe, dès qu'il s'agit de prendre sa revanche ! Nella s'imagine en train d'arracher la tête de leurs poupées, de les démembrer tous les trois pour leur retirer tout pouvoir.

Nella sent la situation lui échapper. Elle scrute désespérément les visages dans l'espoir d'y lire un soupçon de gentillesse, ou même seulement de gêne. N'importe quelle manifestation de faiblesse lui suffirait pour les pulvériser. Un des gardes a l'air un peu plus âgé que Johannes, mais il est lui aussi bronzé et il a un visage ouvert. Quand leurs regards se croisent, il détourne les yeux, et Nella décide d'exploiter ce qu'elle espère être une trace de honte. « Quel est votre nom, Seigneur ?

— Aalbers, Madame.

— Que faites-vous ici, Seigneur Aalbers ? Vous valez mieux que ça. Allez donc attraper les meurtriers et les voleurs ! »

Ça ne fonctionne pas, et elle entend sa voix devenir désespérée et effrayée. « Mon mari a contribué à la grandeur de cette République, le niez-vous ?

— Je m'assurerai que votre mari soit bien traité.

— Vous rentrerez chez vous auprès de votre épouse et vous l'oublierez.

— Votre mari a des ennuis, Madame Brandt, intervient le premier garde en arpentant le somptueux hall de Johannes, et rien de tout cela ne le sauvera. »

Une rage brûlante s'empare de Nella, qui devient imprudente. « Comment osez-vous ? s'écrie-t-elle en s'approchant d'eux au point que leur ligne se brise comme un banc de poissons surpris. Vous, des hommes imparfaits parés des ornements d'une gloire qui n'est pas la vôtre ?

— Madame ! supplie Cornelia.

— Sortez ! Tous ! Vous vous adressez à moi dans ma propre maison comme des brutes…

— Madame, rétorque le premier garde, la sodomie est bien plus brutale. »

Le mot fait vibrer l'air. Nella se sent vidée, gelée entre ces hommes. C'est un mot qui sert d'explosif sous les immeubles d'Amsterdam, dans ses églises et ses jardins, qui déchire sa vie précieuse. Après *avarice* et *inondation*, c'est le pire mot du lexique de la ville — il signifie la mort, et ces hommes le savent. Rendus muets par l'audace de leur chef, ils ne peuvent plus regarder Nella dans les yeux.

À l'étage, ils perçoivent à peine une porte qu'on ferme, et un bruit de pas de course dehors les distrait soudain. Tous se tournent vers la porte d'entrée. Un jeune garçon — de neuf ans à peine, suppose Nella — passe la tête dans la maison, le visage rayonnant de joie, la bouche ouverte pour reprendre son souffle. « On l'a trouvé ! s'écrie-t-il.

— Mort ? demande Aalbers.

— Vivant ! sourit l'enfant. À une quinzaine de kilomètres au nord. On l'a ! »

Nella reçoit comme un coup dans le ventre, ses genoux ploient et elle glisse sur le sol dur et froid. « Non ! C'est impossible ! »

Quelqu'un la relève. C'est Aalbers, qui la repose doucement sur ses pieds. Elle vacille tandis que l'information transmise par le gamin s'impose à elle et lui coupe presque la respiration. Elle se sent si seule, parmi ces hommes qui se moquent que son mari soit ou non jugé avec équité !

« Où était-il, Christoffel ? demande le premier garde.

— Sur un bateau, près de l'île du Texel ! dit le gamin en avançant dans le hall, les yeux arrondis

326

devant la majesté des lieux. Le détachement l'a eu. Il a pleurniché comme un chaton, ajoute-t-il en miaulant.

— Pour l'amour du Christ ! marmonne Aalbers.

— Non ! murmure Nella. Vous mentez !

— Il a blagué en disant qu'il n'était jamais allé au Stadhuis. Eh ben, il va plus plaisanter, maintenant !

— Un peu de respect ! » crie Aalbers en donnant une claque au garçon derrière la tête.

Le gamin gémit de douleur.

Le premier garde s'interpose entre lui et Aalbers. « Christoffel vient de rendre un grand service à la République !

— Mon mari aussi ! Pendant vingt ans !

— Nous ne vous importunerons pas plus longtemps. »

Ils gagnent tous la porte.

« Attendez ! bredouille Nella. Qu'allez-vous… lui faire ?

— Ce n'est pas à moi d'en décider, Madame. Le *schout* examinera les preuves. Une audience sera suivie par un procès. Bref, je suppose, si ce qu'on a entendu est vrai. »

Ils sortent sur le perron, Christoffel entre eux, mascotte triomphante, et remontent le quai vers le centre de la ville. Aalbers se retourne une fois pour adresser à Nella un signe de tête sec et gêné. Les pas des miliciens sont inégaux, l'excitation provoquée par leur succès ayant fait oublier la discipline. Très vite, ils marchent normalement en plaisantant, le rire de Christoffel dominant leurs voix jusqu'à ce qu'ils disparaissent à un tournant.

Nella frissonne dans l'air bleu de ce premier jour de janvier. De chaque côté du Herengracht, quelques ombres aux fenêtres battent en retraite quand elle les regarde. Ils sont nombreux, apparemment, ceux qui ont assisté à la scène, et personne n'est venu à son aide.

❦

« Ils vont le tuer ! » gémit Cornelia, recroquevillée sur les premières marches de l'escalier.

Nella s'accroupit près d'elle et pose les mains sur ses genoux. « Chut ! Nous allons le suivre au Stadhuis, déclare-t-elle.

— Non, vous ne le ferez pas ! »

Marin est en haut des marches, enveloppée de son châle, sa silhouette déformée projetée sur le mur par la flamme des bougies.

« Quoi ?

— Nous ne ferions qu'attirer l'attention.

— Marin, il faut qu'on sache ce qu'ils vont lui faire !

— Ils vont le tuer, répète Cornelia en tremblant. Ils vont le noyer.

— Cornelia, pour l'amour de Dieu ! » proteste Marin.

Alors que Marin ferme les yeux et se frotte les tempes, Nella sent une bouffée ardente de rage la traverser face à l'inertie de sa belle-sœur, à sa réticence à prendre la situation en main et à trouver une solution. « Où est votre cœur, Marin ? Jamais je n'abandonnerais mon frère à un tel sort !

— C'est pourtant ce que vous avez fait, Petronella. Vous avez laissé les vôtres à Assendelft pour assurer votre évasion.

— Je n'appellerais pas ça une évasion.

328

— Que savez-vous de la vie ? Vous qui avez grandi dans les champs et bu le lait de vos vaches ?

— C'est injuste, Marin ! Qu'est-ce qui ne va pas, chez vous ? »

Marin descend lentement vers Nella, au bas de l'escalier, une marche après l'autre, avec une étrange précision. « Savez-vous ce que Johannes me disait ? demande-t-elle, le venin dans sa voix tranchant l'air hivernal au point que Nella en a la chair de poule. "La liberté est glorieuse. *Libère-toi*, Marin ! C'est toi qui forges les barreaux de ta cage." C'est très bien de se libérer, mais quelqu'un en paie toujours le prix.

— Vous vous apitoyez sur votre sort et vous nous empêchez de faire quoi que ce soit. Vous avez eu votre chance… »

Sans crier gare, Marin se jette sur Nella et presse ses poignets contre le mur.

« Lâchez-moi ! » s'écrie Nella, affaiblie par la fureur magnifique de Marin.

Cornelia titube en arrière, horrifiée.

« Je n'abandonne pas mon frère. C'est lui qui m'a abandonnée. J'ai gardé son secret mieux qu'il ne l'aurait jamais pu — j'ai payé ses dettes autant que j'ai payé les miennes — et je sais que vous croyez nous comprendre, mais ce n'est pas le cas.

— Si !

— Non, Petronella ! rétorque Marin en lâchant Nella, qui s'effondre contre le lambris. Non. Le nœud est trop serré pour vous. »

Corps cachés

Nella se tient sur le perron de la maison de Johannes, au soir de ce Jour de l'An passé sans cérémonie. Elle veut être transpercée par le froid, transfigurée par la lumière. Le quai est vide, la glace un ruban de soie blanche entre les maisons du Herengracht. Au-dessus, la lune, plus grande qu'elle ne l'a jamais vue, plus même que la nuit précédente, forme un stupéfiant disque de pouvoir. Elle pourrait presque l'atteindre, la toucher! Dieu a dû la pousser plus bas dans le ciel pour que sa main humaine puisse la tenir.

Elle espère que Johannes peut voir la lune à travers les barreaux de sa cellule, quelque part dans le ventre du Stadhuis. Sa tentative d'évasion va signer sa culpabilité. Où est Otto, maintenant? Et la miniaturiste — se cache-t-elle toujours? S'il n'y avait Cornelia, je crois que je m'échapperais aussi. Au fur et à mesure que la maisonnée s'étiole, ses occupants la quittant un à un, le cabinet paraît plus plein, plus vivant.

Une étrange odeur émane bientôt de la porte ouverte derrière elle et, quand Nella retourne dans la maison, elle découvre qu'elle ne provient pas de la cuisine, mais de l'étage, où elle entend quelqu'un qui inspire bruyamment par bouffées chaotiques. Elle suit l'odeur et le bruit curieux dans l'escalier et le long du couloir sombre jusqu'à une fine ligne de lumière qui entoure la porte de la chambre de Marin. Ce n'est ni de la lavande ni du santal, cette fois, mais une puanteur de légumes pourris qui donne à Nella envie de vomir.

Elle pense que Marin fait brûler un horrible encens, un morceau d'un bloc de parfum raté, mais la respiration pénible… ce sont des sanglots. Nella écoute, se penche pour regarder par le trou de la serrure — et constate qu'il a été bouché. « Marin ? » murmure-t-elle.

Pas de réponse. Juste les sanglots. Nella entrouvre la porte. L'odeur est épouvantable — un remugle de broussailles, de racines et de feuilles amères écrasées, mises à macérer pour en extraire les propriétés les plus secrètes. Marin est assise sur son lit, tenant sur les genoux un verre rempli d'une mixture si verte qu'on dirait l'eau du canal, le limon raclé au fond du Herengracht emporté dans la maison. La collection de crânes d'animaux a été balayée d'un grand geste et certains se sont fracassés en éclats inégaux d'os jaune. Une carte a été déchirée en deux et arrachée du mur.

« Marin, par tous les anges… que… ? »

Au son de la voix de Nella, Marin lève la tête, révèle son visage strié de larmes puis, soulagée, ferme les yeux. Ses mains s'amollissent et Nella lui prend le verre. C'est de lui que vient l'odeur. Elle a un haut-le-cœur. Lentement, elle passe la main sur la joue de Marin, sur son cou, vers sa poitrine, afin de calmer ce corps qui tremble, ces larmes. « Qu'est-ce qu'il y a ? On va le sauver, je vous le promets.

— Pas lui. Je ne… »

Marin est incapable de faire une phrase.

Sentant l'étrange docilité du corps de Marin sous ses doigts, Nella essaie d'oublier l'horrible odeur de la mixture dans le verre. Elle pense aux maux de Marin, aux nombreuses fois où elle s'est plainte de migraines, à son appétit récent pour le sucre, pour les tartes aux pommes et les noix confites. Il y a aussi sa fatigue, ses humeurs, ses vêtements superposés, sa manière plus lente de se mouvoir à travers la maison. Marin est une ruche qu'on ne doit pas heurter si l'on ne veut pas être piqué. Nella se remémore les robes noires doublées de fourrure, le billet d'amour entre les pages d'un livre et qui a été déchiré pour retourner au néant. *Je t'aime. Je t'aime. Je chéris tout ton être. Je t'aime.* « Qu'as-tu fait ? » a-t-elle demandé à l'air au-dessus de son bain.

Marin n'arrête pas la main de Nella. Elle reste immobile, inanimée, et Nella descend plus bas, plus lentement encore, sur les seins pleins, fermes de sa belle-sœur, puis sur son ventre, d'ordinaire profondément enfoui sous son accumulation de jupes.

Là, quand elle presse sa main, Nella pousse un cri.

Le temps se fige. Il n'y a pas de mots, juste une main sur un ventre, l'émerveillement, le silence. Le ventre caché de Marin est dur, énorme, aussi plein qu'une lune. « Marin ? » dit-elle, mais elle ne sait pas si le nom est sorti de sa gorge.

Nella cesse de retenir son souffle. Le bébé bouge dans sa demeure exiguë et, quand un petit pied donne un coup, Nella tombe à genoux. Marin est toujours silencieuse, la tête droite, le regard perdu vers l'horizon invisible face à elle, les yeux gonflés de fatigue, l'épuisement causé par son secret gardé jusque-là.

Ce n'est pas un petit bébé. C'est un bébé presque prêt à naître.

« Je ne l'aurais pas bu », dit simplement Marin.

❧❧❧

Les murs de cette chambre ne sont plus que les décors d'une scène de théâtre en train de s'effondrer et, au-delà, Nella distingue un autre paysage, si rarement entrevu, un lieu qui n'est pas peint, avec l'horizon qui s'étend dans toutes les directions, sans panneaux indicateurs, sans bornes, juste l'espace infini. Marin reste immobile.

Nella pense au petit berceau dans son cabinet et un frisson parcourt son dos. Comment la miniaturiste a-t-elle su ? Marin regarde la flamme de la bougie, l'air préoccupé. C'est une bougie à la cire d'abeille qui sent le miel. La flamme danse comme un farfadet, petit dieu de lumière qui ironise sur la paralysie des pensées de Nella. Par où commencer ? Que dire ?

« Vous ne devez prévenir personne, murmure Marin.

— Il ne doit plus y avoir de secrets, Marin. Il faudra bien que Cornelia le sache.

— Si ce n'est pas déjà le cas, soupire Marin. J'ai taché de sang de porc mes serviettes, pour qu'elle ne soupçonne rien, mais…, ajoute-t-elle avec un coup d'œil à Nella, vous connaissez les trous de serrure de cette maison.

— C'est donc ce que vous faisiez, dans la cave. J'ai cru que vous les laviez.

— Vous avez vu ce que vous vouliez voir. »

Nella repense à Marin dans la cave, ses mains rougies levées, orchestrant ses menstruations inexistantes, un seau de sang animal pour préserver les apparences, pour faire croire que son corps n'a pas changé. L'imposante courbe convexe de Marin est fascinante. Elle s'est dédoublée — deux cœurs, deux têtes, quatre bras, quatre jambes — un monstre à consigner dans un livre de bord, à noter sur une des cartes volées à Johannes. Elle l'a si bien dissimulé !

Combien de fois ont-ils profité d'être à l'abri des regards d'Agnes, de Johannes, de toute la ville ? C'est un choc — et le fait qu'il s'agisse de Marin en est un plus grand encore. Fornication, peau contre peau, jeter la Bible par la fenêtre… mais c'est ça, l'amour, songe Nella. C'est ça qu'il fait faire à ceux qui aiment.

Marin pose sa tête dans ses mains. « Frans… », murmure-t-elle, comme si ce seul nom suffisait à exprimer tout ce dont elle doit se cacher, la vérité qui pourrait ruiner sa vie.

« Il était juste en colère à propos du sucre, Marin. Il vous aime. »

Marin lève les yeux vers Nella, une expression de surprise s'épanouissant sur son visage épuisé.

« Dites-lui, pour l'enfant. Dès qu'il l'apprendra, il ne fera pas de mal à Johannes, parce qu'il sait que ça vous blessera.

— Non, Petronella, on ne vit pas dans une des fables de Cornelia. »

Elles restent assises en silence un moment. Nella se souvient de l'horrible agression de Meermans, de son regard de triomphe, quand il a annoncé ce qu'Agnes et lui avaient vu.

334

« Les gens n'ont pas besoin de *savoir*. Nous sommes expertes en dissimulation.

— Je n'en suis pas si sûre, dit Marin en se frottant les yeux. Si l'enfant survit… il sera souillé, murmure-t-elle après avoir pris une profonde inspiration.

— Souillé ?

— Par le péché de sa mère, le péché de son père…

— C'est un bébé, Marin, pas le diable ! Nous pouvons partir, reprend Nella plus gentiment. Nous pouvons aller à la campagne.

— Il n'y a rien à faire à la campagne. »

Nella soutient son regard le temps d'absorber l'insulte en se mordant la langue. « Exactement ! Pas de voisins trop curieux.

— Est-ce que vous connaissez le mot utilisé en français pour ma condition ? *Enceinte*. »

Nella est un peu irritée de cette diversion. Marin ressemble tellement à son frère, avec leurs langues étrangères qui cachent des vérités !

« Est-ce que vous savez ce que ça signifie d'autre ? »

Nella décèle une note de panique dans sa voix. « Non, je ne le sais pas.

— Des remparts. Ce qui cerne. Qui *piège*. »

Nella s'agenouille devant Marin. « À combien en êtes-vous ? » demande-t-elle pour revenir à des questions pratiques.

Marin soupire longuement et pose les bras au-dessus de son petit ballon. « Sept mois environ.

— *Sept mois ?* Je ne l'aurais pas cru. Regardez-vous ! Ma mère a été enceinte quatre fois après moi, et je le voyais, alors que je ne l'aurais pas décelé chez vous.

— Vous ne regardiez pas, Petronella. Je ne ceinturais plus mes jupes et je bandais ma poitrine. »

Nella sourit : même dans cette situation extraordinaire, alors qu'elle faisait tout pour se diminuer physiquement et cacher sa vérité aux regards, Marin s'arrangeait pour être fière.

« Maintenant, j'ai du mal à marcher, à me pencher — c'est comme plier un globe.

— Ça se verra bientôt, quel que soit le nombre de jupes et de châles que vous accumulerez.

— Ma haute taille facilite les choses. Je passerai juste pour une gloutonne, l'incarnation de mon vice. »

Nella regarde le verre et son liquide nauséabond, cette préparation qui aurait pu la tuer. *Préparation* — comme si ça pouvait être le début de quelque chose quand, en fait, c'est la fin. À Assendelft, une jeune fille était morte d'avoir bu une préparation d'hellébore et de menthe pouillot. Des amis de son frère avaient abusé d'elle et l'un d'entre eux l'avait « rendue grosse », comme on disait. Son père avait préparé la mixture, mais quelque chose avait mal tourné, parce qu'ils l'avaient enterrée le lendemain matin.

À la campagne, les gens reconnaissent le champignon vénéneux, le buisson fatal mais, à ce stade de grossesse, c'est trop tard. Après tant de mois d'efforts pour se cacher, Marin aurait péri aussi. Le sait-elle ou non ? Les deux possibilités la bouleversent.

« Où avez-vous obtenu ce poison ?

— J'ai trouvé la recette dans un livre. Les ingrédients proviennent de trois apothicaires différents. Johannes croit que je lui ai volé toutes mes graines et toutes mes feuilles, mais en fait, la moitié ont été obtenues de guérisseurs d'Amsterdam.

— Pourquoi ce soir ? Avez-vous envisagé auparavant ce que vous étiez sur le point de faire, Marin ? insiste Nella quand sa belle-sœur détourne la tête et refuse de répondre, ces préparations sont très dangereuses si on ne les prend pas suffisamment tôt. »

Marin reste silencieuse.

« Mais… vous voulez que cet enfant vive, n'est-ce pas ? »

Marin touche son ventre et ne parle toujours pas, le regard perdu dans le lointain.

Les yeux de Nella passent sur l'étagère de livres, et un titre se détache : *Les Maladies infantiles* de Stephanus Blankaart. Elle s'étonne de ne pas avoir réfléchi à sa présence, le jour où elle est venue fouiner.

Marin suit son regard. Elle a une expression effrayée sur un visage étrangement jeune.

Nella lui prend la main. Une petite pulsation passe d'une paume dans l'autre. « Je me souviens que vous avez pris ma main, le jour de mon arrivée.

— Non, ce n'est pas vrai.

— Si, Marin. Je m'en souviens très clairement.

— Vous m'avez *donné* la vôtre. Vous me l'avez offerte en cadeau. Vous étiez si… confiante !

— Non, je ne l'étais *pas*, et vous avez vraiment tendu la vôtre, comme si vous me montriez la porte pour que je ressorte de la maison. Vous avez dit que j'avais les os solides, pour mes dix-sept ans.

— Quelle remarque ridicule ! s'exclame Marin, visiblement stupéfaite de son attitude.

— Surtout que j'en avais dix-huit. »

C'est la peau de Marin qui s'est adoucie, désormais ; l'échange est achevé. Son corps flasque s'appuie contre Nella, en une sorte de trêve. Dans cette petite chambre recouverte de cartes, Nella n'arrive pas à croire ce que la soirée a apporté. Le fait est trop énorme pour qu'elle l'intègre. Son esprit papillonne alentour pour découvrir le moyen d'y entrer. Nella a tant de questions à poser qu'elle ne sait par où commencer.

Face à la situation sans précédent où elles se trouvent toutes deux, elle a une idée : cet enfant pourrait être la preuve que Johannes est bien le mari qu'il est censé être, le créateur d'une bonne famille hollandaise. En voyant le visage livide de Marin, Nella ne parvient pas à le dire — *Donnez-moi votre enfant, Marin, et protégez votre frère de son destin*. Difficiles à énoncer, ces paroles le seraient probablement plus encore à entendre. Marin a passé sa vie à se sacrifier, et une telle suggestion doit être amenée avec douceur. « Nous devons engager une sage-femme, déclare-t-elle.

— Il faut que vous alliez à l'entrepôt vérifier l'état du sucre.

— Marin ! Qu'allons-nous faire de vous ? »

Le corps de Marin s'est raidi. Nella s'émerveille de sa capacité à se diviser ainsi, à oublier l'existence de son bébé comme elle glisserait un bijou dans sa poche. Marin se lève du lit, un peu chancelante, et progresse entre les crânes dispersés. Sans ses jupes, on distingue très nettement la courbe du ventre, le gonflement des seins. Derrière la paroi du corps bien ancré de Marin, un bébé se meut, possédé et possesseur, et sa mère, qu'il n'a pas rencontrée, est un dieu pour lui. Un enfant va venir.

Bien que Nella aspire à la franchise, elle sait que ce sera le plus grand secret qu'elles auront à garder.

Le fait que Marin ait mentionné le sucre ravive sa mémoire. « Johannes m'a donné une liste de noms pour vendre le sucre, dit-elle à contrecœur parce qu'elle n'a pas envie de laisser Marin esquiver la naissance du bébé.

— Bien. »

Avant que Nella continue, elles entendent des pas qui s'éloignent dans le couloir.

« Cornelia..., dit Marin. Elle passe sa vie à écouter aux portes !

— Je vais lui parler.

— Je suppose qu'il le faut, avant qu'elle n'invente une autre fable.

— Elle n'en aura pas besoin, dit Nella en gagnant la porte. Rien n'est plus fabuleux, dans ce cas, que la vérité. »

Pas d'ancrage

Dans la chambre de Nella, Cornelia observe tout d'abord un silence buté, mais elle craque et s'effondre sur le lit comme si ses os n'étaient que cendre. « Je le savais ! » dit-elle.

Pourtant, son visage exprime une stupéfaction qui contredit ses paroles. Nella prend sa servante dans ses bras et la serre contre elle. Pauvre Cornelia ! Vous avez été trompée, on s'est livré sous vos yeux à un tour de passe-passe monumental. Jamais Marin n'avait réussi une telle supercherie — sauf que, cette fois, c'est la réalité.

« Je savais que quelque chose n'allait pas, gémit Cornelia, mais je ne voulais pas le croire. Un *bébé* ?

— Elle souillait ses serviettes de sang d'animal pour nous leurrer.

— Voilà qui est astucieux, fait remarquer Cornelia qui ne peut réprimer une certaine admiration.

— Plus astucieux que d'être célibataire et d'attendre un enfant.

— Madame ! » s'insurge Cornelia.

Nella décide qu'elle ne va pas parler à cette orpheline de la mixture de Marin — bien que je parie, songe-t-elle avec un élan de tendresse, que cette Reine des Trous de Serrure a tout entendu.

Un enfant est en route. Le secret de Marin est dévoilé, et Nella le voit désormais dans les rideaux gonflés par la brise, dans son oreiller rebondi. Son regard dépasse Cornelia pour s'arrêter au milieu de son lit. Marin a la seule chose que je n'aurai jamais. Sans qu'elle le veuille, l'image de Meermans et Marin ensemble s'impose à Nella, leurs deux corps, le membre dressé entre les jambes, vecteur de douleur, Frans qui roule les bas de Marin, qui l'ouvre, qui crie dans la chaleur de l'acte. C'est injuste ! Et c'était sans doute davantage, car il est l'homme qui pensait qu'une caresse de Marin durait des milliers d'heures, qu'elle était le soleil qui le réchauffait. Avec tant de poésie, comment cela avait-il pu être si peu de chose ?

« Qu'est-ce qu'on va faire de l'enfant ? demande Cornelia.

— Il est possible que Marin veuille le déposer dans un orphelinat privé.

— Non ! s'écrie Cornelia en se levant d'un bond. On doit le garder, Madame.

— Cornelia, ce n'est pas à vous de choisir. À moi non plus, ajoute Nella en pensant à Johannes dans sa cellule.

— Je veillerai sur ce bébé comme une lionne, déclare la servante en croisant les bras.

— Peut-être, Cornelia, mais ne rêvez pas à ce que vous ne pouvez pas avoir. »

Elle se montre trop dure, elle le sait. L'épuisement lui met les nerfs à vif. Marin aurait pu prononcer cette phrase. Cornelia s'éloigne d'elle et gagne le cabinet. La lune s'est cachée derrière des nuages, et les bougies projettent une lueur inégale sur l'écaille de tortue.

Comme pour s'occuper, Cornelia ouvre les rideaux en velours jaune et regarde à l'intérieur. Nella a trop honte pour l'arrêter.

Cornelia soulève le berceau et le fait osciller dans sa main. « Qu'il est beau ! » murmure-t-elle.

J'aurais dû remarquer, songe Nella, que, de tous les objets que Marin a voulu tenir, le berceau a été son premier choix. Quel autre indice ai-je raté ? Il y en a eu tant, et je continue à échouer !

Cornelia a sorti la poupée Marin. « C'est *elle* ! s'exclame-t-elle, incrédule, devant sa maîtresse. Comme si je la tenais dans ma paume ! »

Marin en miniature regarde les deux femmes, la bouche ferme, les yeux gris impassibles. Cornelia passe un doigt le long de la couture de la robe, sur la laine noire volumineuse et si douce que c'est un plaisir de la toucher. Elle la lève à la flamme. « Pourvu que rien de mal ne vous arrive, Madame ! » murmure-t-elle.

Elle tient la poupée à deux mains, et quand ses lèvres atteignent le ventre miniature pour y déposer un baiser, elle l'écarte et sursaute.

« Qu'est-ce qu'il y a ? demande Nella. Cornelia, qu'est-ce qui ne va pas ?

— Je sens quelque chose. »

Mal à l'aise, Nella lui prend la poupée, soulève les jupes et le jupon, pèle chaque couche jusqu'à atteindre le corps, en tissu rembourré. Quand ses doigts atteignent la découverte de Cornelia, l'excitation fébrile de Nella se transforme en une exclamation de surprise : la miniaturiste l'a de nouveau battue.

Indubitablement, il y a là le renflement d'un

enfant à naître, à sept mois de son développement, une bosse, une noix, rien encore, mais qui existera bientôt. La poupée semble alourdie comme la femme dans le couloir, engrossée par le temps.

« Vous avez commandé une poupée de Madame Marin portant un enfant ? » demande Cornelia, horrifiée, arrondissant ses yeux couleur bleuet en un regard accusateur, et son propre corps paraît soudain encombrant à Nella. « Comment avez-vous pu nous trahir ainsi ?

— Non, non ! plaide Nella, sentant la pente amorcée, la brique descellée, le trou dans la digue.

— Vous savez comment se diffusent les rumeurs…

— Je… Je ne l'ai pas commandée, Cornelia.

— Qui l'a fait ? insiste Cornelia, terrorisée.

— Elle a été envoyée… Je n'ai commandé qu'un luth, et…

— Alors, qui nous espionne ? s'affole la servante en courant à travers la pièce, la poupée brandie comme un bouclier.

— La miniaturiste n'est pas une espionne, Cornelia. Elle est plus que ça…

— *Elle* ? Je croyais que vos lettres étaient destinées à un artisan.

— C'est une prophétesse… Regardez le ventre de Marin ! Elle voit nos vies… Elle tente de nous aider, de nous mettre en garde… »

Cornelia sort les poupées les unes après les autres et tâte leurs corps pour y trouver des indices avant de les jeter par terre. « Nous mettre en garde ? Qui est cette femme ? Qu'est-ce que c'est que cette miniaturiste ? s'écrie-t-elle en serrant sa propre poupée dans son poing et en la regardant, horrifiée. Doux Jésus ! J'ai vécu prudemment, Madame. J'ai été obéissante, mais depuis l'arrivée de ce cabinet, tant de portes se sont ouvertes que j'avais toujours réussi à garder fermées !

— Est-ce si néfaste ?

— Le Seigneur est en prison, Otto est parti et Madame Marin porte une honte secrète venue d'un homme qui est l'ennemi de cette maison ! rugit-elle en regardant Nella comme si elle était folle. Notre monde a éclaté et… et cette… *miniaturiste*… nous a observés tout ce temps ? Contre quoi nous a-t-elle mis en garde ? En quoi nous a-t-elle aidés ?

— Je suis désolée, Cornelia, tellement désolée. Je vous en prie, ne dites rien à Marin. Je crois que la miniaturiste détient toutes les réponses.

— Elle n'est qu'une fouineuse ! fulmine Cornelia. Personne ne tire les ficelles de mon existence à part Dieu.

— Pourtant, si *nous-mêmes* ne savions pas, pour Marin, comment était-elle au courant, Cornelia ?

— On l'aurait découvert. On n'avait pas besoin qu'elle nous l'apprenne.

— Et regardez ça, dit Nella en lui montrant le pain de sucre noirci d'Agnes. Il était blanc quand il est arrivé.

— C'est la suie de la cheminée.

— J'ai beau frotter, c'est impossible à retirer. Et Rezeki avait une marque sur la nuque, juste à l'endroit où Jack a planté le couteau.

— Qui est cette sorcière ? souffle Cornelia en s'écartant du cabinet.

— Ce n'est pas une sorcière, Cornelia. C'est une femme venue de Norvège.

— Une sorcière norvégienne devenue espionne à Amsterdam ! Comment ose-t-elle vous envoyer ces objets maléfiques ?

— Ils ne sont pas maléfiques. »

La bile de Cornelia brûle le cœur de Nella. Elle a l'impression d'être disséquée autant que sa miniaturiste secrète, sa seule possession découpée, ses boyaux exposés. « Je n'avais rien, dans cette ville, Cornelia. *Rien*. Et elle s'est intéressée à moi. Je ne comprends pas pourquoi elle m'a choisie, je ne comprends pas toujours les messages qu'elle envoie, mais je fais de mon mieux…

— Que sait-elle d'autre ? Que va-t-elle *faire* ?

— Je n'en sais rien, Cornelia. Je vous en supplie, croyez-moi : je lui ai demandé d'arrêter, mais elle n'a pas obtempéré. C'était comme si elle comprenait mon malheur. Elle a continué.

— Moi, j'ai essayé de vous rendre heureuse, ici. J'étais là…

— Je sais que vous étiez là. La seule chose que j'ai découverte, c'est qu'elle a été l'apprentie d'un horloger de Bruges. Je lui ai écrit, mais il reste aussi muet qu'elle. »

Nella entend sa voix virer aux sanglots, des larmes brûlantes menaçant de jaillir de ses yeux. « Qu'a dit le pasteur Pellicorne, dans son sermon ? Que rien de ce qui est caché ne pourra éviter d'être révélé ?

— Une femme ne peut pas être apprentie, lance Cornelia sans tenir compte de la détresse de Nella. Aucun homme n'a l'envie de former une femme. Aucune guilde, en dehors de celle des couturières ou des transporteurs puants de tourbe, ne voudrait de l'une d'elles. Et dans quel but ? Ce sont les hommes qui bâtissent ce monde.

— Elle a fabriqué des minutes et des secondes, Cornelia. Elle a été l'artisan du temps.

— Si je ne mettais pas vos esturgeons au court-

345

bouillon, si je n'épiçais pas vos tourtes et si je ne nettoyais pas vos fenêtres, moi aussi, j'aurais pu être l'artisan du temps. J'aurais pu faire des poupées maléfiques et espionner les gens...

— Vous espionnez les gens. En cela, vous êtes comme elle. »

Rouge, hors d'haleine, Cornelia fait la moue et remet sa poupée dans le cabinet. « Je n'ai rien à voir avec elle ! »

Nella ramasse les poupées puis, d'une petite voix : « Je n'aurais pas dû perdre mon sang-froid, Cornelia.

— Moi non plus, Madame, concède Cornelia après un court silence. Mais mon monde s'est transformé trop vite ces derniers jours. Il est brisé.

— Je sais, Cornelia. Je sais. »

Nella rabat les rideaux du cabinet, une manière d'instaurer un moment de paix. En réponse, Cornelia ferme les rideaux de la fenêtre. Les deux jeunes filles se retrouvent dans une pénombre cotonneuse.

« Je dois voir Madame Marin », déclare Cornelia.

Elle tourne résolument le dos au cabinet et laisse Nella seule, se représentant la miniaturiste plus jeune en train de prendre sa décision. Cornelia a peut-être raison : il est bien possible que personne n'achèterait d'horloges à la miniaturiste, préférant celles fabriquées par un homme. Jamais elle ne pourrait développer ses compétences, si bien qu'elle a renoncé à maîtriser les rythmes artificiels de l'homme et s'est tournée vers l'intérieur. À quel moment a-t-elle choisi les battements plus intimes, plus irréguliers de la vie spirituelle, et pourquoi m'a-t-elle choisie entre tous ? Nella pose la tête sur le côté du cabinet, le bois frais touchant sa peau comme un baptême bienvenu. En me montrant ma propre histoire, la miniaturiste en est devenue l'auteur. J'aimerais pouvoir reprendre ma place.

QUATRE

Janvier 1687

L'Éternel, votre Dieu, vous a multipliés et vous êtes aujourd'hui aussi nombreux que les étoiles du ciel.

Comment pourrais-je porter, à moi tout seul, votre charge, votre fardeau et vos contestations ?

Deutéronome 1:10 et 12

Spores

Le premier jour de l'année, les Amstellodamois ouvrent leurs fenêtres en un courageux rituel qui laisse entrer l'air froid pour déloger les toiles d'araignées et les mauvais souvenirs. Nella est vêtue comme une servante et Cornelia l'aide à mettre ses bottes et à passer la clé de l'entrepôt autour de son cou comme une médaille. Ce n'est pas encore l'Épiphanie, le jour de la différence, mais elles n'ont pas de temps à perdre. Cornelia paraît s'attendre à ce que Lucifer en personne, accompagné de ses créatures maléfiques, arrive au pas cadencé, mais elle a promis de ne pas révéler à Marin le secret caché sous les jupes de sa poupée ni celui de la pointe noircie du pain de sucre d'Agnes.

« Elle a besoin de calme, a recommandé Nella. Pensez à l'enfant. »

Nella serre le manteau rêche de sa servante autour de son cou. Elle tente de ne pas flancher, mais elle se sent partir plus loin qu'elle ne l'aurait cru possible, tout au fond des tourbières et des marécages de la ville, très loin, à l'époque de la boue et de la mer.

« Vous ne devriez pas aller seule aux îles de l'Est, proteste Cornelia.

— On n'a pas le choix. Vous devez rester ici avec Marin. Je ne serai pas longue.

— Prenez Dhana. Elle vous protégera. »

Nella sort de la maison et remonte le Herengracht, la clé lourde sur sa poitrine, Dhana trottant à côté d'elle. Elle aurait voulu d'abord aller voir Johannes au Stadhuis, mais le florin est roi, à Amsterdam, et elle doit être raisonnable. Elle se demande ce qu'elle va trouver sur les îles de l'Est.

« Qui d'autre peut le faire, Marin ? a-t-elle plaidé plus tôt dans la matinée. Johannes est en cellule. Si Agnes et Frans décident de ne montrer aucune pitié, on peut au moins essayer d'acheter Jack pour qu'il retire sa plainte. »

Marin avait opiné du chef, les mains sur son ventre. Depuis que sa grossesse a été révélée, son corps semble s'épanouir d'heure en heure. « Je suis une miche de pain géante », avait plaisanté la mère de Nella quand elle attendait Arabella. On dirait maintenant que c'est au tour de Marin de prouver que sa chair est de bonne qualité. Marin et son nœud trop serré — qu'avait-elle voulu dire ?

« Ensuite, je rendrai visite à Johannes, si on me laisse entrer, a ajouté Nella. Avez-vous un message pour lui ? »

Le visage de Marin a semblé se contracter douloureusement. Elle a laissé tomber ses mains et s'est éloignée, le regard perdu vers le salon. « Il n'y a rien que je puisse dire.

— Marin…

— L'espoir est dangereux, Petronella.

— Il vaut mieux que rien. »

Le froid mordant lui pique le visage de mille petits coups de couteau. Que le printemps arrive ! se dit Nella, avant de se demander s'il est sage de souhaiter voir cette période écoulée pour Marin, pour Johannes. Le printemps venu, leur République risque de s'être effondrée à leurs pieds. Dans l'espoir de chasser ces pensées moroses, elle hâte le pas pendant une dizaine de minutes vers l'est de la ville. Le départ de la miniaturiste de la Kalverstraat la tracasse. Elle n'a pas perdu espoir — elle continue de scruter les rues pour y déceler l'éclat de cheveux blonds, d'attendre qu'on frappe à sa porte avec une livraison —, mais il n'y a eu que le silence depuis tant de jours ! Elle a dit à Cornelia que la miniaturiste lui montrait la voie. Pourtant, à cet instant, elle se sent seule, avançant à l'aveuglette dans l'obscurité. Elle a besoin d'autres maximes, d'autres miniatures pour comprendre ce qui va advenir, ce qu'elle a raté auparavant. Revenez ! demande-t-elle en traversant un des nombreux ponts menant aux îles de l'Est. Je ne peux pas y arriver sans vous.

Partout où elle regarde, il y a de l'eau, les lagons immobiles, vitrifiés, tachés de boue comme un vieux miroir qui se pique de rouille quand le pâle soleil passe derrière les nuages. Les pommes de terre qu'aime tant Johannes, avec leur chair si moelleuse, sont servies dans une taverne toute proche d'ici. Il n'est pas étonnant que ce soit là son lieu préféré, près de la mer, peu de monde, une multiplicité d'endroits où se cacher.

Les entrepôts commencent à apparaître, des immeubles en briques qui montent vers le ciel, bien plus larges que les maisons collées les unes aux autres dans le centre de la ville. Les îles ont l'air vides, ce matin. La plupart des gens sont probablement encore au lit, pour écluser les excès célébrant l'arrivée de la nouvelle année. On ne voyait jamais son père avant le soir qui suivait les adieux à l'ancienne année, puis il se réveillait et déclarait que rien n'avait changé. Il n'en va pas de même ici, songe Nella. Plus rien n'est pareil. Elle écoute ses pas, les pas plus légers de Dhana qui s'essouffle à rester à sa hauteur.

Malgré leur apparence paisible, il y a quelque chose d'intense dans ces morceaux distincts de polders, car tout n'y a qu'un but : le commerce, stocker les marchandises, réparer les bateaux, subvenir aux besoins des marins et des capitaines. Grâce aux indications de Marin, elle atteint enfin l'entrepôt de Johannes, haut de six étages, avec une petite porte noire sur le devant.

La serrure en est bien huilée et le battant s'ouvre facilement. Nella rajuste la jupe et le tablier trop grands de Cornelia. Elles avaient délibéré pour déterminer ce qui serait pire : une servante surprise dans l'entrepôt de son maître, ou son épouse ? Il valait mieux une servante, à leur avis. La réputation de Johannes Brandt pouvait se passer de ragots sur Madame Petronella venant fouiner sur les îles. Elle imagine la visite de Frans et Agnes, s'introduisant là par l'arrière du bâtiment.

« Reste assise ici ! ordonne-t-elle à Dhana en caressant la tête de la whippet. Aboie si quelqu'un approche ! »

L'intérieur lui coupe le souffle. Elle se sent si petite, au niveau du premier barreau d'une échelle arachnéenne qui monte vers les six paliers surchargés des denrées de Johannes ! Cet homme dispose de tout ce qu'on peut désirer, mais c'est presque trop pénible à regarder. En dépit de tous ces biens, Johannes s'est souvent senti démuni.

Nella se souvient de l'urgence de sa mission et entreprend l'escalade de l'échelle en quête du sucre. Elle a l'impression de se hisser à travers la vie de son mari. De plus en plus haut, dans cet espace caverneux, ses jupes s'accrochent aux barreaux, menacent de la faire tomber. Elle monte par-delà les laques de Coromandel, les rouleaux de soie du Bengale, les clous de girofle, le macis et les noix de muscade dans des coffres estampillés *Moluques*, le poivre venant de Malabar, les écorces de cannelle de Ceylan, les feuilles de thé dans des boîtes peintes *via Batavia*, les planches de bois visiblement précieux, les tuyaux en cuivre, les plaques de zinc, les piles de laine de Haarlem. Par-delà les assiettes de Delft, les caisses de vin avec l'étiquette *España* ou *Jerez*, les récipients de vermillon et de cochenille, de mercure *pour les miroirs et la syphilis*, les bibelots persans en or et en argent gravés. En saisissant les barreaux de l'échelle les uns après les autres, elle comprend la fascination de Marin pour le travail de son frère. C'est ici que se trouve la vraie vie ! se dit Nella, à bout de souffle, prise de vertige. C'est ici que les vraies aventures atteignent la terre ferme !

Nella doit monter jusqu'au faîte pour atteindre les pains de sucre. Johannes les a entreposés au milieu du plancher et les a recouverts de linges, pour les préserver de l'humidité. Cette attention émeut tant Nella qu'elle pourrait en pleurer. Meermans lui a fait croire que son mari avait juste jeté les pains d'Agnes sur le sol, parmi les voiles de rechange et les cordages huilés, et qu'il avait ensuite verrouillé la porte, mais ce n'est pas vrai. Johannes en a pris soin. Il y a tant de pains qu'ils touchent presque les poutres du toit.

Nella quitte l'échelle avec quelque difficulté et s'approche du drap de lin, dont elle soulève prudemment un coin. Les pains de sucre sont empilés comme des canons. Il ne manque qu'un pain — celui qu'Agnes a apporté au dîner, sans doute, douceur à double tranchant s'il en fut. Si cet amas s'effondrait, songe-t-elle, je serais écrasée.

Il y a bien plus de mille cônes. Nella s'agenouille près des pains qui paraissent être ceux qu'on a raffinés le plus récemment. Ils sont encore parfaits, d'un blanc lumineux, frappés des trois croix de la ville d'Amsterdam. Certains de l'autre livraison, raffinés au Suriname, sont humides au toucher, et les doigts de Nella se couvrent d'une pâte blanche. À l'arrière de la structure en sucre, de petites spores noires se sont effectivement étendues sur un quart des pains du Suriname. Rien ne peut sauver les précieux cristaux qui sont déjà gâtés, mais il n'en demeure pas moins, à son avis, que Meermans a exagéré, qu'il a vu ce qu'il voulait voir. Peut-être pourrait-on les faire sécher ? On pourrait sûrement sauver une partie de chaque pain.

Enthousiasmée, elle goûte un peu de ce qui s'est déposé sur ses doigts. Si je meurs d'avoir léché du mauvais sucre, incapable de résister au *lekkerheid* à force d'en avoir été privée, se dit Nella, c'est le pasteur Pellicorne qui se réjouira !

Elle sort de sa poche la liste de Johannes, qui énumère de nombreux noms prestigieux. On y trouve les maisons de contes et de cardinaux, d'une infante, d'un baron, de gens qui désirent adoucir leurs loisirs à Londres, Milan, Rome, Hambourg, jusque dans les avant-postes de la VOC. Elle est stupéfaite du nombre d'individus avec lesquels Johannes a réussi à commercer en Espagne ou en Angleterre, étant donné la manière dont son pays a fait la guerre à leurs héritiers. Cela rappelle à Nella une chose qu'il a dite à Meermans chez les argentiers : *À l'étranger, on considère qu'on ne peut nous faire confiance. Cela nous nuit et ce n'est pas souhaitable.*

Il y a tellement plus de sucre qu'elle ne l'avait cru ! L'actuelle impuissance de Johannes et Marin pèse sur les épaules de Nella. Quand elle avait suggéré qu'employer un agent pour voguer à leur place vers l'étranger allait trop rogner leur précieuse commission, Johannes ne l'avait pas nié. Il faut trouver quelqu'un de proche, raisonne Nella, quelqu'un qui comprend, quelqu'un qui a envie de s'occuper de ce sucre ! Les mains sur les hanches, concentrée, le regard fixé sur la fortune de Frans et Agnes, elle sait soudain à qui s'adresser. Elle se souvient d'une phrase, quelques semaines après son arrivée à Amsterdam, alors qu'elle était assise, émerveillée devant un gâteau tout juste déballé. Nella avait immédiatement aimé celle qui l'avait prononcée, une femme cordiale et expérimentée. *Rayons de miel ce matin, et pâte d'amandes cet après-midi.*

Nella froisse la liste de son mari. *Oui !* crie-t-elle en silence aux murs de briques et aux poutres, au toit chaulé du domaine de Johannes. Je sais ce que nous devons faire !

Stadhuis

Nella suit un garde le long d'un premier couloir, puis le long du pignon du Stadhuis. Elle entend les prisonniers qui toussent et geignent. L'endroit est plus grand qu'elle ne l'avait cru, et il s'étend plus encore tandis qu'elle marche, mettant en déroute son sens des proportions. Elle ne parvient pas à concevoir le lieu dans son ensemble, une cellule après l'autre, une brique après l'autre.

Nella commence à percevoir des cris et des lamentations, des barreaux qu'on heurte et des plaintes. Elle garde la tête haute pour qu'ils ne remarquent ni sa peur croissante ni ses efforts pour ne pas entendre la cacophonie des gueulantes de ces mâles.

Le garde et elle longent une cour. Au milieu, elle découvre un engin en planches boulonnées ensemble de manière à pouvoir s'articuler. Une autre machine dispose d'une rangée de piques pointues. Les prisonniers sont ici pour être corrigés, au sens littéral du terme. Nella détourne les yeux, bien décidée à ne pas se laisser intimider, la main sur la clé de l'entrepôt contre sa poitrine, son idée toute neuve rayonnant dans son esprit. *Ne gâchez pas les douces armes.*

« Le voilà ! » annonce le garde en ouvrant la porte de la cellule de Johannes.

Il s'attarde plus que nécessaire, mais finit par verrouiller derrière Nella.

« Ne revenez pas trop vite ! » lui demande-t-elle en lui glissant un florin entre deux barreaux.

Ce que cette ville m'a appris ! songe-t-elle. Le garde empoche l'argent et le bruit de ses pas décroît au loin. Dehors, les mouettes tourbillonnent très haut dans le ciel, et on ne peut pas vraiment oublier le fracas des carrioles sur les pavés.

Johannes est accoudé à une petite table, dans l'ombre. Comme il n'y a ni tabouret ni chaise, Nella reste debout contre la porte. L'humidité a fait pousser de la mousse sur les murs, une carte d'îles vertes sans coordonnées. Johannes a l'air pensif, mais il émane toujours de lui une puissante énergie. Même ici, privé de ses droits, il parvient encore à l'impressionner. « On soudoie les représentants de l'ordre ? ironise-t-il.

— Il vaut mieux s'en faire des amis. »

Sa voix est étouffée par l'épaisseur minérale des murs.

« Je croirais entendre Marin », remarque Johannes avec un sourire.

Ses yeux ont pris des coups et la peau, autour, est gonflée et tuméfiée, de la teinte d'une tulipe fanée. Ses cheveux en bataille ont l'air d'algues décolorées et ses vêtements sont crasseux. Ses bras, qui le soutiennent contre la table, tremblent un peu. « On ne me permet pas d'avoir une Bible, ni rien d'autre à lire, d'ailleurs. »

De la poche qui ne contient pas la liste froissée que Johannes lui avait remise pour vendre le sucre, Nella tire trois tranches de jambon fumé envelop-

pées de papier, une moitié de miche de pain beur-
rée et deux petits *olie-koecken*. Elle traverse la cellule, mains tendues.

Johannes accepte l'offrande, visiblement ému.
« Vous auriez eu des ennuis s'ils l'avaient trouvé.

— Oui, dit-elle en s'écartant de nouveau et en
balayant le coin de la cellule de son pied.

— J'ai failli réussir à partir. »

Nella regarde dans le coin de la cellule où des
souris minuscules agitent la paille, celles qui
viennent de naître se hissant, à l'aveugle, familiè-
rement, les unes sur les autres. Elle s'effondre sur
la paillasse, habitée par une profonde tristesse qui
émousse sa volonté de combattre. « Que vous a-
t-on dit ?

— Ce ne sont pas de grands bavards », soupire
Johannes en montrant ses yeux au beurre noir.

« Quand je vous ai rencontré, rappelle-t-elle
prête à tout pour chasser sa tristesse, vous ne vous
inquiétiez ni de Dieu, ni de la Bible, ni de la culpabilité, du péché ou de la honte.

— Comment savez-vous que je ne m'en inquié-
tais pas ?

— Vous ne veniez pas à l'église, vous ironisiez
sur les prières matinales de Marin, vous achetiez
des objets de luxe, vous mangiez des mets de choix,
vous jouissiez de tous les plaisirs à votre portée.
Vous étiez votre propre dieu, l'architecte de votre
propre destin. »

Johannes sourit et montre les murs qui l'entourent. « Voyez un peu où ça m'a conduit !

— Mais vous étiez libre, n'est-ce pas ? Pensez à
tous les lieux que vous avez visités ! murmure
Nella, qui a tant de mal à parler.

« — Ma sœur a toujours dit que j'étais un horrible mélange d'insouciance et de détermination.

— Est-ce pour cette raison que vous êtes revenu à Jack ? »

Johannes ferme les yeux, comme si ce nom le submergeait.

« Il vous a trahi, Johannes. On l'a payé et il a accepté l'argent...

— Je ne lui ai pas donné un sou depuis le jour où il a planté cette dague dans ma chienne ! explique Johannes d'une voix dure, avant de se radoucir dans la pénombre. Je l'ai employé pour garder le sucre, mais Marin était si inquiète à son sujet que j'ai dû le renvoyer. J'ai compris le point de vue de ma sœur, bien sûr. Il a repris son travail de livreur, et c'est là que tout a mal tourné. J'ai revu Jack après qu'il a tué Rezeki, c'est vrai. Je n'avais jamais vu personne si rongé par les remords pour ce qu'il avait fait. »

Nella se mord la langue. Jack n'avait d'autre choix que de paraître désolé, et Johannes a cru en sa sincérité. « Vous devez avoir des sentiments très forts à son égard... pour lui pardonner un tel acte. Johannes, demande-t-elle devant son silence, est-ce... de l'amour ? »

Il réfléchit à sa question et, une fois de plus, elle est frappée du sérieux qu'il met toujours à lui répondre. « On dirait que... quelque chose d'inaccessible... est très vite devenu tout à fait réel. Qu'en proférant des mensonges, Jack me faisait voir la vérité. À la manière dont un tableau peut mieux représenter un objet tout en n'étant pas l'objet lui-même. Il est devenu presque impossible pour moi de le distinguer de l'amour, mais, soupire Johannes, il n'a jamais été que l'image de l'amour.

L'idée de l'amour était meilleure que le chaos qu'il a laissé derrière lui. »

Johannes lui offre son honnêteté comme il lui a offert d'autres cadeaux inattendus. La voie ouverte entre eux est claire et cristalline, pour Nella, mais quand elle ferme les yeux, ce n'est qu'un cours d'eau stagnant.

« Allez-vous bien ? demande Johannes.

— Marin pense que l'amour est meilleur quand on le pourchasse que quand on s'en saisit, répond-elle.

— Ça ne me surprend pas d'elle. Non, pas meilleur. Plus facile. L'imagination est toujours plus fiable, et pourtant, la chasse finira toujours par vous lasser. »

Que pourchassons-nous tous ? se demande Nella. Notre objectif est de vivre, bien sûr — ne pas être lié par ces cordes invisibles dont Johannes a parlé dans son bureau, ou du moins être heureux dans ces liens. « Où alliez-vous, quand ils vous ont pris, à Texel ?

— À Londres. J'espérais y trouver Otto. Marin était convaincue qu'il s'y était rendu. Comment va ma sœur ?

— Vous êtes puissant, Johannes ! dit Nella, qui se sent contrainte d'ignorer sa question sans ménagements de crainte que son visage ne trahisse la vérité à propos de Marin. Je vous ai vu à la fête des argentiers, et vous l'avez dit vous-même : les bourgmestres ne peuvent vous atteindre.

— Il s'agit du *crimen nefandum*, Nella, précise-t-il en s'asseyant près d'elle sur la paillasse. Deux hommes ensemble. Face à cette accusation, personne d'autre que Dieu n'a de pouvoir. Ne rien faire serait le tolérer, et les bourgmestres doivent montrer qu'ils agissent.

— Il faut donc qu'on amène Frans Meermans à changer d'avis ! »

Johannes passe une main tremblante sur sa tête, comme pour y trouver une réponse. « C'était il y a des années, avant votre naissance… j'ai fait quelque chose qui a rendu Frans Meermans très malheureux. Ensuite, j'ai commis un crime plus grand encore en réussissant dans les affaires. L'écho de ces deux insultes revient me hanter. »

Nella imagine le jeune Johannes éconduisant Frans, Marin témoin de la scène, cachée derrière une fenêtre. L'humiliation de son ami retombe sur eux tous.

« J'ai cru qu'accepter de vendre leur sucre pourrait mener à une *entente*, mais Frans est rancunier. Il a attendu longtemps pour se venger des Brandt. Je représente tout ce qu'il hait, et tout ce qu'il voudrait être. Et Agnes… eh bien ! Agnes fera toujours siennes les gouttes de poison qu'il distille.

— Je crois qu'Agnes vous admire.

— Ça ne peut qu'aggraver les choses ! ironise Johannnes dont les yeux luisent comme deux perles grises à la lumière chiche. Je suis si heureux que vous soyez venue ! Vous ne méritez pas ça… », soupire-t-il en lui prenant la main.

Nella suppose que c'est une parole qu'elle peut apprécier, à défaut d'amour. Trouver un substitut à l'authentique… quand est-ce que cela cessera ? Pourtant, il n'y a nul lieu au monde qu'elle préférerait à cette paillasse, à côté de lui.

« Si je n'avoue pas, il y aura un procès, dans quelques semaines. Quoi que je fasse, Nella, je n'espère pas sortir d'ici vivant.

— Ne dites pas ça !

— Je prendrai des dispositions pour vous, Marin et Cornelia. Et pour Otto, s'il revient jamais ! expose-t-il du ton net de l'homme d'affaires, du notaire qui rédige le testament de quelqu'un d'autre. Il y aura quelques représentants du *schepenbank* * d'Amsterdam, à l'audience, même si elle sera présidée par le *schout* Pieter Slabbaert.

— Pourquoi pas le *schout* seul ?

— À cause de la gravité de l'accusation. Parce que c'est moi. Plus le cas est scandaleux, plus les citoyens s'impliquent. Mais j'imagine que ce sera vite réglé.

— Johannes...

— Les accusations graves entraînent généralement la mort, explique-t-il alors que sa voix se casse sur ce dernier mot, et le *schout* aime partager la responsabilité de la décision. Plus de gens prennent part à ce rituel, plus il semble juste.

— Je vais trouver Jack. Je le paierai pour qu'il modifie son témoignage. »

Elle se représente le coffre presque vide de ses florins, le tas de sucre qui noircit au sixième étage de l'entrepôt. « Et j'ai un plan...

— Il y a ici un garde qu'on appelle le Berger sanglant, raconte Johannes qui poursuit son idée en serrant fort la main de Nella. Il est prêtre de profession, monstre de nature. »

Le mot monstre reste suspendu dans l'air moite, gigantesque, implacable. Elle effleure sa joue de sa main libre. L'humidité l'a refroidie. Comment Johannes a-t-il pu survivre deux jours ici ? se demande-t-elle.

« J'ai vu ses victimes passer devant ma porte. Un homme avait les os désarticulés de façon qu'ils ne puisssent jamais être remis en place. Les jambes ne sont plus des jambes, les membres ne sont plus que du coton trempé, les boyaux de la viande malaxée. On me déchirera pour que je dise ce qu'ils veulent entendre. Je le dirai, Nella, et ce sera tout. »

Il enfouit sa tête dans le cou de Nella. L'arête de son nez se presse contre sa chair.

Elle l'entoure de ses bras. Elle voudrait le laver des pieds à la tête, qu'il soit à nouveau fringant, qu'il sente les épices, qu'il ait de la cardamome sous les ongles. « Johannes, murmure-t-elle, *Johannes*, vous avez une épouse. N'est-ce pas une preuve suffisante ?

— Jamais ça n'aurait suffi. »

Et s'il y avait un enfant ? brûle-t-elle d'envie de demander. S'il y avait un enfant ? Le secret de Marin est sur le bout de sa langue. Du temps, songe-t-elle, tout ce que je veux, c'est plus de temps. Qui sait quelle histoire on pourrait raconter à Amsterdam avec deux mois de grâce ? « Johannes, j'aurais tant aimé suffire. »

Il s'écarte d'elle pour prendre son visage entre ses mains. « Vous avez été un miracle. »

La lumière est presque inexistante dans la cellule. Le garde ne tardera plus. Nella n'a jamais passé autant de temps avec Johannes durant leurs quatre mois de mariage. Elle se souvient de lui avoir dit, dans son bureau, combien il la fascinait. Même en ce moment, c'est vrai. Sa conversation, ses connaissances, son acceptation froide de ce qu'est le monde, son désir d'être ce qu'il est... Il lève la main au-dessus de la flamme de la bougie et les crêtes solides de ses phalanges sont si belles. Combien elle voudrait qu'il vive !

Parler de transformation, de la manière dont les

choses changent, lui donne envie de parler de la miniaturiste, des pièces inhabitées et vidées, des corps jumeaux destinés à révéler deux secrets si différents. Elle a l'impression qu'il y a un siècle qu'elle a descendu l'escalier et qu'elle a vu la vitrine qui l'attendait sur les dalles de marbre. Comme elle s'était sentie offensée ! Comme Marin était en colère ! « Est-ce que Jack vous a jamais dit pour qui il travaillait à la Kalverstraat ?

— Il travaillait pour beaucoup de gens.

— Pour une femme venue de Bergen ? Avec des cheveux blonds. Formée par un horloger ? »

Johannes mord dans un des beignets sucrés et allume une bougie de plus sur sa table. Nella sent son regard froid sur le sommet de sa tête.

« Non, assure-t-il, je m'en souviendrais.

— C'est la miniaturiste que j'ai engagée pour meubler la vitrine. Elle a fait la poupée Rezeki.

— Une femme ? s'étonne Johannes, dont les yeux s'illuminent.

— Oui, je crois.

— Quel talent et quel sens de l'observation extra-ordinaires ! J'aurais été son mécène, si j'en avais eu l'occasion, dit-il en sortant le petit chien de sa poche, captivé, tendre. Je l'emmène partout où je vais. C'est mon plus grand réconfort.

— Vraiment ? » murmure-t-elle en s'étranglant avec son propre souffle.

Johannes lui tend la miniature et elle la prend avec respect. D'un doigt tremblant, elle caresse la tête gris souris si douce de Rezeki. Sur la nuque de la chienne, il n'y a plus la moindre trace de rouge. Nella vérifie. Non, il ne reste rien de la marque de sang séché qu'elle avait tenté de nettoyer. « Je ne comprends pas, chuchote-t-elle.

— Moi non plus. Jamais je n'ai rien vu de tel. »

Nella regarde une dernière fois le petit cou de l'animal. Rien. Est-ce que j'ai vu cette marque ? Le doute le dispute à la certitude ; ce qu'elle a vu et ce qu'elle n'a pas vu ces derniers mois tourbillonne dans sa tête.

« Parfois, je me demande, quand je reste assis immobile, dit Johannes, si moi aussi je suis déjà mort.

— Vous êtes vivant, Johannes. Vous êtes vivant.

— Quel monde étrange où les êtres humains se rassurent les uns les autres sur le fait qu'ils ne sont pas morts ! Nous savons que ce n'est pas Rezeki, et pourtant nous sentons que c'est bien elle, des fragments réels créant des souvenirs informes. Si seulement ça pouvait être l'inverse, que notre esprit puisse faire apparaître tout ce qu'on veut ! soupire-t-il en passant les mains sur son visage. Après le départ d'Otto, je me reconnaissais si peu moi-même que j'aurais pu être mort. Cette cellule, conclut-il en remettant Rezeki dans sa poche et en écartant les bras comme un moulin à vent tordu, sera le théâtre de ma vie éveillée. Il y a des horizons derrière les murs de briques. Vous verrez. »

Nella le quitte. Elle ne peut plus supporter cette cellule — cette petite pièce avec sa mousse, ses souris, les cris d'oiseaux poussés par les hommes, comme si Johannes était enfermé dans une volière, grand duc entouré de corbeaux. Elle titube dans la lumière hivernale, et ce n'est qu'alors, contre le mur du Stadhuis, qu'elle s'autorise à verser des larmes dans un silence fiévreux.

Verkeerspel

En ouvrant la porte, Nella sent mourir dans sa gorge son désir de parler à Marin de l'état du sucre et de celui de Johannes.

Au milieu du hall, oscillant sur ses patins incurvés, c'est un berceau en chêne qui l'accueille, incrusté de roses, de marguerites, de chèvrefeuille et de bleuets en marqueterie. Sa capote est doublée de velours et bordée de dentelle. Il est très beau, mais sa vue bouleverse Nella qui est à bout de forces, car c'est la réplique exacte du berceau de son cabinet.

Encore secouée par sa visite à Johannes, Nella ferme la porte. La vision de la miniaturiste, ce que Nella avait d'abord pris pour une moquerie — un berceau envoyé à une femme dont le mariage était une farce —, s'est réalisée. « Qu'est-ce que c'est ? demande Nella à Cornelia, qui arrive de la cuisine. Croyez-vous qu'il vient de…

— Non ! Madame Marin l'a commandé. Il est arrivé de Leyde dans une grosse caisse. »

Nella touche le bois de la nacelle. On dirait qu'il chante sous ses doigts, tant la gravure est fine. « C'est le même qu'*elle* a envoyé.

— Je sais », répond Cornelia.

Marin sort du salon. De près, elle a la circonférence d'un vieux chêne. « La qualité du travail est extraordinaire, dit-elle. Il est exactement comme je le rêvais.

— Combien est-ce que ça a coûté pour le fabriquer et le transporter ici ? demande Nella, qui imagine le nuage d'argent déjà rétréci s'évaporer complètement. Marin, si un voisin a vu ça arriver, que va-t-on penser ?

— La même chose que vous.

— Pardon ?

— Ne croyez pas que je n'ai pas senti votre esprit s'emballer, dit Marin en s'approchant d'elle d'un pas lourd. Vous voulez prendre mon enfant pour vous. »

Nella est percée à jour. Comment Marin fait-elle pour lire dans les pensées des autres plus vite que n'importe qui ? Je pourrais feindre l'innocence, mais dans quel but ? J'ai dit moi-même qu'il ne devait plus y avoir de secrets. « Marin, je ne veux pas prendre votre enfant…

— Mais vous vous dites que ce serait une bonne solution, insiste Marin en couvant son ventre de ses mains comme si Nella pouvait le lui arracher sur-le-champ. Le sacrifice ultime : renoncer à mon bébé pour mon frère. Pour vous.

— Johannes est au Stadhuis, Marin. Si on prétendait pour un temps que cet enfant est le mien, est-ce que ce serait si terrible ? On pourrait prouver que Johannes a les mêmes désirs… que les autres hommes. Ne voulez-vous pas qu'il vive ?

— Vous ne voyez vraiment pas !

— Voir quoi ? J'en vois plus que vous.

— Petronella, cet enfant sera loin d'être opportun, croyez-moi !

— Je le sais, Marin, je *sais*. Et pendant que je tente de nous sauver, vous dépensez de l'argent que nous n'avons pas. »

La gifle arrive de nulle part et cingle le visage de Nella.

« Je me demande comment il a pu vous aimer », lance Nella en se frottant la joue.

Brûlants, cruels, les mots se sont précipités hors de sa bouche avant qu'elle n'ait pu les brider.

« Il m'a aimée, affirme Marin. Il m'aime.

— Il faut engager une sage-femme, Marin, reprend Nella avec calme. Je ne peux pas porter seule le poids de cette naissance.

— Vous ne porterez aucun poids.

— Arrêtez ! Arrêtez ! supplie Cornelia.

— Marin, c'est la loi...

— Non. Absolument pas. »

Marin pousse un côté du berceau, qui se met à osciller en un mouvement exaspérant. « Savez-vous quelle est la loi, Petronella ? demande Marin, dont les joues ont rougi et qui ne se préoccupe pas des mèches qui s'échappent de sa coiffe. Une sage-femme doit indiquer l'identité du père. Si on ne la lui donne pas, elle doit dénoncer la mère aux autorités. Ainsi, conclut Marin en arrêtant le balancement du berceau, comme pour tout le reste, je me débrouillerai seule. »

Marin, la respiration lourde, pose à nouveau la main sur son ventre et, cette fois, sursaute comme si elle touchait des braises.

❦

L'après-midi, Nella erre sans bruit dans les couloirs de la maison. Les pièces silencieuses lui donnent l'impression qu'il n'y a là personne d'autre qu'elle. La clé de l'entrepôt pend toujours à son cou, réchauffée par sa peau, plus précieuse pour elle que le collier en argent que Johannes voulait lui commander.

Cornelia a monté à grand-peine le berceau dans la cellule de Marin où il attend, impatient, occupant presque tout l'espace vacant entre les crânes, les cartes et les plumes. L'attitude de la servante vis-à-vis du secret de Marin s'est rapidement métamorphosée : le bébé est désormais une bénédiction, un creuset dans lequel tous leurs problèmes vont se consumer et disparaître. Elle semble respirer sa présence, l'aspirer comme de l'air frais chaque fois qu'elle le peut. Elle s'est remise au ménage. En dépit de son aversion pour le froid, elle a ouvert les fenêtres. Elle a astiqué à la cire d'abeille les montants du lit, le parquet, les commodes, fait brûler de l'huile de lavande dans son placard à linge, frotté les vitres au vinaigre et aspergé de citron les draps propres. Tout plutôt que sa morosité, raisonne Nella.

Dans la pièce du fond, au rez-de-chaussée, loin des yeux curieux sur le quai du canal, Nella entend Marin et Cornelia qui installent un plateau de *verkeerspel*. Elle pense aux graines de coriandre qui servent de pions, dans son cabinet, au plateau en marqueterie si délicieusement confectionné et qui représente une sorte de jeu de hasard miraculeux. Elle a presque renoncé à recevoir une réponse de Lucas Windelbreke, à Bruges. Ma lettre s'est probablement perdue, songe-t-elle en observant Marin et Cornelia sans qu'elles la voient.

« Mon corps de baleine, dit Marin.

— Votre petit Jonas », s'attendrit Cornelia.

Nella ne s'est pas encore remise de leur altercation du matin. Non, Marin ne porte pas seule toutes les responsabilités ! Qui est allé à l'entrepôt et au Stadhuis ? Mais les deux femmes n'ont pas de temps à perdre en disputes. Le temps est le principal luxe qui leur manque.

En regardant Marin évoluer dans la pièce et parler gentiment à Cornelia, Nella se demande ce qu'Agnes penserait en la voyant ainsi. Frans Meermans n'a pas pu ne pas envisager cette éventualité quand il retrouvait Marin à l'abri des yeux perçants de son épouse. Est-ce que ni l'un ni l'autre ne se sont inquiétés de ce que la Nature impose sa loi ?

« Il me donne des coups de pied, dit Marin à Cornelia en baissant les yeux vers son corps. Quand je me tiens devant le miroir, il m'arrive de distinguer sur mon ventre l'empreinte d'un pied minuscule. Je n'avais jamais rien vu de tel. »

Avant la naissance de ses frères et sœurs, Nella les avait vus pousser la peau du ventre de sa mère. Elle ne le dit pas, parce que l'émerveillement de Marin est véritablement émouvant. « J'aimerais le voir, murmure-t-elle en entrant dans la pièce.

— S'il le refait, je vous préviendrai, promet Marin d'une voix pincée. Parfois, c'est sa main. On dirait une patte de chaton.

— Vous pensez donc que c'est un garçon ?

— Je le crois, oui », affirme Marin en gratifiant la partie gonflée de son corps d'une petite tape péremptoire.

Ses doigts reviennent sur l'endroit, hésitant à le caresser. « J'ai lu ce livre », dit-elle en montrant sur une table *Les Maladies infantiles* de Blankaart.

Cornelia fait une rapide révérence et sort.

« Ça ne devrait pas tarder, remarque Nella.

— On aura besoin d'eau chaude, de linges et d'un bâton que je puisse mordre. »

Nella a pitié d'elle, au souvenir de ce que Cornelia lui a dit de la mère de Marin : *C'est à peine si elle a survécu à la naissance de Madame Marin.* Marin a-t-elle la moindre idée du sang qui va couler, de la révolte de tout son corps, des bruits, de la peur qui s'emparera d'elle ? Elle semble déterminée à exercer sa volonté sur ce bébé, comme si, telle la créature hermétiquement enfermée en elle, immunisée contre la souffrance, elle ne pouvait être affectée par les tours que joue le monde extérieur.

« J'ai pensé qu'on pourrait jouer au *verkeerspel*, propose Marin en alignant les jetons comme des pièces. Je vous laisse lancer en premier. »

Nella accepte cette offrande de paix et place son premier jeton sur le plateau. Marin réfléchit et contemple le disque unique en secouant les dés comme deux dents au creux de son poing. Elle triture son jeton noir sans savoir où le poser.

« Marin, vous ne m'avez rien demandé à propos de l'entrepôt. »

Marin garde les yeux fixés sur le plateau.

Nella s'en veut de sentir sa patience s'épuiser. « Et vous ne m'avez pas interrogée non plus à propos de Johannes.

— Quoi ? réagit Marin en levant la tête.

— Ils vont le soumettre à la roue.

— *Arrêtez !*

— Si on ne…

— Pourquoi me torturez-vous ? Vous savez que je ne peux pas aller le voir.

— J'ai besoin de votre aide. Deux témoins respectables, Marin ! Frans et Agnes. Pensez à ce que ça signifie !

— J'ai su ce que ça signifiait à l'instant où Frans est venu à notre porte.

— Alors *parlez* à Frans, Marin ! Dites-lui, pour l'enfant ! »

Marin pose les dés avec précaution sur le plateau du *verkeerspel*. Elle a l'air vidée. Elle fronce les sourcils, rétrécit sa bouche. « Comme si cette conversation pouvait être facile ! Vous ne savez pas de quoi vous parlez.

— J'en sais plus que vous ne l'imaginez ! lance Nella avant de s'interrompre pour contrôler sa mauvaise humeur et la mettre de côté. Meermans est un homme, ajoute-t-elle plus gentiment. Il peut *agir*.

— Croyez-moi, il ne peut pas faire grand-chose.

— Il n'a pas d'héritier, Marin...

— Quoi ? Vous suggérez que je marchande mon enfant ? Comment pensez-vous qu'Agnes accueillerait ce genre de nouvelle ? demande Marin en se levant d'un bond pour arpenter la pièce. Ça lui donnerait une raison de plus pour nous enterrer. Vous vous mêlez toujours...

— Je ne me mêle pas de vos affaires, je me préoccupe de notre survie.

— Vous ne savez rien de la survie...

— Je sais ce qui est arrivé, Marin. Cornelia me l'a dit.

— *Arrivé ?*

— Je sais que Frans et vous étiez amoureux et que Johannes n'a pas permis votre mariage. »

Marin pose une main contre le mur pour garder l'équilibre et l'autre sous son enfant à naître.

« Quoi ? s'écrie-t-elle d'une voix extraordinaire-
ment féroce.

— Je sais que Frans a épousé Agnes par dépit,
et que même Agnes le sait. J'ai vu comment Frans
vous regarde, Marin — je sais pour le cochon de
lait, le billet d'amour dans votre livre. Vous ne cessez de me dire que je ne vois pas, mais c'est faux.

— Cochon de lait…, répète Marin avant de
s'interrompre, comme si un souvenir englouti
depuis longtemps refaisait surface. Et Cornelia a
osé vous raconter ça ?

— Ne soyez pas en colère contre elle, demande
Nella en jetant un coup d'œil vers la porte. Je l'y ai
contrainte. Il fallait que je sache. »

Marin demeure silencieuse un moment, puis elle
pousse un long soupir et se laisse tomber dans un
fauteuil. « Frans aime sa femme. Vous ne savez pas
ce qu'est l'amour. Douze ans ensemble, ça ne doit
pas être sous-estimé, Petronella.

— Mais…

— Et le reste… c'est une belle histoire compo-
sée de bribes entendues derrière les portes. C'est
plus compliqué que tout ce que j'aurais pu inventer. J'aurais dû donner plus de travail à Cornelia.

— Ce n'est pas une histoire…

— J'en ressors glorifiée, n'est-ce pas ? Mon frère,
pas autant. La vérité est pourtant assez différente. »

Les mains de Marin tremblent. Elle continue,
d'une voix épaisse :

« Johannes a bien refusé la demande en mariage
de Frans Meermans, déclare Marin d'une voix
lourde à ce souvenir.

— Je le savais…

— Parce que c'était ce que je voulais. »

Nella regarde les pièces sur le plateau du *verkeerspel* qui a l'air de tanguer devant ses yeux. Ce qu'elle vient d'entendre n'a aucun sens. Les révélations de Marin sont si douloureuses, ses certitudes à elle si erronées !

« J'aimais Frans, avoue Marin avec quelque difficulté et d'une voix dure. Quand j'avais treize ans, je l'aimais, mais jamais je n'ai voulu l'épouser. »

Marin a beau exprimer une tristesse ineffable, Nella voit une autre émotion naître, pâle soleil sur le visage de Marin. C'est, elle le sent, le soulagement doux-amer de confesser la vérité.

Malgré tout, Nella n'arrive pas à comprendre. Le cadre et les acteurs lui sont familiers, mais dans des rôles qui ne sont pas censés être les leurs. *J'ai fait quelque chose qui a rendu Frans Meermans très malheureux*, a dit Johannes dans sa cellule du Stadhuis. Pourquoi n'a-t-il rien révélé à cet instant ? Pourquoi ne s'est-il pas lavé de cette accusation ? Quelle est cette loyauté qui les lie l'un à l'autre, corde si glissante que Nella ne parvient pas à la saisir ?

« Quand j'ai eu seize ans, je n'ai voulu renoncer ni à ce que j'étais ni à ce que j'avais, continue Marin d'une voix calme. Je disposais déjà d'une maison et, quand Johannes était au loin, j'étais la maîtresse. »

Les larmes commencent à remplir ses yeux gris et à couler. Elle ouvre ses bras comme des ailes, geste familier, pour montrer la pièce où elles se trouvent. « Aucune femme ne dispose de ça, à moins d'être veuve. Puis sont arrivés Otto et Cornelia. "Nous forgeons nous-mêmes les barreaux de notre cage", aime dire Johannes. Il m'a promis que je pourrais être libre. Je l'ai cru pendant très longtemps. J'ai sincèrement cru être libre, murmure Marin en posant les mains sur son ventre.

— Marin, vous portez l'enfant de Meermans...

— Quelles que soient ses imperfections, mon frère m'a toujours laissée vivre ma vie. Hélas, il ne peut pas en dire autant de moi. »

Marin pose les doigts sous ses yeux comme s'ils pouvaient arrêter ses larmes, précaution futile, car elles coulent et Marin commence même à sangloter. « J'ai enlevé à Johannes des choses qui ne devaient pas me revenir.

— Que voulez-vous dire ? »

Marin ne trouve pas ses mots. Elle fait glisser ses mains fines sur son visage et prend une profonde inspiration. « Quand Frans a fait sa demande, je ne savais pas comment refuser. J'ai cru préférable pour lui de croire qu'on me l'interdisait plutôt que de découvrir ma... réticence. J'ai demandé à Johannes d'assumer personnellement ce refus. Il l'a fait ! dit-elle avec un regard fou de douleur. Mon frère a menti. Pour moi. J'étais jeune... Nous l'étions tous ! Je n'aurais jamais cru que ça entraînerait ça..., soupire Marin en posant la main sur sa bouche pour étouffer un cri. Toute amitié oubliée, toute complicité, parce que je ne pouvais supporter l'idée d'être une épouse. »

Le pain de l'espoir

Devant l'entrepôt de son mari, Nella attend Hanna et Arnoud Maakvrede. Elle sent la clé de Johannes autour de son cou et son esprit résonne de la nouvelle vérité au sujet de Marin et de son frère, qui projette autant d'ombre que de lumière. L'amour a changé de forme, un rayon de soleil qui parfois obscurcit le cœur. Apparemment, Marin considère que le mariage implique de renoncer à quelque chose, alors que, pour tant d'autres femmes — y compris ma propre mère, se dit Nella —, c'est le seul moyen d'acquérir de l'influence. Est-ce le cas ? Marin se croyait plus puissante sans mari. Je pensais que le mariage devait lier l'amour. Leur amour a été laissé sans lien, et voilà ce qui est arrivé ! Un enfant, une cellule de prison, oui... mais aussi la liberté de choisir et de forger son propre destin.

Après ces révélations sur son passé, Marin a ressenti le besoin de s'occuper — elle l'a presque exigé — et Nella a saisi sa chance. Tu n'as pas été dure, se rassure Nella en s'appuyant au mur de l'entrepôt, c'était une nécessité absolue. C'est ainsi que Nella, à une petite table de la pièce du fond, loin du quai et de ses passants curieux, a fait rédiger

378

par Marin une lettre à Arnoud Maakvrede imitant l'écriture de Johannes. Elle avait accepté l'idée de Nella d'inviter Maakvrede à goûter le sucre dans le but de le vendre au sein de la République, rapidement, à une clientèle qui n'attendait que ça. Du moins mon mariage m'a-t-il enfin conféré un peu d'influence, ironise Nella.

La voix de Marin résonne dans sa tête : « C'est à nous de fixer le prix. Il y a mille cinq cents cônes. Selon mon estimation, ça devrait valoir environ trente mille florins. Commencez plus haut que ce que vous voulez en tirer, et souvenez-vous que, s'ils veulent acheter, nous partagerons les profits en trois, désormais, et le gros de l'agent doit aller à Frans.

— Et si Arnoud a entendu parler de l'affaire de Johannes et qu'il ne veut pas acheter ?

— Les florins ont toujours le dessus sur la piété. Il nous reste à espérer qu'Arnoud Maakvrede est un Amstellodamois avant d'être un ange.

— Il risque de comprendre qu'on veut vendre vite. Il risque de voir la moisissure.

— Tenez bon, Nella. Montez le prix et faites-lui croire que vous lui accordez une ristourne à cause des spores. »

Nella ne peut s'empêcher d'admirer la manière dont Marin est capable de faire abstraction de sa tristesse, quand c'est vraiment crucial, de mettre ses sentiments de côté, en un lieu que les autres ne peuvent atteindre. Elle se demande si elle-même n'est pas trop petite pour cette grande idée, si elle ne risque pas de s'embourber, si son ambition ne risque pas de la noyer. Pourtant, Marin a bien prononcé les mots que Nella voulait entendre.

« Petronella, dit doucement Marin.

— Oui ?

— Vous ne faites pas ça seule. Je suis là. »

Par-delà le plateau abandonné du *verkeerspel*, Marin a tendu la main et serré celle de Nella, si surprise qu'elle a craint que son cœur n'explose.

Nella voit le couple approcher dans la lumière froide. Quelqu'un les a-t-il avertis de ce qui se passe au Stadhuis ? Le scandale d'un riche marchand arrêté ne semble pas avoir infiltré les rues de la ville. Cornelia n'a rien entendu le long du canal. Peut-être Aalbers, faisant preuve de décence, a-t-il réussi à imposer silence aux gardes de la prison. Mais ce n'est qu'une question de temps avant que tout le monde sache ce qui est arrivé à Johannes Brandt. Un sale petit fanfaron comme Christoffel ne peut être bâillonné aussi facilement qu'un gardien avec une famille à nourrir. Amsterdam se délecte de ces surveillances réciproques, de l'étouffement de l'esprit de chacun par son voisinage.

Dehors, dans l'ombre de l'entrepôt, Arnoud paraît moins exubérant, son tablier remplacé par un beau costume noir et un chapeau. Il a une présence différente de l'homme qui cognait ses plaques de rayons de miel. À l'extérieur, on croirait qu'il a rétréci.

« Seigneur, Madame, dit Nella en tournant la clé dans la serrure. Mes vœux de Nouvel An et merci d'être venus tous les deux !

— Dans sa lettre, votre mari n'a pas indiqué que nous vous rencontrerions, fait remarquer Arnoud, incapable de dissimuler sa surprise de trouver Nella seule sur place.

— En effet, Seigneur, répond Nella en sentant le regard vif de Hanna sur elle. Mon mari est en déplacement.

— Et Marin Brandt ?

— En visite dans la famille, Seigneur.

— Je vois. »

Il est évident que la jeunesse et le sexe de Nella perturbent Arnoud, comme si on lui jouait un tour. Attends un peu ! songe la jeune femme en serrant les poings dans les manches de son manteau. « Venez par ici, Seigneur, Madame, et prenez garde où vous posez les pieds sur les barreaux. »

Précédant Arnoud et Hanna sur l'échelle, Nella pense à la main miniature d'Agnes, chez elle. Le pain de sucre qu'elle tient n'a pas noirci davantage, mais hors de ce monde en modèle réduit, une journée a passé, une nuit de plus dans le mauvais temps et l'humidité. Comme pour la marque rouge de Rezeki ou la révélation de Marin, Nella ne peut deviner ce qu'elle va trouver. Ce qui fut n'est plus. Son cœur bat plus fort en entendant Arnoud peiner à monter et les petits pas bien nets de Hanna derrière lui.

« Les voici ! dit-elle en montrant les pains, quand ils arrivent au dernier palier.

— Je ne m'attendais pas à ce qu'il y en ait tant, fait observer Arnoud.

— Imaginez-les transformés en florins ! » réplique Nella.

Il hausse les sourcils et elle grimace intérieurement en s'entendant bonimenter aussi grossièrement. *Pense à Marin !* s'ordonne-t-elle. *Sois aussi affable que Johannes !*

Hanna s'approche du côté Suriname et inspire profondément. « Moisissure ? demande-t-elle.

— Sur quelques-uns seulement. La saison n'a pas été clémente.

— Puis-je ? demande Arnoud en s'agenouillant avec respect, tel un prêtre devant l'autel.

— Je vous en prie. »

Arnoud retire un pain du côté Suriname, puis un marqué des trois croix d'Amsterdam. De sa poche, il sort un petit couteau pointu et, d'un geste expert, il prélève un ruban de cristaux sur chaque cône. Il les casse en deux et en tend les moitiés à Hanna. Dès qu'ils goûtent le Suriname, ils se regardent.

Que se disent-ils l'un à l'autre, sans un mot ? Une conversation est en train de se tenir. Ils font de même avec l'échantillon d'Amsterdam, le laissant fondre dans leur bouche et communiant en silence. Le mariage est une drôle de chose ! songe Nella. Qui aurait apparié l'élégante Hanna avec ce *puffert* tout rond qu'est Arnoud Maakvrede ? Elle regrette l'absence de Johannes. Lui qui parle tant de langues aurait décrypté leur silence. Se le représenter dans sa cellule l'affecte trop et elle refoule son image pour se concentrer sur le sucre.

« Il y a mille cinq cents pains, ici, explique-t-elle. Sept cent cinquante ont été raffinés au Suriname. Les autres ont été raffinés ici, en ville. Nous souhaitons les vendre tous.

— Je croyais que Brandt commerçait avec l'Orient.

— C'est exact, mais une plantation du Suriname avait un excès de stock et voulait le garder au sein de la République. Deux personnes vont venir le voir plus tard dans la journée, ment-elle. Elles ont très envie de les acheter.

— Combien pour le lot d'Amsterdam ? » demande Hanna après s'être délicatement essuyé le coin de la bouche.

Nella feint de réfléchir. « Trente mille. »

Les yeux de Hanna s'arrondissent de surprise.

« Impossible ! déclare Arnoud.

— Je le crains, en effet, confirme Hanna. Nous ne disposons pas de ce genre de somme.

— Prospères, grogne Arnoud, mais pas stupides.

— Nous sommes des pâtissiers, pas des vendeurs de sucre, dit Hanna en le fusillant du regard, soumis aux caprices des bourgmestres avec leur haine des idoles papistes en pain d'épices.

— C'est un sucre d'excellente qualité. Je suis sûre que vous vous en êtes rendu compte, et cela garantit sa vente. L'appétit de sucre ne montre aucun signe d'apaisement — pâte d'amandes, gâteaux, gaufres..., énumère-t-elle en voyant Arnoud regarder la pile de cônes qui monte jusqu'au toit. Votre réputation au sein de votre guilde s'en trouverait certainement renforcée. Je ne peux imaginer le nombre de portes que cela pourrait vous ouvrir. »

Sans en être certaine, Nella a l'impression que Hanna dissimule un sourire. Il est fort peu probable qu'ils aient trente mille florins à dépenser, mais on ne sait jamais, dans cette ville. C'est une somme scandaleuse — que peut-elle faire ? Marin a dit de fixer un prix élevé, pour qu'Arnoud apprécie qu'elle le baisse. Ils ont besoin de leur profit, et Agnes aussi. Nella sent le désespoir monter en elle.

« Je vous en donne neuf mille, déclare Arnoud.

— Je ne peux vous laisser emporter tout ce sucre pour neuf mille.

— Très bien. Nous allons emporter cent des pains d'Amsterdam pour neuf cents et nous vous ferons savoir comment il se vend. Si nous en tirons un profit, nous reviendrons en prendre davantage. »

Nella tente de réfléchir aussi vite qu'Arnoud. Il veut acheter le cône pour neuf florins, mais elle doit en tirer presque vingt. Il est venu en sachant ce qu'il voulait proposer, raisonne-t-elle. « C'est trop peu, Seigneur. Deux mille cinq cents.

— Onze cents, contre Arnoud après avoir ri.

— Deux mille.

— Quinze cents.

— Très bien, Seigneur Maakvrede, mais j'ai deux autres acheteurs intéressés à voir cet après-midi. Je peux vous accorder trois jours pour prendre votre décision sur le reste, mais s'ils m'offrent un meilleur prix, je ferai affaire avec eux.

— C'est bon ! dit-il en croisant les bras, l'air impressionné, heureux, souriant pour la première fois. Quinze cents pour cent pains. »

La tête de Nella se met à tourner. Elle n'a pas réussi aussi bien qu'elle l'espérait, mais du moins le stock va-t-il circuler, et, à Amsterdam, où les mots sont de l'eau, il suffira d'un plateau de délicieux gâteaux. Elle glisse un pain du Suriname dans son panier pour que Cornelia voie si on peut le faire sécher.

Arnoud donne à Nella mille cinq cents florins en billets tout neufs. Elle est tout excitée de les toucher, de sentir leur potentiel — radeau de secours en papier. Mille iront tout droit à Agnes et Meermans sur le Prinsengracht, un peu de douceur pour les convaincre de retirer leur témoignage contre Johannes. Les cinq cents restants devraient suffire à acheter Jack Philips. Elles garderont des florins pour elles plus tard.

Hanna entreprend de charger un panier de pains de sucre. « Comment va Cornelia ? » demande-t-elle.

Elle est terrorisée, voudrait répondre Nella, elle reste cloîtrée dans sa cuisine. Elle a laissé la servante extrêmement agitée — écosser des pois, couper le globe dense d'un chou, émincer des oignons et des poireaux. « Elle va bien, merci, Madame Maakvrede.

— Certains rétrécissent tandis que d'autres grossissent, remarque Arnoud en secouant la tête devant la montagne de cônes.

— Nous allons vendre ce sucre et revenir, dit Hanna en serrant la main de Nella. J'en fais mon affaire. »

❧·❦·❧

Nella se dépêche de rentrer au moment où il se met à pleuvoir, caressant les billets dans sa poche comme des fanions à la gloire de son petit triomphe. Ce n'est qu'un début. Elle fait confiance à Hanna Maakvrede. Rendre visite à Agnes et Frans Meermans sur le Prinsengracht a beau ne pas être une perspective agréable, il faut qu'elle joue son rôle. Elle va faire abstraction de son véritable moi, comme y parvient Marin. Il y a une chance pour que la vue d'un peu d'argent adoucisse le cœur curieusement durci de Frans Meermans, ou réveille la générosité depuis longtemps endormie d'Agnes. Est-il possible qu'ils souhaitent la mort de Johannes ? Pour désirer la disparition d'un autre être, combien de douleur avez-vous engrangé ?

Elle entre dans le hall, secoue son manteau des gouttes de pluie et entend Cornelia qui pleure. Ses sanglots montent de la cuisine. Nella laisse tomber le panier contenant le pain de sucre noirci du

Suriname et dévale l'escalier, se prenant presque les pieds dans ses jupes.

Des pelures de légumes jonchent le sol, rubans verts et blancs d'un repas qui a très mal tourné.

« Qu'y a-t-il ? » s'inquiète Nella.

Cornelia montre un papier sur la table.

« C'est d'elle ? » demande Nella, pleine d'espoir.

La miniaturiste est enfin revenue ! Nella se précipite sur la feuille. En lisant ce qui est écrit, une lame brûlante de peur lui coupe le souffle, les florins d'Arnoud et l'excitation du sucre s'évaporant. « Mon Dieu ! Aujourd'hui ?

— Oui. Ça, votre espionne norvégienne ne l'avait pas prédit. »

Les bêtes sauvages
doivent être domptées par des hommes

Au Stadhuis, la salle du tribunal est une pièce carrée de taille moyenne avec de hautes fenêtres et une galerie tout autour. Une sorte d'intermédiaire entre une cellule et une chapelle. Ni or, ni velours, ni expression d'indulgence. Juste quatre murs d'un blanc cru, des meubles sombres et sobres. Le reste du Stadhuis est monumental, stupéfiant, avec ses arches qui s'élèvent jusqu'à des corniches dorées, des Atlas sculptés dans le marbre poli — mais dans cette salle où est appliquée la loi, l'atmosphère est austère. Nella et Cornelia s'installent en haut, sur la galerie, d'où elles dominent la cour.

Le *schout*, un certain Pieter Slabbaert, et six hommes entrent en file indienne et prennent place pour l'audience de Johannes.

« Ils doivent être membres du *schepenbank* », murmure Nella à Cornelia, qui hoche la tête, presque incapable de cesser de trembler.

Les six hommes sont d'âges variés, remarque Nella. Certains présentent mieux que d'autres, mais aucun n'est aussi enrubanné que le *schout* qui va prononcer le jugement. Toute marque d'indépendance est mal vue dans cette ville, et Nella s'inquiète que, face aux accusations qui pèsent sur

Johannes, ils ne rejoignent la masse des bien-pensants, unis dans le mépris.

Nella peine à regarder le *schout* Slabbaert. L'homme ressemble en tout point à un crapaud : large bouche, visage bulbeux, regard vitreux. Autour d'elle, la galerie commence à se remplir de spectateurs avec, parmi eux, des femmes et même quelques enfants. Nella croit reconnaître ce petit mouchard de Christoffel qui a annoncé la nouvelle de l'arrestation de Johannes.

« On ne devrait pas amener des gosses ! » marmonne Cornelia.

La présence de tant de menu fretin la rend anxieuse, comme s'ils étaient là pour assister à la capture d'une baleine.

À leur gauche, Nella repère Hanna et Arnoud Maakvrede. Ils savent donc, conclut Nella en leur adressant un signe de tête, le cœur lourd, mais Arnoud pose son doigt sur sa bouche à son intention, et elle tente de trouver du réconfort dans ce geste de connivence. Savait-il déjà, ce matin ? Cette possibilité la console — il est moins ange qu'Amstellodamois —, jusqu'à ce qu'elle se demande si l'issue de ce procès ne risque pas de l'amener à marchander pour obtenir le reste du sucre à un prix réduit.

Au premier rang, de l'autre côté de la galerie, Agnes Meermans, enveloppée de ses fourrures.

« Qu'est-ce qui ne va pas dans son visage ? » s'étonne Cornelia.

Il est vrai que les traits d'Agnes sont plus accusés que lorsque Nella l'a rencontrée à la Vieille Église en décembre. Elle a l'air malade, ses pommettes et ses orbites trop marquées tandis qu'elle regarde le tribunal en contrebas. Elle joue avec quelque chose sur ses genoux. Soudain, quand elle saisit la rambarde devant elle, Nella voit qu'elle s'est rongé les ongles jusqu'au sang. Sa coiffe jadis parfaite est un peu de travers, les perles qui l'entourent sont ternes, ses vêtements fripés. Elle a l'attitude d'un animal piégé ; ses yeux fusent dans tous les sens, à la recherche de quelque chose.

« Je vais vous dire ce que c'est, Madame, chuchote Cornelia. La mauvaise conscience. Voilà ! »

Nella n'en est pas si sûre. Qu'est-ce qu'Agnes tripote comme une gamine — qu'est-ce qu'elle cache dans sa manche ?

Frans Meermans, sous son chapeau à large bord, a pris place derrière sa femme. Nella se demande pourquoi ils ne sont pas assis ensemble. Son beau visage carré est humide de la pluie du matin. Il paraît nerveux et rajuste sans cesse sa veste, tirant dessus comme s'il faisait trop chaud. Nella tâte les florins d'Arnoud dans sa poche. Elle doit convaincre Meermans que l'argent arrive, et en grande quantité. Enterrez cette douloureuse situation, dites que vous vous êtes trompés — vous voyez bien qu'Agnes n'est pas en état de témoigner ! En passant en revue ses arguments, Nella tente d'attirer son attention, mais Meermans ne veut pas regarder dans sa direction. Par-dessus la tête de sa femme, il fixe l'arène, en bas.

L'auditoire retient collectivement son souffle quand on introduit Johannes. Nella écrase sa bouche de sa main, mais Cornelia ne peut s'empêcher de crier « Seigneur, Mon Seigneur ! ».

Il écarte les gardes qui le soutiennent, mais il peut à peine marcher. Ceux du *schepenbank* l'observent, le visage tendu. Johannes a subi le supplice de la roue, comme il l'avait prédit, il est gravement blessé, mais pas assez pour que sa vie soit en danger. Il penche sur un côté, ses chevilles ayant à peine la force de bouger, un pied traînant derrière lui comme un chiffon. Johannes a dit qu'il pouvait voir des horizons à travers les murs de briques, mais comme il a changé, en cinq jours seulement ! Ses yeux ne sont plus que des pierres ternes. Quand il s'assied, il soulève pourtant son manteau en loques comme s'il était en brocart doré.

Il est clair que la brutalité des chaînes et des boulons n'a pas fonctionné. Le prisonnier boiteux n'a pas révélé de secret — dans le cas contraire, aucun d'entre eux ne serait là aujourd'hui. Leur a-t-il dit quoi que ce soit ? se demande Nella. Le but de cette audience est de faire sortir la vérité avec des mots et, cette fois, ce sont les citoyens qui en seront les témoins — une forme différente de brutalité. Qu'a dit Johannes, dans sa cellule ? Que plus de gens prennent part à un rituel, plus il semble justifié.

Nella se le remémore à la fête des argentiers, son charme, son expérience, son humour — il attirait tout le monde. Où sont ces gens, aujourd'hui ? Pourquoi seuls des enfants et des employés sont-ils venus le voir se battre ?

« On aurait dû lui donner une canne pour marcher, grogne Cornelia.

— Non. Il veut que nous prenions conscience de leur brutalité.

— Et mettre notre pitié à l'épreuve aussi. »

Hanna Maakvrede est venue s'asseoir avec elles. Elle prend la main de Nella dans les siennes. Les trois femmes forment une chaîne, et Nella a l'impression que son cœur va se fendre. Tout ce temps, elle avait cru que Johannes avait refusé à Marin la vie qu'elle voulait, alors qu'en réalité il avait tenté de la libérer. Le cœur de Johannes est puissant, mais où cela l'a-t-il conduit ?

Si seulement Marin pouvait lui rendre la pareille tout de suite, quand il en a le plus besoin ! Il risque d'être trop tard pour convaincre Jack de changer son témoignage ou pour calmer la colère de Frans, et maintenant que l'État est impliqué, qui peut s'opposer à cette machine scandalisée d'avoir débusqué un éventuel sodomite en son sein ? *Ma richesse n'est pas quelque chose de tangible*, a dit Johannes un jour. *Elle est dans l'air.* Mais un bébé est fait de chair et de sang. Prêtez-nous ce bébé à naître, Marin — permettez que nous puissions au moins jouer la comédie d'un mariage normal !

En pensant au berceau miniature, au petit ventre gonflé de la poupée Marin, au pain de sucre dans la main d'Agnes et à la poupée immaculée de Jack, Nella maudit en silence la miniaturiste de ne pas l'avoir alertée assez vite de ce qu'il fallait faire, de ce qui aurait pu être évité. À quoi sert une prophé-tesse qui n'expose pas clairement l'inévitable ? Puis elle s'interroge : qu'aurais-je pu faire ? Qu'aurais-je pu arrêter ?

Hanna se penche vers elle. « Nous avons déjà promis la moitié des pains que nous avons pris ce matin, Madame. Arnoud veut en envoyer à La Haye, où il a de la famille. Je suis sûre qu'on ne tardera pas à vous en acheter davantage. Ne l'oubliez pas, quand vous rencontrerez ces autres… personnes intéressées. »

Elle regarde avec attention Nella, qui tente de dissimuler sa gêne. Tromper Arnoud ne lui pose pas de problème de conscience — on dirait presque qu'il l'y invite —, mais, avec Hanna, ça ne lui paraît pas honorable. « Est-ce que ses clients savent à qui appartient ce sucre ? »

C'est au tour de Hanna de rougir. « Arnoud omet de mentionner la source. C'est de l'excellent sucre, Madame. Je crois que, s'il venait de Belzébuth en personne, mon mari le vendrait quand même. »

Ces mots redonnent espoir à Nella, mais là, dans cette salle de tribunal, on dirait que le calvaire de Johannes a pris une tournure qui lui échappe totalement. La pluie, plus forte, rugit régulièrement sur le toit.

« Bon peuple d'Amsterdam, nous avons de la chance ! » proclame le *schout* Slabbaert.

Il a une voix grave et fluide, qui s'élève jusqu'aux rangs où sont assis les gens normaux sur des bancs en bois. C'est un homme en pleine maturité qui se trouve au sommet du pouvoir judiciaire et tient, entre ses poings humides et fermés, la vie d'autres hommes. Nella suppose qu'il mange bien, qu'il dort profondément, que les horreurs des salles de torture sous ses pieds sont aussi lointaines pour lui que les îles Moluques.

« Nous avons fait de notre ville une réussite ! » se félicite Slabbaert.

À ces mots, les spectateurs de la galerie se rengorgent fièrement, et ceux du *schepenbank* hochent la tête pour signifier leur approbation.

« Nous avons dompté la nature et nous festoyons de ses bienfaits, mais vous êtes vertueux, citoyens de la ville, votre chance excessive ne vous a pas égarés. Pourtant, dit Slabbaert en marquant une pause pour montrer Johannes du doigt, nous avons là un homme qui est devenu vaniteux. Qui a cru qu'il était au-dessus de sa famille, au-dessus de la ville, au-dessus de l'Église, au-dessus de l'État. Au-dessus de Dieu ! »

Il s'interrompt à nouveau, le temps de donner plus de puissance encore à sa rhétorique. « Johannes Brandt est un homme qui croit pouvoir tout acheter. Il croit que tout a un prix. Même la conscience d'un jeune homme, qu'il a pris pour les plaisirs de son corps et dont il a tenté d'acheter le silence. »

Une vague d'excitation parcourt la salle. *Vaniteux*, *plaisirs*, *corps* — des mots interdits qui font frissonner l'auditoire, mais Nella ne sent que la peur grandir en elle, comme une des plantes empoisonnées de Marin.

« Vous ne pouvez pas porter un tel jugement ! déclare Johannes d'une voix éraillée et dure. Les membres du *schepenbank* n'ont pas pris de décision, et vous ne pouvez pas la prendre à leur place. Faites-leur un peu confiance, Seigneur Magistrat. Ce sont des hommes raisonnables. »

Parmi les *schepenbank*, certains se rengorgent, heureux qu'on reconnaisse leur importance. Les autres considèrent Johannes avec un mélange d'effroi et de dégoût.

« Ils sont de bon conseil, admet Slabbaert, mais c'est moi qui aurai le dernier mot. Johannes Matteus Brandt, niez-vous l'accusation d'agression sodomite ? »

Ce sont les mots que tous attendaient. On dirait qu'ils circulent entre les spectateurs, les défiant de les absorber, de goûter leur qualité rare, la transgression qu'ils représentent.

« Je la nie, confirme Johannes en étendant ses jambes blessées, en dépit de vos efforts.

— Contentez-vous de réponses simples, je vous prie ! le reprend Slabbaert en fouillant dans ses papiers. Le dimanche vingt-neuvième jour de décembre de l'an dernier, dans un entrepôt des îles de l'Est, Jack Philips, de Bermondsey, près de Londres, dit que vous l'avez attaqué et sodomisé. Le jour du Seigneur, il a été battu et couvert de bleus au point qu'il pouvait à peine marcher. »

La galerie se manifeste avec fracas.

« Silence ! exige Slabbaert. Silence dans la salle, là-haut !

— Ce n'était pas moi, proteste Johannes plus fort que la clameur.

— Des témoins vont jurer sur la Sainte Bible vous avoir vu.

— Et comment a-t-on pu m'identifier ?

— Vous êtes un personnage connu, Seigneur Brandt. Il n'est plus temps de feindre l'humilité. Vous êtes l'exemple même d'un commerçant puissant et riche. Vous venez souvent sur les docks, dans les entrepôts, aux bassins. L'acte que vous avez commis…

— Qu'on m'accuse d'avoir commis.

— … va à l'encontre de tout ce qui est bon, de tout ce qui est juste. Votre conduite vis-à-vis de votre famille, de votre ville, de votre pays, est celle du diable ! »

Johannes lève les yeux vers le carré de ciel d'un bleu parfait que délimite la fenêtre. Les *schepenbank* s'agitent sur leurs sièges.

« Ma conscience est en paix, dit-il avec calme. Tout ce dont vous m'accusez est aussi faux que vos dents. »

Dans la galerie, les enfants gloussent.

« Outrage à magistrat en plus de sodomie…

— Je peux tout aussi bien être accusé d'outrage à magistrat, Seigneur Slabbaert. Que ferez-vous ?

Vous me noierez deux fois pour avoir mis votre vanité en lumière ? »

Les yeux de crapaud de Slabbaert sortent presque de leurs orbites, ses joues bien nourries crispées par une rage à peine contenue. Soyez prudent, Johannes ! supplie Nella.

« Quand je vous pose une question, ordonne Slabbaert, répondez-moi avec le respect que tout citoyen doit montrer pour la loi.

— Posez-moi donc une question qui mérite ce respect ! »

Ceux du *schepenbank* semblent se réjouir de cet échange et tournent la tête alternativement vers l'un et l'autre des antagonistes.

« Êtes-vous marié ? demande Slabbaert.

— Oui. »

Nella se recroqueville sur son siège. Agnes la regarde, un rictus aux lèvres.

« Quel genre de mari êtes-vous ?

— Nous sommes tous les mêmes, non ? »

Des hommes rient dans la galerie et Johannes lève la tête. Il repère le visage de Cornelia, penchée sur la rampe, et réussit à lui sourire.

« Cela ne répond pas à ma question, insiste Slabbaert en élevant un peu la voix. Êtes-vous un bon ou un mauvais mari ?

— Je pense être un bon mari, déclare Johannes en haussant les épaules. Ma femme est satisfaite. Elle est riche et en sécurité.

— C'est là une réponse de marchand. Être riche ne signifie pas forcément qu'on est satisfait.

— Ah, c'est vrai ! J'oubliais vos angoisses morales concernant l'argent, Slabbaert. Essayez d'expliquer ça à un journalier, à un homme qui fait vivre cette République et qui pourtant ne parvient pas à payer le loyer que lui demande son propriétaire ! Essayez de lui expliquer que la sécurité que confère l'argent n'apporte pas le bonheur ! »

On entend quelques grognements approbateurs dans la galerie et un membre du *schepenbank* prend des notes.

« Avez-vous des enfants ? demande Slabbaert.

— Pas encore.

— Pourquoi cela ?

— Nous ne sommes mariés que depuis quatre mois. »

Cornelia serre la main de Nella. Sans le vouloir, Johannes a éliminé toute chance que le bébé de Marin le sauve.

« Partagez-vous souvent sa couche ? »

Johannes marque une pause. Il veut par là faire sentir l'impertinence d'une telle question, le scandale qu'est l'intrusion dans sa chambre à coucher. Cela ne fonctionne pas. Ceux du *schepenbank* tendent le cou, de même que Frans Meermans. Agnes s'agrippe à la rampe, dans la posture d'un charognard qui guette sa proie.

« Aussi souvent que je le peux. Je voyage beaucoup.

— Vous vous êtes marié bien tard, Seigneur. »

Johannes lève les yeux vers la galerie. « Mon épouse valait bien que je l'attende », dit-il avec une tendresse qui sonne juste.

Nella sent la mélancolie l'inonder. Deux femmes derrière elle soupirent avec approbation.

« Au fil des années, reprend Slabbaert, vous avez employé de nombreux apprentis de diverses guildes.

— C'est mon devoir de le faire, en tant que

citoyen d'Amsterdam et membre de premier plan de la VOC. Je suis content d'assumer cette charge.

— Certains pourraient dire trop content. Il y a surtout eu des jeunes gens…

— Avec tout le respect que je vous dois, est-ce que tous les apprentis ne sont pas des jeunes gens ?

— Leur nombre surpasse de loin ceux jamais employés par tout autre membre de la VOC. J'ai les chiffres. »

Johannes hausse les épaules. « J'ai plus d'argent que la plupart des autres. C'est probablement la raison de ma présence ici.

— Qu'est-ce que cela signifie ?

— Ça signifie que les plus mauvais chasseurs veulent toujours abattre le plus grand cerf. Je me demande, *schout* Slabbaert, qui va reprendre mes affaires, si je suis noyé… Est-ce que ce sera vous qui diviserez mes biens et les enfermerez dans vos coffres du Stadhuis ?

— Vous insultez la ville d'Amsterdam ! crie Slabbaert en regardant les *schepenbank*. Vos insinuations sont répugnantes. Vous utilisez cette ville comme un jouet. Vous ruinez tout ce qu'elle représente.

— Ce n'est pas un fait, juste votre opinion.

— Vous avez aussi employé un nègre, n'est-ce pas ?

— En effet. Il est originaire de Porto-Novo au Dahomey.

— Vous l'avez logé chez vous. Vous lui avez enseigné nos manières, vous avez dompté le sauvage.

— Qu'avez-vous derrière la tête, Slabbaert ? Qu'avez-vous en ligne de mire ?

— Je fais seulement observer votre goût pour

l'inhabituel, Seigneur Brandt. Nombre de vos collègues pourraient en témoigner. Faites entrer le plaignant ! »

Les yeux de Johannes s'arrondissent sous le choc.

« Le plaignant ? répète Nella en se tournant vers Cornelia. Je croyais qu'on n'énoncerait que les accusations aujourd'hui ! »

Non. On entend ses pas et les deux jeunes femmes regardent, horrifiées, les gardes introduire l'accusateur de Johannes dans la salle d'audience.

L'acteur

Cornelia, en revoyant l'Anglais, serre la main de Nella. Le meurtrier de Rezeki entre dans la salle. Ses cheveux fous ont perdu leur lustre, et il porte un bandage sanglant à l'épaule.

« Ce n'est pas son sang, murmure Nella. Il serait guéri, depuis le temps. »

Jack lève les yeux vers la galerie, et Nella remarque que c'est au tour d'Agnes de se recroqueviller sur son siège.

À l'arrivée de ce diable anglais en chair et en os, ceux du *schepenbank* se redressent.

« Êtes-vous Jack Philips, de Bermondsey, Angleterre ? » demande Slabbaert.

Jack hésite un instant face aux regards et aux murmures de tant de spectateurs. Nella, au souvenir de sa performance d'acteur dans le hall après qu'il a poignardé Rezeki, ne sait s'il est terrifié ou s'il fait seulement semblant.

« C'est bien moi », répond Jack, jetant ces mots comme il jetterait un gantelet aux pieds de Johannes.

Quelques personnes, dans la galerie, se moquent de son accent étrange qui résonne dans la salle.

« Donnez-lui une Bible ! » ordonne Slabbaert.

Un employé du tribunal se lève et brandit un petit volume très épais.

« Posez la main dessus et jurez que vous direz la vérité, récite Slabbaert.

— Je le jure », chuchote Jack en posant ses doigts tremblants sur la reliure.

Le visage de Johannes est un masque indéchiffrable et Jack ne lève pas les yeux vers lui.

« Reconnaissez-vous cet homme ? » demande Slabbaert en montrant Johannes.

Jack garde la tête baissée.

« J'ai dit : reconnaissez-vous cet homme ? »

Jack ne peut toujours pas le regarder. Est-ce de la culpabilité, se demande Nella, ou une manière de feindre la peur, un de ces trucs que Jack a appris dans les théâtres des bords de la Tamise ?

« Seriez-vous sourd ? insiste Slabbaert en haussant le ton. Ou bien ne comprenez-vous pas ce que je dis ?

— Je comprends ! assure Jack après un bref coup d'œil à Johannes, à ses jambes tordues, à son manteau en loques.

— Quelle accusation portez-vous contre lui ?

— Je l'accuse d'agression, de sodomie et de subornation. »

Les membres du *schepenbank* frétillent d'excitation.

Slabbaert s'éclaircit la gorge. « Permettez que je lise votre déclaration à l'assemblée : *"Moi, Jack Philips, de Bermondsey, Angleterre, habitant au signe du Lapin à l'angle du Kloveniersburgwal près de la Bethaniënstraat, fus brutalement saisi et violenté tard le soir du 29 décembre. Mon agresseur était Johannes Matteus Brandt, marchand d'Amsterdam et* bewindhebber* *de la VOC. J'ai été pris* *contre ma volonté et blessé d'un coup de couteau à l'épaule parce que je résistais."* Souhaitez-vous ajouter quelque chose ?

— Non. »

Cornelia se tourne vers Nella. « Il vient de dire que le Seigneur l'a poignardé ! Est-ce que ça signifie que Toot ne risque rien ? murmure-t-elle, incrédule. Un petit miracle, Madame. »

Nella ne peut pas en être aussi heureuse. Ce mensonge a sans doute libéré son serviteur, mais il a rapproché Johannes d'une condamnation à mort.

« Et cette déclaration est entièrement correcte ? demande Slabbaert à propos de ce qu'il vient de lire.

— Oui, Seigneur, sauf que, quand il m'a poignardé, il a raté mon cœur de peu.

— Je vois. Où s'est-il emparé de vous, Monsieur Philips ?

— Sur les îles de l'Est. Je travaille de temps à autre comme débardeur dans les entrepôts de la VOC.

— Et comment Johannes Brandt s'est-il présenté à vous ?

— Que voulez-vous dire ?

— Eh bien, comment Johannes Brandt s'est-il comporté avant de… s'emparer de vous ?

— Il était incontrôlable. »

Comment Jack peut-il connaître un tel mot d'une langue étrangère ? se demande Nella.

« Avez-vous parlé ensemble ? »

Jack est entré dans son rôle. Exploitant le silence avec l'habileté d'un acteur confirmé, il attend que, dans la salle, on n'entende plus rien que ses paroles et la pluie qui tombe.

« Vous a-t-il parlé ? répète Slabbaert.

— Il m'a appelé sa petite *nicht* * et m'a demandé où je vivais.

— Il vous a appelé sa petite *nicht* ? »

Slabbaert s'adresse aux membres du *schepenbank*. « À tous les niveaux de la vie, ces hommes sont contre nature. Ils vont jusqu'à faire main basse sur le vocabulaire familial et à le tourner en ridicule. A-t-il dit autre chose, Monsieur Philips ?

— Il a dit qu'il m'avait repéré depuis un moment. Il a demandé s'il pouvait voir où j'habitais.

— Quelle a été votre réaction ?

— Je l'ai repoussé et je lui ai dit de me laisser tranquille.

— Et après l'avoir repoussé ?

— Il m'a saisi par les manches de ma chemise et m'a traîné vers son entrepôt.

— Et alors ?... Et alors ? répète Slabbaert devant le silence de Jack. Il a abusé de vous ?

— Oui.

— Il vous a sodomisé.

— Oui. »

Deux membres du *schepenbank* sont pris d'une quinte de toux simultanée, ce qui fait grincer les pieds de leur siège. Nombreux sont ceux qui marmonnent dans la galerie. Un des plus jeunes enfants regarde Nella entre les barreaux de la rampe, stupéfait, horrifié.

Le *schout* se penche vers Jack, une étincelle de ravissement dans ses yeux de reptile. « Vous a-t-il dit quoi que ce soit, pendant qu'il vous attaquait ?

— Il a dit... qu'il devait m'avoir. Qu'il allait me montrer combien il aimait sa petite nièce.

— Avez-vous répondu quelque chose ? »

Jack gonfle la poitrine et désigne son bandage sanglant. « Je lui ai dit qu'il était possédé par le diable. Je lui ai dit qu'il *était* le diable, mais il a refusé d'arrêter. Il a dit qu'il allait montrer à un minable comme moi ce que c'était d'être pris par un homme comme lui. Il a dit qu'il obtenait toujours ce qu'il voulait, qu'il me battrait si je ne me soumettais pas.

— Nous avons un rapport d'un chirurgien sur l'état physique du plaignant quand il est venu au Stadhuis porter son accusation, déclare Slabbaert en en faisant passer des copies aux membres du *schepenbank*. Il vous a poignardé, mon *lad*. Plus bas, il vous aurait percé le cœur. »

Lad. Le mot populaire anglais pour l'amadouer — pauvre Jack le *Lad*, pris dans l'obscurité par Lucifer en personne ! Après cette déclaration, qui montre clairement où vont les sympathies de Slabbaert, un poids semble s'abattre sur les épaules de Johannes, comme si ses os étaient en pierre.

« Oui ! dit Jack qui, en voyant que Johannes le regarde, tourne en toute hâte les yeux vers le *schepenbank*. Ensuite il m'a frappé. Je pouvais à peine marcher !

— Ce ne sont que des mensonges ! proteste Johannes.

— Il n'a pas le droit de me parler, *schout* Slabbaert. Dites-lui qu'il n'a pas le droit de me parler !

— Silence, Brandt ! Votre tour viendra. Monsieur Philips, êtes-vous absolument certain que l'homme qui vous a agressé cette nuit-là était Johannes Brandt ?

— Absolument certain », affirme Jack, dont les genoux se mettent à trembler.

— Ce garçon est sur le point de s'évanouir ! prévient Johannes, tandis que Jack s'effondre.

— Faites-le sortir ! ordonne Slabbaert en agitant la main en direction de Jack. La séance est suspendue jusqu'à demain matin, sept heures.

— *Schout* Slabbaert, intervient Johannes. Aujourd'hui, nous étions censés n'assister qu'à la lecture des accusations, et pourtant vous avez amené mon accusateur. À quel jeu jouez-vous ? Quand aurai-je l'occasion de lui poser des questions ? Vous avez tenté de me diffamer et d'impressionner la foule. Je dois pouvoir me défendre.

— Vous parlez déjà bien trop. Nous n'avons même pas encore appelé les témoins.

— Il est écrit qu'il doit en être ainsi. Nous devons tous deux avoir notre chance, dit-il en montrant la Bible du doigt : *"Vous ne ferez pas preuve de partialité dans vos jugements : vous écouterez le petit comme le grand. [...] Et lorsque vous trouverez une cause trop difficile, vous la porterez devant moi pour que je l'entende."* C'est le Deutéronome, au cas où vous voudriez vérifier.

— J'ai dit que vous auriez l'occasion de vous défendre, Brandt, mais, pour aujourd'hui, la séance est levée. Sept heures demain. »

Johannes et Jack sont conduits hors de la salle par des portes différentes. Jack baisse la tête, mais Johannes se tourne un instant vers la galerie où Cornelia et Nella sont déjà debout. Nella tend la main vers lui et il hoche la tête avant d'être entraîné.

Les gens s'étirent et échangent des regards étonnés et consternés, des pique-niqueurs morbides cherchant dans leurs poches et leurs sacs des noix, des copeaux de fromage et de jambon. Agnes se hâte dans la travée. Nella est à nouveau surprise par son corps si menu, ses pas d'oiseau. Frans Meermans a déjà disparu.

Nella sait qu'elle ne dispose que de peu de temps. « Je ne serai pas longue, dit-elle à Cornelia. Retournez auprès de Marin. »

Immédiatement la curiosité de Hanna est éveillée, mais Nella n'a que le temps de jeter à Cornelia un regard impérieux : *même Hanna ne doit rien savoir !* Cornelia lui adresse un signe de tête presque imperceptible.

En prenant le chemin emprunté par Agnes, Nella remarque que quelque chose est tombé sur le parquet devant son siège. Dans la poussière, entre les pelures d'orange, deux petits pieds chaussés de socques sortent de sous le banc. Je connais ces pieds, se dit Nella en s'accroupissant.

Ils appartiennent à une petite poupée vêtue d'or. Son visage est celui de Nella, avec ses mèches de cheveux s'échappant de sa coiffe couleur safran. « Par tous les anges ! » murmure Nella dans un souffle. Cette version d'elle a l'air moins surpris que la poupée de son cabinet, avec un regard plus calme. Instinctivement, Nella tâte le corps miniature en quête de blessures, se dit-elle, pour s'armer contre un danger à venir, mais dans les recoins les plus profonds de son esprit, elle sait qu'elle cherche l'annonce d'un enfant. Il n'y en a pas, pas de renflement dissimulé. Nella refoule sa tristesse. Du moins n'as-tu ni coupure ni fracture ! se rassure-t-elle. Ton heure n'a pas sonné.

Les florins et la poupée

Il est possible qu'Agnes possède cette poupée depuis des mois. Elle était jalouse de mon cabinet. Elle a prétendu en avoir un, avant de se trahir sur le perron, après le dîner. *Je veux que le mien soit plus beau que le sien*, a-t-elle dit à Frans. En tout cas, il ne peut y avoir qu'un endroit où Agnes s'est procuré cette poupée me représentant. Elle est si bien vue, si précise ! C'est douloureux, pour Nella, d'accepter qu'elle ait été faite pour quelqu'un d'autre.

Nella glisse son double rutilant dans sa poche avec les florins d'Arnoud et dégringole l'escalier en quête de Meermans. La pluie tombe moins fort, mais elle diffuse la lumière. Les spectateurs se sont dispersés dans les ruelles en évitant les flaques. Nella remarque la fraise à l'ancienne bien blanche et la chasuble noire du pasteur Pellicorne — son visage lisse, sa couronne de cheveux gris, ses yeux illuminés de prédicateur. D'autres l'entourent, attirés comme la bardane par la laine.

« C'est un péché, pérore-t-il dans le clapotis de la pluie. Vous pouvez le sentir, n'est-ce pas ? Johannes Brandt a mené une vie de péché.

— C'est la conséquence du luxe, observe une femme près de lui.

— Mais il nous a fait gagner de l'argent, dit un autre. Il nous a rendus riches.

— Qui a-t-il rendu riche, précisément ? Et voyez un peu ce qu'il a fait à son *âme* ! » rétorque Pellicorne en terminant par un chuchotement, comme s'il écartait d'un dernier souffle les abominations de Johannes Brandt.

Nella a du mal à respirer. La ruelle sent les aliments pourris, une puanteur épaisse, qui accompagne les fumées sortant des tavernes où on cuit de la viande. Le regard de Pellicorne glisse sur elle.

« Est-ce que ça va, jeune fille ? » demande une des femmes proches de Pellicorne.

Elle ne répond pas.

« Sa *femme* », murmure quelqu'un.

D'autres têtes se tournent.

Regardez-moi donc ! Regardez-moi ! « Oui, crie-t-elle, je suis son épouse.

— Dieu voit à travers les portes, Madame, dit la femme. Il voit tout. »

Nella part dans la direction opposée en serrant la poupée dans sa poche. Elle tente de s'imaginer la maison sans Johannes. Non, se dit-elle en sentant la vie de son mari lui échapper, tu ne peux pas le laisser mourir !

« Madame Brandt », appelle une voix.

Elle se retourne. Frans Meermans se tient devant elle.

Reste calme, Nella Elisabeth ! « Seigneur, je vous cherchais. Où est votre épouse ?

— Agnes est rentrée chez nous, répond-il en remettant son chapeau. Elle reviendra demain. Elle a été... très mal, depuis qu'elle a vu l'horreur...

— Vous devez arrêter ça, Seigneur ! Cela vaut-il

la peine de tuer votre ami ? Pour quelques florins ?
Ou… de rendre Marin si malheureuse ?

— Johannes Brandt n'est pas mon ami, Madame,
déclare Meermans en abattant le pied dans une
flaque. Et Agnes est témoin devant Dieu. Je suis
désolé pour Madame Marin, mais ce que votre mari
a fait avec cet homme ne peut rester impuni.

— Ça n'a rien à voir avec ce que Johannes a fait
avec Jack, n'est-ce pas ? C'est à cause de ce qui s'est
produit il y a douze ans. Vous pensez que mon
mari a gâché votre vie, mais ce n'était pas lui !

— Madame…, intervient Meermans en respirant avec difficulté.

— Je sais ce qui s'est passé, Seigneur ! dit-elle,
désespérée. Marin et vous. Je comprends la jalousie d'Agnes, mais…

— Pas si fort ! Gardez votre imagination vicieuse
pour vous !

— Il y a douze ans, Johannes a pris une décision
vous concernant, mais il n'a pas…

— Je refuse d'en parler, Madame ! enrage
Meermans en balayant la rue du regard, les yeux
plissés sous la pluie qui continue à s'accumuler sur
son chapeau. Agnes est mon épouse.

— Mais ce n'est pas terminé, Seigneur Meermans,
et il y a quelque chose d'autre que vous devez savoir,
dit-elle en sortant les florins, la petite poupée la
représentant glissée en dessous. C'est la première
fraction de votre argent. Johannes a vendu une
bonne partie de votre sucre, Seigneur, à Arnoud
Maakvrede.

— Si peu ! Vous me prenez pour un idiot ? »

Soudain, son attitude change et on dirait qu'il se
crispe de peur. « Qu'est-ce que c'est que *ça* ? »

Nella se rend compte que, paralysé, il regarde

la poupée. Elle se souvient de lui passant dans la Kalverstraat au sein de la milice de Saint-Georges et levant les yeux vers le signe du Soleil.

« Où avez-vous eu ça ?

— Je… C'est moi.

— Rangez ça. *Tout de suite !* »

Nella prend une profonde inspiration. Il faut que je lui dise, pour Marin. C'est peut-être la seule chose en mesure d'arrêter cette folie. « Seigneur, Marin est…

— Ne montrez jamais ça à personne, vous m'entendez ? » ordonne Meermans, qui évacue l'eau de son chapeau, éclaboussant le manteau de Nella.

Nella replace la poupée dans sa poche. « Pourquoi cela ? »

Il ne répond pas.

« Agnes a-t-elle commandé un cabinet représentant votre maison ?

— Un boulet de canon ferait moins de dégâts dans mon mariage que ces maudites miniatures, crache-t-il en lui arrachant l'argent des mains. Je vais compter ces billets et prendre congé.

— Je vous donnerai bientôt beaucoup plus. Peut-être alors changerez-vous vos desseins concernant mon mari.

— Je n'ai aucun dessein, Madame. C'est la volonté de Dieu.

— Quelles miniatures avez-vous reçues ? »

Meermans brandit les florins sous la pluie. « Est-ce que vous ne devriez pas plutôt vous inquiéter de trouver davantage de ces billets ? »

La pluie tombe plus fort. Les spectateurs se dépêchent de retourner à l'abri, dans la salle.

Nella saisit le bras de Meermans pour l'empêcher de partir. « Est-ce que vous avez reçu des miniatures qui indiquaient ce qui allait arriver, Seigneur ? Ou qui montraient ce qui s'était déjà produit ?

— Des allusions diaboliques et de méprisables moqueries. Aucun Hollandais ne devrait avoir à supporter ça ! »

Il hésite, mais l'occasion d'en parler à une personne apparemment à même de le croire semble irrésistible. « J'ai caché les paquets et les messages, mais Agnes les a trouvés, ou ils ont trouvé le moyen de se montrer à elle. Ce n'est pas la jalousie qui la bouleverse, Madame, c'est ce cabinet ! Si elle n'avait pas appris l'existence du vôtre, rien de tout ça ne serait arrivé.

— Rien de quoi ? Est-ce qu'Agnes est malade ?

— "C'est la vérité, ne cesse de gémir Agnes, il me dit la vérité !" Je me suis donc rendu à la Kalverstraat pour faire arrêter ce miniaturiste.

— Vous avez fait quoi ?

— Votre cabinet restera inachevé, Madame, et celui d'Agnes a été détruit. Les bourgmestres ont été très désireux de mettre fin au trafic de quelqu'un travaillant au sein de la ville hors de la juridiction d'une guilde. *Miniaturiste*, pouffe-t-il, ce n'est même pas un vrai travail ! »

La peur déchire Nella. Elle ne sent plus son corps. Elle ne voit plus que le visage large de Meermans, ses yeux porcins, l'envergure de sa mâchoire. « Seigneur, qu'avez-vous fait à l'artisan miniaturiste ?

— Il était parti, ce sale petit escroc, cet espion ! Mais j'ai veillé à ce qu'il ne revienne pas. Les bourgmestres ont infligé à Marcus Smit une grosse amende, pour avoir permis à un non-

410

Amstellodamois de proposer ses services sur sa *Liste*, et cette maison de la Kalverstraat va devenir le foyer d'une personne qui appartient à cette ville. Vous avez conscience, Madame, insiste-t-il en brandissant les mille florins sous son nez, de l'insulte que cela représente ? Mon gagne-pain a été ruiné à cause de la négligence de Brandt. »

Comme il est obsédé par les florins — et indifférent à tout le reste ! Nella sent son sang bouillir dans ses veines et sa colère se défaire de ses liens. « J'ai vu les pains de sucre d'Agnes, votre gloire par procuration ! Ils ne sont pas pourris — mais vous, si, de même que votre épouse. Marin l'a échappé belle, quand elle a refusé de vous épouser ! »

Il recule en titubant.

« Et je crois, Seigneur, je *sais*, que même si Johannes avait vendu ces pains jusqu'au dernier, vous seriez encore heureux de le voir noyé !

— Comment osez-vous ! Vous n'êtes qu'une petite...

— Gardez ces florins, Seigneur ! dit-elle en se détournant avant de crier vers le ciel : et que l'artisan miniaturiste vous pourchasse tous les deux jusqu'en enfer ! »

Arrivée

Du Stadhuis, Nella prend rapidement la direction de la Kalverstraat, mais elle est arrêtée par Cornelia qui arrive à sa rencontre au pas de course en braillant : « Madame, Madame !

— Cornelia, pourquoi criez-vous ? J'ai trouvé Meermans…

— Vous lui avez dit, pour Madame Marin ? »

Cornelia jette des coups d'œil douloureux à droite et à gauche de la rue. Elle paraît verte à la lumière humide qui faiblit, et ses mains sont serrées comme si elle tenait un bouquet invisible.

« Non, répond Nella en se sentant soudain épuisée. J'ai marchandé avec lui des florins contre une vie.

— Avez-vous réussi à le convaincre de ne pas témoigner ? insiste Cornelia, le visage défait.

— Je lui ai donné un acompte de mille florins pour ses précieux cristaux de sucre. Je ne peux pas promettre que ça changera quoi que ce soit, Cornelia. J'ai essayé. Il a dénoncé la miniaturiste aux bourgmestres et je ne sais pas si elle…

— Vous devez rentrer à la maison !

— Mais…

— *Tout de suite !* Il y a quelque chose qui ne va pas avec le cœur de Madame Marin. »

« Sentez-le ! dit Marin en sortant de l'ombre dès que les deux femmes passent la lourde porte. Mon cœur bat trop vite. »

Nella pose les doigts sur le cou de Marin et sent le pouls qui tressaute, qui bat sous sa peau.

Marin s'affole et lui prend la main. « Cette douleur, dit-elle dans un souffle, ça me déchire.

— *Douleur*, Madame ? s'écrie Cornelia, horrifiée. Vous avez dit que les douleurs n'avaient pas commencé... »

Marin gémit. Un liquide s'étend en cercle sur la laine sombre de ses jupes jusqu'à l'ourlet.

« On monte ! déclare Nella, qui tente de paraître calme, mais dont le cœur cogne fort tant elle panique. On va s'installer dans ma chambre. Elle est plus près de la cuisine pour chercher de l'eau.

— Est-ce que le moment est venu ? demande Marin d'une voix crispée par la peur.

— C'est bien possible. Il faut qu'on appelle une sage-femme.

— *Non*.

— On pourra acheter son silence.

— Avec quoi, Petronella ? Vous n'êtes pas la seule à avoir regardé dans le coffre de Johannes.

— Je vous en prie, Marin. On a assez pour ça ! Restez calme !

— Je ne veux personne d'autre ici que vous et Cornelia ! rugit Marin en serrant la main de Nella comme si s'accrocher à elle pouvait tout résoudre. Les femmes font ça depuis la nuit des temps, Petronella. Vous êtes les seules que j'accepterai.

— Je vais chercher de l'eau chaude », déclare Cornelia en se précipitant vers la cuisine.

Nella remarque le livre de Blankaart ouvert sur une chaise.

« Vous savez quoi faire, n'est-ce pas, Petronella ?

— Je ferai de mon mieux. »

Elle avait quatre ans à la naissance de Carel, neuf quand Arabella avait été tirée hors de sa mère. Elle se souvient des cris, du souffle court, des mugissements comme ceux d'une vache lâchée dans la maison, des draps tachés de sang empilés dans le jardin, prêts à être brûlés, de la faible lumière sur le visage de sa mère et de l'air émerveillé de son père. Il y avait eu les autres, bien sûr, les enfants qui n'avaient pas survécu. Elle était plus âgée, alors. Nella ferme les yeux pour tenter de se remémorer les gestes des sages-femmes tout en oubliant ces petits corps inertes.

« Bien ! dit Marin, mais elle est très pâle.

— Quand la douleur était trop forte, ma mère faisait les cent pas. »

Pendant deux heures, Marin arpente le premier étage, gémissant quand les grondements de tonnerre explosent en elle. Nella gagne la fenêtre et pense à Johannes sur sa paillasse, à Jack dont la performance lui permet de ne pas se retrouver enfermé lui aussi, à Meermans, sa fierté et ses florins mouillés de pluie, à Agnes qui attend un message de la Kalverstraat. Où est la miniaturiste ? Du coin de l'œil, Nella surveille son cabinet et ses poupées figées dans le temps qui vivent derrière les rideaux jaunes. *Votre cabinet restera inachevé, Madame.*

Dehors, la pluie s'est intensifiée, une pluie de janvier, froide, implacable. Un chien passe, et un chat roux file en un éclair. Une forte odeur emplit soudain la pièce et Nella se retourne.

Horrifiée, Marin regarde un tas de fèces à ses pieds. « Oh, mon Dieu ! s'exclame-t-elle en se couvrant le visage de ses mains tandis que Nella la ramène vers le lit. Mon corps ne m'appartient plus. Je suis…

— Oubliez ça ! C'est un bon signe.

— Mais qu'arrive-t-il ? Je me désagrège. Il ne restera rien de moi quand le bébé sera sorti. »

Nella nettoie la saleté et dépose les serviettes souillées dans un seau avec un couvercle. Quand elle se retourne, Marin est recroquevillée sur le côté.

« Je n'imaginais pas que ça se passerait comme ça, gémit-elle en enfouissant son visage dans ses oreillers.

— Non, confirme Nella en lui tendant une serviette propre et humide. Ce n'est jamais le cas.

— Je suis tellement fatiguée ! dit-elle en écrasant de la lavande dans son poing pour en inspirer profondément le parfum. Je suis rompue jusqu'aux os.

— Tout ira bien », assure Nella, consciente que ce ne sont là que des mots.

Elle sort respirer l'air frais du couloir, soulagée d'échapper un instant à l'atmosphère épaisse de la chambre, à ses lourdes pulsations de peur.

Cornelia monte l'escalier, tout sourire, et prend la main de Nella. « C'est une bénédiction, Madame. Une bénédiction que vous soyez venue ici. »

Alors que le soir tombe sans que cesse la pluie, les vagues de douleur se suivent presque sans interruption. Marin semble s'échapper en une spirale inexorable. Elle dit éprouver une profonde

415

agonie qui déferle en elle. « Je suis un nuage plein de sang, murmure-t-elle. Un bleu géant. Ma peau se fend de partout. »

Pour qu'elle se sente plus à l'aise, elles lui ont enlevé ses jupes et elle ne porte plus qu'une chemise en coton et un jupon.

Marin est un vaisseau de douleur, elle est la douleur même, elle est ce qu'elle n'a jamais été auparavant. Tandis que Cornelia et Nella lui épongent le front et lui frottent les tempes d'huiles essentielles pour la calmer, Nella voit Marin comme une montagne, immense, ancrée, immuable. L'enfant en elle est un pèlerin qui descend de ses sommets, en mouvement alors que Marin est paralysée. Chaque pas qu'il fait, chaque impact de sa canne contre le flanc de Marin, chaque coup de pied lui donne davantage de pouvoir.

Marin crie. Avec ses cheveux collés à son front, son visage d'ordinaire si lisse est rouge et boursouflé. Elle se penche de côté et vomit sur le tapis.

« On devrait appeler de l'aide, murmure Nella. Regardez-la ! Elle ne s'en rendrait même pas compte. »

Cornelia se mord la lèvre et se penche vers le visage baigné de sueur et crispé de Marin. « Si, elle s'en rendrait compte ! répond-elle à voix basse, les yeux brillants de peur et d'épuisement. On ne peut pas faire ça. Madame Marin refuse que quiconque l'apprenne. Et, de toute façon, qui pourrait-on appeler ? dit-elle en épongeant un liquide clair que Marin vient d'expulser.

— On trouverait quelqu'un dans la *Liste de Smit*. On ne sait pas ce qu'on fait ! insiste Nella. Est-ce qu'elle est censée vomir comme ça ?

— Où est-il ? » marmonne Marin en s'essuyant la bouche sur un des oreillers.

Nella lui donne le coin d'une serviette mouillée pour qu'elle en suce l'humidité. « Il faut regarder sous son jupon ! murmure-t-elle en se tournant vers Cornelia.

— Elle me couperait la tête si je faisais ça, pâlit Cornelia. Elle ne me laisse même pas regarder son dos nu.

— Il le faut. Je ne sais pas si cette douleur est normale.

— Vous devrez le faire, Madame. Je ne peux pas. »

Les yeux de Marin papillonnent et elle émet un son guttural sourd qui s'élève jusqu'à ressembler à un appel de clairon. Quand elle laisse échapper un autre de ces cris perçants, Nella n'hésite plus et se met à genoux pour soulever l'ourlet du jupon de Marin. Regarder entre les jambes de Marin, voilà qui est presque impensable. Un blasphème.

Nella passe la tête sous les volants brûlants et scrute ce qui s'impose à elle. C'est le spectacle le plus extraordinaire qu'elle a jamais vu. Ni de chair ni de rêve, ni divin ni humain, et pourtant tout cela à la fois. À cet instant, on dirait une chose venue d'une terre lointaine. Une petite chose étendue jusqu'au gigantisme, une énorme bouche obturée par un crâne de bébé.

Nella voit une petite couronne, suffoque à cause de la chaleur des draps et ressort la tête pour inspirer l'air frais. « Je le vois ! annonce-t-elle, ravie.

— Vraiment ? demande Marin d'une voix faible.

— Maintenant, il faut pousser. Quand le sommet de la tête du bébé apparaît, il faut pousser.

— Je suis trop fatiguée. Il devra trouver tout seul son chemin. »

Nella retourne sous le jupon et touche le bébé. « Son nez n'est pas sorti, Marin. Il ne va pas pouvoir respirer.

— Poussez, Madame ! Il faut que vous poussiez », s'écrie Cornelia.

Marin hurle et Cornelia lui glisse un rameau entre les dents. « Poussez à nouveau ! »

Marin enfonce ses molaires dans le bois et se met à pousser, ses cris transformés en gargouillis par le rameau, qu'elle finit par cracher. « Il me déchire, hurle-t-elle. Je le sens. »

Nella rabat le jupon et Cornelia se couvre les yeux.

« Il ne vous déchire pas, assure Nella qui préfère ne pas reconnaître qu'elle aperçoit une fissure rouge dans le pourpre poilu et davantage de sang. Il arrive ! Poussez, Marin, n'arrêtez pas ! »

Devant la fenêtre, Cornelia entame une prière fervente. *Notre Père, qui êtes aux* — mais Marin se met à hululer, un gémissement aigu sans fin de douleur insupportable, d'épiphanie, le genre de son qui vous écorche vif — mais, tout à coup, la tête entière de l'enfant sort. Il regarde vers le bas, le nez vers les draps, son crâne couvert d'une masse de cheveux noirs mouillés.

« La tête est sortie ! Poussez, Marin, poussez ! »

Le cri de Marin perce les oreilles des deux jeunes femmes. Du sang jaillit abondamment, chaud, imprégnant le lit. Nella en a la nausée. Elle ne sait pas s'il devrait y en avoir tant. Marin arrache presque la main de Cornelia dans son effort pour expulser l'enfant. Il tourne la tête d'un quart de cercle et Nella regarde, fascinée, cette petite chose tenter de se libérer par ses propres mouvements.

Une épaule émerge et Marin hurle une fois de plus. Le bébé se remet face au lit.

« Poussez, Madame, poussez ! » insiste Cornelia.

Marin pousse plus fort, s'abandonnant à la douleur, ne résistant plus, l'acceptant comme faisant partie de son être. Puis elle s'arrête, épuisée, incapable de bouger, manquant d'air. « Je ne peux plus... mon cœur. »

Cornelia pose une main hésitante sur la poitrine de Marin. « Il saute comme un petit oiseau, Madame, il cogne. »

La pièce retombe dans le silence. Nella à genoux, Cornelia près des oreillers, Marin écartelée comme une étoile de mer, les genoux pliés. Les flammes faiblissent dans la cheminée et il faudrait ajouter une bûche. Dehors on n'entend que la pluie. Dhana gratte à la porte, impatiente d'entrer.

Les femmes attendent. L'autre épaule de petite poupée apparaît à travers la fente élargie de Marin, qui se remet à crier tandis que Nella attrape l'épaule du bébé, sa tête de la taille d'une tasse, et tout le corps glisse vers ses mains surprises dans un dernier flot de sang. Les doigts trempés, Nella sent le poids dense du nouveau-né, elle voit ses yeux clos de philosophe, ses membres mouillés et bleutés, couverts de taches d'une pâte blanche, repliés sur ses paumes tremblantes. Elle vérifie. Le pèlerin de douleur de Marin est une petite fille.

« Oh, Marin ! dit-elle en levant le bébé. Marin, regardez !

— Une fille ! claironne Cornelia, ravie. C'est une petite fille ! »

Le long cordon qui l'attache est métallique, musculeux, et rentre comme un serpent à l'intérieur de Marin.

« Allez chercher un couteau, demande Nella. Il faut le couper. »

Cornelia sort en courant.

Marin a la respiration lourde. Elle essaie de se redresser sur ses coudes pour voir, mais retombe, presque incapable de parler. « Ma fille…, dit-elle d'une voix creuse et à moitié consciente. Elle est en vie ? »

Nella regarde l'enfant couverte d'une croûte de fluide qui sèche sous l'empreinte des mains ensanglantées de sa tante. Elle a les cheveux noirs et emmêlés, les yeux toujours fermés comme si le moment n'était pas encore venu de se faire connaître.

« Elle n'émet aucun bruit, s'inquiète Marin. Pourquoi ne crie-t-elle pas ? »

Nella s'empare d'un linge mouillé et chaud dans le seau d'eau et se met à frotter les membres mous et la poitrine du bébé.

« Est-ce que vous savez ce que vous faites ? demande Marin.

— Oui », assure Nella, qui est en train d'improviser.

Réveille-toi, bébé ! supplie-t-elle. *Réveille-toi !*

Cornelia revient avec un couteau à viande. Le bébé est toujours inerte et la chambre plongée dans un silence de mort. Elles attendent, priant de toutes leurs forces qu'un petit bruit de vie se fasse entendre.

Nella confie l'enfant à Cornelia et tente de couper le cordon, mais, bien que fait de chair humaine, il paraît plus dur que du chêne. Elle doit le scier et de sang gicle sur les draps et jusqu'au sol. Dhana,

420

qui s'est introduite dans la pièce avec Cornelia, s'approche pour voir s'il n'y aurait rien à manger.

Peut-être est-ce l'arrivée de la whippet, ou la manipulation maladroite du cordon, mais le bébé se met à pleurer.

« Dieu soit loué ! » s'exclame Cornelia en fondant en larmes.

Marin pousse un long soupir tremblant qui se termine en sanglots.

L'enfant revenu entre les mains de Nella, Cornelia noue un ruban bleu foncé sur le bout de cordon qui sort de son abdomen et qui retombe sur le ventre de la petite fille, enfin victorieuse de cette bataille.

Nella frotte sa peau plus fort encore avec un linge humide et regarde, fascinée, le sang se mettre à circuler dans la dentelle de veines.

Cornelia se penche vers elle. « Vous voyez ? murmure-t-elle.

— Quoi ? demande Nella.

— Regardez ! s'excite Cornelia en montrant le bébé. *Regardez !*

— Thea ! dit Marin d'une voix si lourde qu'elles sursautent. Elle s'appelle Thea. »

Elle s'agite sur le lit. L'extrémité du cordon toujours en elle, du sang continuant à couler. Elle tente de lever les bras, mais elle est trop épuisée.

« Thea », répète Cornelia en regardant le bébé que Nella pose sur la poitrine de Marin.

L'enfant oscille au rythme de la respiration pénible de sa mère. Marin fait glisser ses doigts tremblants sur le dos de Thea, elle tâte ses petites fesses, la courbe de sa colonne vertébrale de chaton. Ses yeux s'emplissent à nouveau de larmes et Cornelia essaie de la calmer en lui caressant le front. Elle serre son enfant, qui niche sa tête au creux de son cou.

Marin a l'air stupéfait, un mélange de triomphe et de douleur s'inscrivant sur son visage. « Nella ?
— Oui ?
— Merci. Merci à toutes les deux ! »

Elles se regardent dans les yeux tandis que Cornelia rassemble les linges souillés. La respiration de Marin, une sorte de râle, donne la chair de poule à Nella. Elle se tourne vers la fenêtre pour contempler l'obscurité tombée sur le canal. La pluie a cessé. Au-dessus des toits étroits, des girouettes et des pignons, la lune, dans le ciel parsemé d'étoiles, forme un demi-cercle inégal et illumine la nuit.

Puis elle reporte les yeux vers les rideaux en velours fermés de son cabinet, et elle se dit soudain que Johannes a oublié quelque chose quand il l'a commandé, car où est la chambre de Marin, sa cellule pleine de graines et de cartes, de coquillages et de spécimens ? Il y a la cuisine et l'office, le bureau, le salon, des chambres et même un grenier. Peut-être voulait-il la protéger, peut-être n'avait-il jamais pensé la construire — et la miniaturiste n'a rien envoyé non plus qui évoque le petit espace de Marin. Sa chambre secrète a échappé à toute définition.

Celui qui invente des histoires

Nella et Cornelia essaient de rattraper le manque de sommeil. Recroquevillées dans deux des fauteuils en bois de rose inconfortables hissés du salon, elles s'agitent tandis que Marin soupire et gémit dans le lit.

Les cloches qui sonnent huit heures sortent Nella de sa somnolence. Il flotte encore une odeur déroutante dans la chambre, celle d'organes exposés, de fèces, de sang et de chair vulnérable. Le feu s'est éteint, entouré de fleurs de lavande bien futiles qui se sont répandues quand Marin a renversé le pichet en argent alors qu'elle souffrait tant. Nella se rend compte qu'elle est en retard d'une heure pour son mari.

Comme une folle, elle ouvre les rideaux, ce qui réveille Cornelia. « Je dois aller voir Johannes, tout de suite ! explique Nella.

— Vous ne pouvez pas me laisser ! supplie Cornelia. Je ne sais pas quoi faire. »

L'oreiller de Marin est trempé de sueur et Thea, enveloppée d'une couverture, dort sur sa poitrine. Au son des voix, la jeune mère ouvre les yeux. Sous le vernis de la transpiration, sa peau a gardé une vague odeur de noix de muscade, que Nella inhale. Elle doit se rendre au Stadhuis, mais elle se sent coupable de laisser Marin dans cet état.

« Nella, allez-y et dites-moi ce qu'ils vont lui faire ! demande Marin d'une voix plus faible que la veille. *Allez !* Cornelia restera avec moi. »

Cornelia prend la main de Marin et l'embrasse avec l'affection intense d'une enfant. « Bien sûr, Madame. Je reste. »

Nella, en contournant le lit, voit que le cordon est encore en Marin, son extrémité enroulée sur le matelas. Elle tente de le tirer, comme si ça pouvait mettre fin à quelque chose, à cette terreur, mais il est bien attaché, et Marin gémit de douleur.

« Elle a besoin de dormir, dit Cornelia. On devrait la laisser.

— Je sais que vous voulez demander de l'aide, croasse Marin, mais personne ne doit savoir ! »

Le ventre de Marin est un peu dégonflé, maintenant que Thea s'en est échappée, mais il reste une grosseur à l'intérieur. Quand Nella le presse, Marin se raidit. Ce n'est pas bon, pense Nella. Rien de tout ça n'est bon. La grosseur est dure et ne cède pas. Un moment, Nella se demande s'il n'y aurait pas un second enfant, là-dedans, un jumeau immobile, hésitant à émerger dans ce chaos. Elle aimerait en savoir davantage. Elle aimerait que sa mère soit là. Jamais elle ne s'est sentie aussi impuissante.

Le souffle de Marin se coince dans sa gorge. Cornelia lui retire Thea tandis que le grondement devient plus rauque dans ses poumons.

« Madame ? » appelle Cornelia.

Marin agite la main en l'air, autre écho de son frère.

Thea, entendant le son extraordinaire émanant

424

de sa mère, commence à en produire à son tour. Ce sont les couinements bouleversants, enthousiasmants, brefs, indépendants d'une toute nouvelle voix. Profitant de ces bruits, Cornelia attire Nella dans un coin. « Regardez, Madame, *regardez* ! chuchote la servante en observant Thea avec angoisse. Qu'est-ce qu'on va faire ?

— Que voulez-vous dire ?

— Ça semble impossible. Ça ne peut pas être vrai !

— Trouvez la *Liste de Smit*, décide Nella en ignorant son incrédulité. Faites venir une nourrice, une sage-femme — quelqu'un qui pourra comprendre ce qui lui arrive.

— Madame Marin va me tuer ! proteste Cornelia en posant sur le bébé un regard terrorisé.

— Faites-le, Cornelia. Johannes conserve des florins dans le coffre de son bureau. Donnez à cette femme ce qu'il faudra pour qu'elle garde le silence. Si ça ne suffit pas, vendez l'argenterie.

— Mais, Madame… »

Nella fuit la chambre, trop désespérée pour se retourner.

❧·❦

Nella court jusqu'au Stadhuis et arrive, hors d'haleine, toute rouge, alors que la galerie est déjà pleine et la procédure en route. Épuisée, prise de vertiges et de maux de tête, les yeux fatigués et secs, les ongles rouille du sang de Marin, elle ne trouve un siège qu'au fond. Elle a envie de crier à Johannes ce que sa sœur a réussi à faire, l'être magique qui l'attend à la maison, mais elle sait qu'elle ne le peut pas. Dans quel monde vivons-

425

nous, s'interroge-t-elle, où Thea pourrait souffrir de l'annonce même de son existence ?

Elle regarde le tribunal par-delà les têtes des spectateurs. Johannes tient son corps torturé très immobile sur une chaise, la tête haute. Slabbaert est à son bureau, les membres du *schepenbank* alignés près de lui. Jack est parmi la foule, en bas. Il observe Frans Meermans, perché sur une chaise, au centre du dallage.

Pourquoi Agnes n'est-elle pas là avec lui ? Qu'ai-je raté ? Elle repère l'arrière du crâne du pasteur Pellicorne, penché en avant, excité par ce qui va se produire.

« Est-ce qu'Agnes Meermans a déjà témoigné ? demande Nella à sa voisine.

— À sept heures, Madame. Tremblante, étrange... J'ai cru qu'elle ne lâcherait jamais la Bible. »

La femme secoue la tête. La voix de Slabbaert inonde les oreilles de Nella.

« Votre épouse nous a exposé très simplement ce qu'elle a vu, ce soir du 29 décembre, Seigneur Meermans. Jamais je n'envisagerais de froisser la sensibilité d'une dame mais, maintenant que c'est à votre tour de parler, j'aimerais aller un peu plus en profondeur. Dites-nous ce dont vous avez été témoin, Seigneur Meermans !

— En contournant l'entrepôt, déclare un Meermans très pâle, nous avons entendu des voix. Le Seigneur Brandt avait poussé ce jeune homme contre le côté du bâtiment. Le visage du garçon était pressé contre les briques. Tous deux avaient leur pantalon sur les chevilles, et leurs chapeaux étaient tombés. »

Cette image d'indignité et de désir forcé secoue l'assistance.

« Jack Philips, puisque je connais désormais son nom, précise Meermans, suppliait qu'on le laisse. Quand il nous a vus, il nous a appelés à l'aide. Vous comprendrez que mon épouse ait été bouleversée. Elle avait convié cet homme à sa table ! »

La voix tremblante de Meermans remplit la salle, et Nella a l'impression que les murs du Stadhuis se resserrent.

« Continuez ! demande Slabbaert.

— On a entendu le cri de la jouissance répugnante de Brandt. J'ai laissé Agnes et je me suis approché. Je pouvais voir la luxure dans les yeux de Brandt. Il a remonté son pantalon et s'est mis à frapper M. Philips — tout à coup, férocement. Il avait une dague, et je l'ai vu l'enfoncer dans l'épaule de Jack. Elle a failli entrer dans le cœur de cet homme, il ne ment pas. Aucune femme n'aurait dû être témoin de cette scène. Aucun homme non plus. »

La salle est captivée par le récit de Meermans. Johannes a baissé la tête et ramassé douloureusement son corps en une position de résistance.

« Frans Meermans, intervient Slabbaert, vous connaissez Johannes Brandt depuis de nombreuses années. En dehors de ce moment dont vous avez été témoin, en dépit du témoignage juré sur la Bible de votre chère épouse, l'occasion vous est donnée de nous confirmer qu'il pourrait y avoir du bon, chez cet homme.

— Je comprends.

— Brandt a dit que vous vous connaissiez bien.

— Quand nous étions jeunes, nous avons travaillé ensemble.

— Quel genre d'homme était-il ? »

Meermans paraît batailler. Les yeux rivés sur le

cône noir de son chapeau, il n'arrive même pas à regarder le dos courbé de Johannes. « Astucieux. Obéissant à sa propre philosophie.

— Johannes Brandt était en train de vendre votre stock, n'est-ce pas ? »

Nella sent son pouls ralentir, comme si son cœur commençait à laisser fuir ses dernières forces. Une accusation de plus va tomber aux pieds de Johannes : paresse dans le travail — un crime à Amsterdam.

« C'est exact, répond Meermans.

— Concernant cet accord, votre sucre a-t-il été conservé dans de bonnes conditions ? Brandt a-t-il fait son travail ?

— Oui », murmure Meermans, après une hésitation.

Nella se redresse. Pourquoi Meermans dit-il cela ? Selon lui, tout le sucre est donc en parfait état ? En voyant deux des hommes du *schepenbank* noter quelque chose, elle se rend compte que Meermans a décidé de ne pas dévoiler sa colère contre Johannes. En passant sous silence le problème du sucre invendu, Meermans retire à Johannes toute chance d'exposer à la cour un motif de vengeance — ce qui le prive d'une ligne de défense. Meermans veut qu'il s'agisse purement et simplement d'un cas de comportement qui outrage Dieu et la République, rien d'autre. Dans ces circonstances, il est bien peu probable que Johannes s'accuse lui-même d'une mévente qui ternirait sa réputation.

Nella n'aurait pas cru Meermans aussi calculateur. Ces paroles trahissent combien il est déterminé à détruire son vieil ami. Par contre, songet-elle en regardant Arnoud Maakvrede, en déclarant ainsi publiquement que tout le stock est en bon état, Frans Meermans, sans le vouloir, a peut-être offert aux Brandt la possibilité de le vendre vite et bien. Nella se sent coupable du plaisir fugitif qu'elle en éprouve. Elle se concentre sur la suite.

« Vous diriez donc qu'il est un bon marchand ? demande Slabbaert. Vous avez juré de dire la vérité ! précise-t-il en voyant Meermans prendre une inspiration saccadée et hésiter. Alors ?

— Sous serment, je... je remettrais cette affirmation en question.

— Vous considérez qu'il est un *mauvais* marchand ?

— Je pense que son excellente réputation a dissimulé un profond égoïsme. Ses succès n'ont pas tous été mérités.

— Vous l'avez pourtant engagé pour vendre votre stock.

— Mon épouse...

— Qu'est-ce que votre épouse vient faire là ? »

Meermans laisse tomber son chapeau par terre, se baisse pour le ramasser et se racle la gorge. Johannes lève la tête et ne quitte pas son vieil ami des yeux.

« Brandt n'en a jamais fait qu'à sa tête, affirme Meermans en se tournant enfin vers Johannes. Je ne m'étais pas rendu compte à quel point vous étiez provocateur. Les pots-de-vin que vous donniez, les dettes que vous contractiez — pas seulement auprès de moi, mais auprès des guildes, des employés et des amis.

— De qui parlez-vous ? intervient Johannes. Montrez-les-moi !

— C'est pour votre âme que je suis ici aujourd'hui.

— Je n'ai aucune dette envers vous, Frans. Ni envers aucun homme…

— Dieu m'a parlé, Johannes !

— *Dieu ?*

— Il m'a dit que mon silence ne suffisait plus. »

Meermans a l'air étonné de ses propres paroles, comme s'il se surprenait à jouer un rôle, dépassé par la direction prise par son instinct, et toute son amertume ressort dans sa performance.

« Jamais vous n'avez été silencieux, Frans, chaque fois qu'il s'est agi de me dénigrer…

— Mon vieil ami a besoin de se racheter, *schout* Slabbaert ! Il est brisé. Il vit dans l'ombre du diable. Je ne pouvais garder le silence après ce que j'ai vu l'autre soir. Aucun citoyen d'Amsterdam ne l'aurait pu. »

Son discours terminé, Meermans lève la tête dans l'espoir de ressentir un soulagement, mais il n'en éprouve pas. Tout comme celui de Johannes devant lui, son visage exprime le dégoût. Lentement, Johannes fait l'effort douloureux de redresser son dos. Même d'en haut, Nella entend ses os craquer.

« Nous sommes tous faibles, Frans, assène Johannes, mais certains sont plus faibles que d'autres. »

Meermans baisse la tête et son chapeau lui échappe. Il soupire. À la vue de ses épaules qui se soulèvent, la foule reste suspendue dans le silence. Johannes a tendu à Meermans un miroir pour qu'il se voie, et un trou noir s'est créé à la place de son reflet. Personne ne touche Meermans, personne ne s'approche pour le consoler ou le féliciter.

« Frans, ajoute Johannes, n'avez-vous pas fait arrêter un sodomite, un rapace qui prend ce qu'il veut — n'avez-vous pas aidé à nettoyer les canaux et les rues de la ville ? Pourquoi donc, Frans, ne pouvez-vous que pleurer ? »

Cris et sifflets explosent dans la salle. Slabbaert réclame le silence pour que le *schepenbank* et lui puissent décider d'un verdict.

Johannes tourne la tête vers le *schout*. « Non ! s'écrie-t-il. Ce n'est pas juste ! »

La cour s'agite de nouveau et, dans la galerie, on tend le cou pour voir cet homme qui, par son amour du luxe et du danger, a déchiré leur communauté si convenable.

Johannes se lève avec d'immenses difficultés, appuyé sur sa chaise. « Il est de coutume que l'accusé puisse parler. »

Slabbaert se racle la gorge et le regarde avec un mépris évident. « Vous souhaitez parler ? »

Tel un oiseau aux ailes brisées, Johannes lève les bras aussi haut qu'ils peuvent monter. Jack laisse échapper un cri quand les plis de la cape noire de Johannes tombent en tas par terre.

« Vous endossez un costume le matin, Seigneur *schout* Pieter Slabbaert, dit Johannes, tout comme vous, Frans Meermans — et vous cachez tous deux vos péchés et vos faiblesses dans une boîte sous votre lit, dans l'espoir qu'on les oubliera, éblouis par vos tenues scintillantes.

— Parlez de vous, Johannes Brandt, pas de moi ! le coupe Slabbaert.

— Suis-je le seul pécheur dans cette salle ? demande-t-il en le regardant puis en parcourant l'auditoire des yeux. Vraiment ? »

Aucune réponse. Le silence enveloppe la foule.

« J'ai travaillé pour cette ville dès que j'ai eu l'âge pour le faire. J'ai navigué vers des terres dont je ne pensais pas qu'elles existaient, même dans mes rêves. J'ai vu des hommes s'épuiser à la tâche, combattre et mourir pour cette République, sur les plages brûlantes et en haute mer, risquer leur vie pour une gloire plus grande que celle que leur naissance leur avait attribuée. Ils se sont acharnés au travail, ils étaient des bâtisseurs qui jamais ne se contentaient de ce qu'ils avaient accompli. Le *schout* Slabbaert s'en prend à mon serviteur africain, un homme du Dahomey. Ce Seigneur sait-il seulement où se trouve le Dahomey, tandis qu'il sirote son thé sucré ou déguste ses petits gâteaux ? Frans Meermans critique mes libertés, mais n'éprouve aucune culpabilité à jouir des siennes. Procurez-vous une carte, Seigneurs, et instruisez-vous ! Nous avons accueilli chez nous une orpheline. J'ai soutenu des apprentis, j'ai travaillé sans ménager ma peine contre les vagues voraces. Ces vagues nous noieront tous, Seigneurs ! J'ai vu les livres de comptes, j'ai vu la VOC s'enfoncer dans les flots. Dans le peu de temps que nous avons passé ensemble, j'ai tenté de rendre mon épouse aussi heureuse qu'elle me rendait heureux. Le problème, Seigneurs, Mesdames, c'est que ceux qui n'ont pas d'horizons veulent vous arracher les vôtres. Ils n'ont rien, que des briques et des poutres, pas la moindre miette des grandes joies de Dieu. Je les prends en pitié, sincèrement, dit-il en regardant Jack. Jamais ils ne hisseront la République jusqu'à la gloire que je lui ai connue. »

Johannes, avec une démarche de vieillard, s'approche de Meermans et lève la main. Meermans se recroqueville, craignant de recevoir un coup.

Johannes touche son épaule tremblante et on dirait que Frans rapetisse sous l'étrange force de ce contact. « Frans, je t'accorde mon pardon. Et vous, Jack Philips ?

— Moi ? réagit Jack en croisant le regard de Johannes.

— Vous êtes un caillou jeté dans un lac, mais les rides que vous avez créées jamais ne vous apaiseront.

— Faites-le sortir ! » crie Slabbaert.

Les hommes du *schepenbank*, incrédules, scrutent le prisonnier comme si, géant parmi les hommes, une simple chiquenaude de sa part pouvait tout réduire en poussière. C'est une cacophonie de murmures et d'appels au silence, et Pellicorne a l'air malade d'excitation. La mort plane, les caressant tous, provoquant terreur ou béatitude. Ils ne veulent pas que Johannes parte, ils veulent le garder ici. Les riches ont déjà tenté de leur imposer silence, mais aucun homme n'a jamais usé de son pouvoir avec une telle légèreté ni dénoncé les fausses dents d'un magistrat pour les faire rire.

On fait pourtant sortir Johannes et les membres du *schepenbank* se regroupent autour de Slabbaert, tandis que Meermans, livide, tremblant, titube jusqu'à sa chaise dans le public. Le pouvoir de l'État est sur le point de s'exercer et tous les corps sont tendus. Nella n'est pas différente de ceux qui l'entourent. Elle sent, entre ses jambes, une pression qui pourrait signifier qu'elle va se mouiller de peur.

Les minutes passent. Dix, vingt, trente. C'est horrible de voir ces hommes décider du destin de Johannes. Il y a toujours une chance qu'il soit gracié, se dit Nella, mais Slabbaert, au milieu du demi-cercle, ne cesse de murmurer aux oreilles des autres.

433

Ils finissent par se séparer et par reprendre leur place. Le *schout* s'avance sur les dalles et ordonne qu'on fasse revenir Johannes Brandt. Sans soutien, le prisonnier entre lentement en traînant son pied cassé. Il s'arrête face au *schout* et le regarde dans les yeux. Nella se lève dans l'ombre et lui fait un signe du bras. Je suis là ! chuchote-t-elle, mais Johannes est concentré sur le visage de Slabbaert, et Nella ne parvient pas à trouver en elle une voix plus puissante pour contrer sa terreur.

« Vous avez été pris, déclare Slabbaert. Le crime de sodomie vise à détruire la sainteté et l'intégrité de notre société. Vous êtes si imbu de vos propres convictions et de votre richesse que vous avez oublié votre Dieu. Votre plaisir a été vu et entendu, de même que votre péché. »

Slabbaert se met à déambuler dans le tribunal. Johannes a les mains dans le dos. Nella croit s'étouffer avec ce qui monte en elle et qu'elle veut empêcher de sortir.

« La mort nous frappe tous, pontifie Slabbaert. C'est notre seule certitude en cette vie. »

Non ! Non, non, non ! pense Nella.

« Pour le crime immonde que vous avez commis, qu'il soit dit aujourd'hui, le neuvième jour de janvier 1687, que moi, Pieter Slabbaert, *schout* d'Amsterdam, en accord avec ces six membres du *schepenbank* de la ville, vous déclare, vous, Johannes Matteus Brandt, coupable d'une attaque sodomite sur la personne de Jack Philips, coupable d'agression, coupable de subornation de témoin. En conséquence, je décide que votre juste punition est de vous attacher un poids au cou et de vous noyer en mer, ce dimanche au coucher du soleil. Que ce nouveau baptême de

Johannes Brandt soit une mise en garde pour vous tous. Que Dieu ait pitié de son âme pécheresse ! »

Pendant un instant — une fraction de seconde — la salle échappe à Nella. Libre de son corps, de son esprit, elle se débat dans les airs dans l'espoir d'éviter que son monde ne s'écroule. Puis, alors que Johannes s'effondre au sol, la douleur que Nella a tenté de contenir jaillit hors d'elle. La salle n'est que cris perçants qui l'engloutissent, qui la poussent au fond. Elle s'efforce de résister, d'écarter les gens qui encombrent la travée, consciente de devoir s'enfuir avant de s'évanouir. On relève déjà Johannes et on le traîne hors de la salle, les pieds soulevés au-dessus des dalles.

« Johannes ! crie-t-elle. Je vais venir !
— *Non !* » dit une voix.

Nella est certaine de l'entendre, une voix de femme, qui provient du haut de l'escalier. Elle se retourne pour chercher sa propriétaire des yeux. Et elle la voit — un mouvement fugace, l'éclat caractéristique de cheveux blonds très pâles.

Filles

Son sang chantant des notes si hautes qu'elle n'en connaissait pas l'existence, Nella sort du Stadhuis en courant, plus vite qu'elle a jamais couru de sa vie, plus vite que la petite fille qui pourchassait Carel ou Arabella dans les bois et les champs. Des gens se retournent sur cette jeune femme hagarde, la bouche grande ouverte, les yeux comme des fontaines — le vent, supposent-ils. Où est-elle ? Où est-elle allée ? pense-t-elle, Les bourgmestres ne l'ont pas encore attrapée. Il n'y avait plus trace d'elle quand Nella a déboulé au pied de l'escalier de la galerie. Elle a donc remonté le Heiligeweg et la voici qui débouche dans la Kalverstraat. Leste depuis toujours, elle s'est sentie propulsée par une force qui lui permet de voler.

Devant la maison de la miniaturiste, Nella s'arrête net.

Le signe du Soleil a été retiré, les rayons de l'astre céleste grossièrement arrachés des briques à la pioche et la maxime à moitié effacée — il ne reste que *pour un jouet*. Des tas de poussière de brique encombrent le perron et la porte a été laissée entrouverte.

Enfin, justement aujourd'hui, Nella peut entrer.

Elle balaye du regard toute la longueur de la rue. Le marchand de laine en face ne se montre pas. Qu'on me jette dans une geôle du Spinhuis pour avoir pénétré dans une maison sans autorisation ! Qu'on me noie, moi aussi !

Nella pousse le battant et se glisse dans une petite pièce presque nue, au plancher rayé et sale, aux étagères vides sur des murs bruts. Cornelia adorerait s'attaquer à ce lieu avec son vinaigre et sa cire d'abeille ! On dirait qu'il n'a jamais été habité.

Il y a une autre pièce à l'arrière, tout aussi dénuée de vie. Nella monte doucement l'escalier, craignant que ses côtes ne réussissent pas à contenir plus longtemps ses poumons en feu.

En haut, sa respiration se bloque dans sa gorge. C'est un vaste atelier, avec des établis sur les quatre murs de cette pièce carrée au sol poussiéreux et dont les vitres sont tachées de pluie. Mais sur les établis, tout un monde.

De petits éléments de meubles inachevés jonchent les plateaux, à moitié sciés et abandonnés, en chêne, en frêne, en acajou, en hêtre — chaises et tables, lits et canapés, commodes, cadres... même un cercueil. Il y a suffisamment d'objets pour meubler dix, vingt cabinets — de quoi tenir toute une vie. Dans un foyer noirci, de minuscules casseroles en cuivre et des soucoupes en étain imparfaites ont l'air de monnaies étrangères qu'on aurait jetées là, et les branches tordues d'un chandelier se dressent comme des vrilles de sarments.

Et les poupées ! Des rangées de citoyens réduits — vieillards, jeunes femmes, prêtres et miliciens, une vendeuse de harengs, un petit garçon avec un bandage sur les yeux et... est-ce Arnoud Maakvrede, avec son tablier et ce visage rubicond ? Certaines n'ont pas de tête, d'autres pas de jambes, des visages ne sont pas encore identifiables, d'autres sont entourés de cheveux méticuleusement bouclés, ou coiffés de chapeaux de la taille d'une tête d'insecte.

Les doigts tremblants, Nella fouille la ville d'Amsterdam en quête d'un nouveau Johannes, pour nourrir un dernier espoir désespéré qu'il reste en vie. *Dimanche au coucher du soleil* — trois mots qui vrillent son esprit comme une malédiction éternelle. Elle repère un bébé, pas plus grand que l'ongle de son pouce, recroquevillé, les yeux clos, un petit sourire aux lèvres.

Puis elle pousse un cri : devant elle se dresse une maison miniature, assez petite pour tenir dans sa paume. C'est sa maison — neuf pièces, cinq personnages à l'intérieur, le travail du bois minutieux, complexe. Chaque pièce contient une miniature des miniatures qu'on lui a envoyées — fauteuils verts, luth, berceau... Stupéfaite elle referme le poing sur sa vie.

Nella empoche la maison et le bébé. Après une hésitation, elle prend aussi Arnoud. Nella peine à se défaire entièrement des superstitions de Cornelia à propos des idoles, mais elle s'accroche à ses trouvailles, avide d'y puiser un peu de réconfort, en l'absence d'une miniature représentant Johannes.

Soigneusement empilées et retenues par une pince, des lettres. Les mains tremblantes, Nella les feuillette. Une : *Je vous en prie — je suis venue plusieurs fois vous voir, mais vous ne répondez toujours pas*. Une autre : *J'ai reçu votre miniature. Voulez-vous dire que je ne devrais pas l'épouser ?* Une autre : *Mon mari menace de mettre fin à tout ça, mais alors, je ne supporterais plus de vivre.* Une autre : *Vous avez envoyé un chat à ma fille de douze ans ; je dois vous demander de cesser.* Une autre : *Merci. Il est mort depuis dix ans et il me manque chaque jour.* Une autre : *Comment avez-vous su ? Je sens la folie approcher.* D'autres ne sont que des listes : *deux chiots, noir et blanc, mais l'un doit être un avorton. Un miroir reflétant un beau visage.*

Nella cherche les siennes et elle trouve la première, écrite en octobre, peu après son arrivée, quand Marin soufflait sur les braises et que Cornelia ne pouvait pas encore être considérée comme une amie. *Je ne peux que deviner que vous êtes formé dans l'art des petites choses*, a-t-elle écrit, il y a un siècle.

Tout ce temps, songe-t-elle, j'ai été observée et protégée, instruite et raillée. Elle ne s'est jamais sentie aussi vulnérable. Elle est là, perdue au milieu de tant de femmes d'Amsterdam, de leurs peurs secrètes, de leurs espoirs. Elle n'est pas différente d'elles. Elle est Agnes Meermans. Elle est la fillette de douze ans. Elle est la femme qui pleurera son mari chaque jour. Nous sommes légion, nous les femmes envoûtées par la miniaturiste. Je croyais qu'elle volait ma vie, mais, en vérité, elle a ouvert ses compartiments et m'a permis de regarder à l'intérieur.

Elle s'essuie les yeux et trouve toutes ses autres lettres — y compris la longue missive qu'elle avait égarée le jour où Jack avait fait irruption dans le hall, celle où elle réclamait un *verkeerspel*. Elle est attachée au billet à ordre de cinq cents florins. *Qu'il puisse servir à graisser les charnières de votre porte obstinément close*, a-t-elle écrit, mais la miniaturiste ne l'a pas échangé. Elle n'a pas encaissé l'argent.

Elle a dû m'observer dans la Vieille Église, ce jour-là, quand Otto est allé prier et qu'Agnes m'a saisie par la manche. La seule façon dont elle a pu savoir que je voulais un *verkeerspel* a été de s'approcher subrepticement et de fouiller ma poche ! On dit que ceux qui regardent les autres sont aussi regardés, à Amsterdam, même ceux qu'on ne peut voir.

Pourtant, tout cela porte davantage la marque de l'espionne dont parlait Cornelia que d'une prophétesse. Nella hume les papiers comme pour connaître le parfum de la miniaturiste — pin de Norvège, peut-être, ou fraîcheur de la menthe au bord d'un lac ? Non, juste du papier sec qui a emporté un peu de l'odeur de la chambre de Nella. C'était destiné à la miniaturiste, et elle l'a reçu.

Il y a des annotations en marge de ses lettres : *Perroquet — vert. Mari — oui, Johannes Brandt. Elle lutte pour émerger. Beaucoup de portes sans clé, et plus d'une à explorer. Le chien. La sœur, la servante. Cartes qui ne peuvent englober leur monde. Elle ne cesse de chercher, c'est une tulipe plantée dans ma terre qui n'aura pas assez d'espace pour croître. Ne reviens pas en arrière. Solitude. Parle à l'Anglais, tente de lui faire entendre raison.*

Une tulipe plantée dans ma terre, répète Nella.

Quelqu'un, en bas, referme la porte d'entrée et avance dans de lourdes bottes. Nella, désemparée, cherche comment se cacher et gagne la pièce du fond, où elle se glisse sous un lit étroit, resté défait.

« Es-tu là-haut ? » appelle un homme d'une voix

douce et un peu bougonne qui sonne étrangère aux oreilles de Nella.

Il n'est pas d'ici. « Je suis venu parce qu'il y a eu trop de lettres. Est-ce que je ne t'ai pas assez mise en garde contre ces agissements ? »

Il attend. Nella attend. La poussière lui chatouille le nez et elle ne peut retenir un éternuement. Le choc des bottes s'amplifie. Il monte les marches. Il déambule dans l'atelier. Il fouille ce qui reste du travail de la miniaturiste et émet des petits bruits en prenant des objets qu'il repose. « Un tel talent ! marmonne-t-il. Quel gâchis ! »

Il s'arrête. Nella se fige sans presque oser respirer.

« Petronella, est-ce que tu es cachée sous ce lit ? » appelle-t-il depuis l'autre pièce. Nella ne bouge pas malgré le frisson qui la parcourt et le sang qui bat à ses tempes. Sa gorge se serre, ses yeux la brûlent. Comment connaît-il mon nom ?

« Je vois tes pieds ! Allons, mon enfant, on n'a pas le temps de jouer à ça ! » glousse-t-il.

Nella est si terrorisée qu'elle craint de vomir.

« Sois raisonnable, Petronella ! Il faut qu'on discute de ces évènements étranges. »

Sa voix n'est pas méchante. Bien que Nella eût préféré passer le reste de ce jour horrible sous le lit en désordre de la miniaturiste plutôt que d'affronter le monde, cette invitation, lancée si gentiment, est tellement tentante qu'elle glisse hors de sa cachette.

En voyant le vieil homme, elle pousse un cri de surprise. Il est si petit qu'elle fait presque le double de sa taille. « Qui êtes-vous ? » demande-t-elle.

Ses yeux chassieux s'agrandissent et il recule.

Une touffe de poils blancs, souvenir d'une chevelure, orne le sommet de son crâne. « Vous n'êtes pas Petronella ! s'étonne-t-il.

— Si ! » s'écrie Nella, sentant la panique monter en elle.

Tu *es* Petronella. Bien sûr que oui ! « Qui êtes-vous ? » répète-t-elle en essayant de donner de l'autorité à sa voix.

Soupçonneux, l'homme l'observe. « Je suis Lucas Windelbreke. Elle est partie, dit-il tristement en regardant autour de lui tandis que Nella s'effondre sur le lit. Je le sais.

— La miniaturiste ?

— Petronella. »

Nella secoue la tête comme pour en sortir son propre nom. « Petronella, Seigneur ? La femme qui vivait ici s'appelait Petronella ?

— En effet, Madame. Dans notre langue, est-ce un prénom si peu courant ? »

Nella suppose que non. Sa propre mère le portait, et Agnes avait fait la même réflexion à la fête des argentiers. « Mais elle vient de Norvège, de Bergen ! remarque Nella, désireuse d'éclaircir les choses.

— Sa mère était de Bergen, précise Lucas Windelbreke d'un air triste. Petronella a grandi avec moi, à Bruges.

— Pourquoi ?

— *Pourquoi ?* répète Windelbreke en regardant désespérément la pièce. Parce que Petronella est ma fille.

— Votre fille ? »

Nella entend ce mot, mais il lui paraît impossible d'imaginer que la miniaturiste puisse être la fille de qui que ce soit — cela lui rappelle Assendelft, une mère, une étrange sécurité, les défauts humains. Elle se lève d'un bond. «Je ne vous crois pas! Elle est la miniaturiste, elle ne…

— Nous venons tous de quelque part, Madame. La famille de sa mère n'a pas voulu d'elle.

— Pourquoi cela?

— Croyez-vous qu'elle soit née dans un œuf?»

La question secoue Nella. Elle est sûre d'avoir déjà entendu ces mots. «Je vous ai écrit, Seigneur! dit-elle, prise d'un tel vertige qu'elle se rassied sur le lit.

— Si vous m'avez adressé une lettre, sachez que j'en reçois beaucoup.»

Au-delà de la porte, Nella regarde la pile de messages sur l'établi. «Votre fille commençait à me faire peur, et jamais elle ne répondait. Vous n'avez pas répondu non plus. Je voulais savoir pourquoi elle m'envoyait ces objets.

— Pour être honnête, Madame, je ne l'ai pas revue depuis des années!» confie-t-il en se raclant la gorge.

Il tripote sa touffe de cheveux puis aplatit la main sur son crâne comme pour empêcher la peine de remonter à la surface. «Toutes ces lettres qui arrivaient… J'ai alors découvert qu'elle avait passé une annonce dans la *Liste de Smit*. *Tout et pourtant rien*.

— Mais…

— Je ne peux en être certain, mais je ne pense pas que Petronella voulait vous effrayer.»

Nella pense à Agnes, à ses ongles rongés, à ses manières étranges, distraites.

«J'imagine pourtant qu'elle a effrayé nombre d'entre nous.

— Le monde émerveille ma fille, mais elle fait

trop souvent fi de la manière dont il se présente à elle. Elle a toujours dit qu'il y avait quelque chose au-delà de ce qu'elle pouvait atteindre. Elle appelait ça "la fugue éternelle". »

Quand il s'assied au bord du lit, ses pieds ne touchent pas le sol. « Si seulement elle s'était contentée des horloges ! Non. Petronella a toujours désiré vivre hors des frontières du temps mesurable. Toujours en marge, toujours curieuse. Elle se moquait des gens qui s'accrochaient à ces mesures du temps, qui aspiraient à ce que tout soit en ordre. Mon travail était trop restrictif pour elle, mais les créations qu'elle assemblait dans mon atelier ne se vendaient pas. Je dois admettre qu'elles étaient... extraordinaires, mais j'avais honte de mettre mon nom dessus et de les vendre comme miennes.

— Pourquoi ?

— Parce qu'elles ne donnaient pas l'heure ! sourit-il. Elles mesuraient autre chose, des choses dont les gens ne voulaient pas se souvenir. La mortalité, un cœur brisé, l'ignorance, la folie. À la place des chiffres, elle peignait les visages des clients et leur envoyait des messages qui jaillissaient de l'horloge chaque fois que la petite aiguille atteignait le 12. J'ai dû la supplier d'arrêter. Elle m'expliquait qu'elle était capable de lire dans leur âme, dans leur temps intérieur, qui n'avait aucun rapport avec les heures et les minutes. C'était comme tenter de dresser un chat.

— Est-ce que vous avez cru qu'elle pouvait lire dans l'âme des gens ? Elle avait l'air d'en savoir tant sur ce qui allait m'arriver !

— Vraiment ? murmure Windelbreke en se frottant le menton, le regard tourné vers l'atelier de sa fille. Vous semblez aussi inquiète que toutes ces femmes qui m'ont écrit. Si prêtes à abandonner leur libre arbitre.

— Non, Seigneur ! En fait, elle m'a aidée à le reprendre. »

Avoir ainsi protesté et énoncé cette vérité réduit Nella au silence.

Windelbreke écarte les mains et sourit, à la fois intimidé et ravi. « Elle vous a rendu ce qui vous appartenait déjà. Tout ce que je peux vous dire, Madame, c'est que j'ai tenté d'apprendre à ma fille que son don pour l'observation n'était utile que si les gens choisissaient de voir eux aussi ce qu'elle voyait. Si elle ne vous a pas répondu, c'est peut-être parce qu'elle savait que vous compreniez ce qu'elle essayait de vous dire.

— Mais je ne comprends pas ! gémit Nella en sentant les larmes lui monter aux yeux.

— Vraiment ? »

Nella fixe dans ses paumes les lignes qui mènent à des lieux qu'elle ne peut voir. Elle serre les poings. « Peut-être que si… »

Windelbreke l'agace, à la questionner ainsi. Elle voudrait courir jusque chez elle, sur le Herengracht, retrouver Marin, Cornelia et Thea, s'asseoir près de Dhana et lui caresser les oreilles, mais elles vont l'interroger sur Johannes, et elle devra leur dire… *Dimanche au coucher du soleil.* Elle n'est pas sûre d'en avoir la force.

« Je ne sais pas ce qu'elle a fait, toutes ces années, quelles étranges compétences elle a acquises ni qui elle fréquentait, lui confie Lucas Windelbreke. C'est la personne la plus intelligente que je connaisse. Si vous voyez ma fille, Madame, pouvez-vous lui demander de rentrer à la maison ? »

❧·❧

Windelbreke entreprend de soigneusement empaqueter dans des boîtes tout le merveilleux travail de sa fille disparue. « Ça ne peut pas rester là, mais je ne vais rien jeter. Peut-être viendra-t-elle à Bruges les reprendre. »

Il n'a pas l'air convaincu. Nella le quitte. Elle pense à toutes ces femmes, dans Amsterdam, qui attendent leur prochaine livraison — certaines avec impatience, beaucoup avec espoir, d'autres avec le regard vague de celles qui ne peuvent vivre sans quelque chose pour les soutenir, sans la miniaturiste et son talent si insaisissable. Elles attendront d'être enfin heureuses, et quand rien ne viendra, quand les objets cesseront de leur parvenir, comme c'est le cas pour Nella, que feront-elles ? En échange de leurs lettres, la miniaturiste leur a donné la force de croire en elles-mêmes. Elles ont le pouvoir de déterminer leur existence et peuvent choisir de l'échanger, de le conserver ou d'y renoncer.

Nella s'éloigne dans la Kalverstraat sans prendre garde aux boutiquiers qui la haranguent. *Dimanche au coucher du soleil.* Comment le leur apprendre ? Comment leur annoncer qu'on va attacher une pierre au cou de Johannes avant de le jeter dans la mer ?

Engourdie, elle continue sa marche jusqu'à la Courbe d'Or. Cornelia l'attend sur le perron et, dès qu'elle la voit, Nella sent que les nouvelles de

Johannes et de la miniaturiste secrète resteront coincées dans sa gorge.

La jeune femme est pâle, sombre, l'air bien plus âgée que son nombre d'années. « On a fait quelque chose de mal. On a tout mal fait », dit-elle.

Une porte se ferme

Dans ce genre de cas, il n'est pas aisé de mesurer le temps. Nella creuse ses souvenirs les plus frais : j'ai laissé Marin éveillée et j'ai couru au Stadhuis puis à la Kalverstraat en quête d'un salut qui ne viendra jamais... Tout ça en ce même jour, alors que le verdict de Slabbaert et les secrets de Windelbreke lui semblent dater de l'année précédente. Marin a englouti le temps et, sur la carte de sa peau livide, Nella ne peut découvrir quand elle a coulé ni comment elle a disparu.

L'intelligence de Marin l'a accompagnée jusqu'à la fin, ce qui lui a permis de partir sans qu'on la voie. Son esprit leur a glissé entre les doigts. Jusqu'à son dernier souffle, elle s'est préservée, gardant pour elle le moment de sa mort.

« Non ! s'étrangle Nella. *Non !* Marin, est-ce que vous m'entendez ? »

Nella sait pourtant qu'elle n'est plus là. À côté du lit en compagnie de Cornelia, elle touche le visage de Marin, luisant d'humidité comme si elle gisait sous la pluie.

En tremblant, Cornelia retire de son sein inerte le legs solitaire de Marin. Elle soulève Thea, le petit crâne du bébé tenant dans sa main. Cornelia l'a enveloppée de tant de couches de coton que seul son minois minuscule apparaît. Nella et Cornelia restent là, obéissant toujours à Marin, tant elles sont sous le choc.

« C'est impossible ! gémit Nella.

— Je n'ai rien pu faire », dit une voix à la porte.

Nella sursaute. Horrifiée, elle découvre une forte femme qui s'approche d'elles, les manches relevées, bâtie comme une vachère d'Assendelft.

« Qui…

— Lysbeth Timmers. Votre servante m'a trouvée dans la *Liste de Smit*. Vous devriez sortir immédiatement cette enfant de là.

— C'était la plus proche, murmure Cornelia à Nella d'une voix rauque et sans lâcher Thea. C'est *vous* qui m'avez demandé, Madame… »

Nella fixe Lysbeth Timmers des yeux tout en protégeant le corps de Marin du regard scrutateur de cette étrangère. Dans ce curieux silence, elle se demande comment elle a pu être imprudente au point d'ordonner à Cornelia d'ouvrir grand leur porte et de révéler leur secret. Renard dans le poulailler, Lysbeth se tient les mains sur les hanches.

« C'est une nourrice, murmure Cornelia, mais elle n'a pas de diplôme de sage-femme.

— J'ai donné naissance à mes quatre enfants », ajoute Lysbeth qui a tout entendu.

Elle s'approche d'elles et cueille Thea dans les bras de Cornelia.

« Non ! » s'écrie la jeune femme en voyant Lysbeth emporter l'enfant sur le seuil, où elle tire un fauteuil.

La nourrice examine le bébé sous toutes les coutures, comme si Thea était un légume douteux sur un étal de marché. Après avoir passé ses doigts rougis sur le petit crâne, elle abaisse son corset desserré et sa chemise, et accroche à son téton rose sombre le bébé qui se met à téter. « Vous avez tout fait de travers, fait-elle observer.

— Qu'est-ce que vous voulez dire ? s'insurge Cornelia avec dans la voix une panique que Nella ne s'explique pas.

— L'emmailloter comme ça !

— On ne vous paie pas pour critiquer, Madame Timmers, assène Nella que l'épuisement rend irritable.

— Regardez ! reprend Lysbeth sans se démonter. Les membres sont comme de la cire, à cet âge. Si vous les liez dans une mauvaise position, vous aurez des jambes et un dos tordu quand elle aura un an. »

Lysbeth retire Thea de son sein et entreprend de la déballer comme un paquet. En une seconde, elle a enlevé le bonnet. Cornelia s'avance, tendue, en alerte.

« Qu'est-ce qu'il y a ? » demande Nella.

Dans sa précipitation, le matin, quand elle devait courir au Stadhuis, elle avait à peine regardé l'enfant, mais soudain, en se souvenant de l'agitation de Cornelia — *Ça paraît impossible. Ça ne peut pas être vrai* —, elle voit de ses propres yeux ce que la servante, stupéfaite, tentait de lui dire.

La tête couverte de cheveux bien trop noirs pour un bébé hollandais, Thea a la peau couleur noix caramélisée. Ses yeux se sont ouverts, et ses iris sont de petites flaques de nuit. Nella s'approche, fascinée.

« Thea, soupire Cornelia. Oh, Toot ! »

Comme si elle l'avait entendue, la fille d'Otto

tourne vers la servante un regard de nouveau-né, un monde à elle toute seule.

Lysbeth attend que Nella dise quelque chose. Tandis que le silence s'épaissit dans la pièce, les paroles de Marin commencent à virevolter dans la tête de Nella. Cet enfant sera loin d'être opportun. Si l'enfant survit, il sera souillé. Lysbeth doit sûrement entendre les coups frappés par son cœur ! À côté d'elle, Cornelia est paralysée.

« Vous serez généreusement rétribuée pour... *toute* votre aide. Un florin par jour », articule Nella d'une voix tremblante à cause du choc causé par ce qu'elle voit. *Je chéris tout ton être, je t'aime.*

Lysbeth gonfle les joues et contemple l'enfant en caressant ses cheveux noirs. La nourrice clandestine regarde les tableaux, l'horloge à pendule doré, le pichet en argent. Ses yeux s'arrêtent sur l'immense cabinet qui recèle les vies miniatures, si opulent, si superflu que Nella a honte.

« Je n'en doute pas, Madame, déclare enfin Lysbeth. Je prendrai quatre florins par jour. »

Nella est encore trop stupéfaite pour répliquer, mais elle est à Amsterdam depuis assez longtemps pour savoir qu'on y marchande dès son premier souffle. En fait, elle est soulagée que l'argent paraisse plus intéresser Lysbeth que leurs secrets, mais ne profite-t-elle pas un peu trop de la situation ? Je ne me laisserai pas plumer ! La nourrice semble percevoir le chaos qui bouillonne sous la surface et, malheureusement, elle connaît son prix.

Johannes avait peut-être raison : même les abstractions comme le silence peuvent être négociées au même titre qu'un cuissot de chevreuil, une paire de faisans, une belle meule de fromage. Nella pense au coffre presque vide de Johannes. Il faut que j'aille voir Hanna ! On doit vendre tout ce sucre. Quand ? Tout commence à déborder, comme Otto l'avait prédit.

« Deux florins par jour, Madame.

— Étant donné ces circonstances inhabituelles, répond Lysbeth Timmers en fronçant le nez, je suis sûre que vous comprendrez. Trois. »

Dire que j'ai failli annoncer à Frans Meermans que Marin avait donné naissance à son enfant. Nella grimace intérieurement à l'idée de ce qui se serait produit s'il avait connu le secret, lui aussi. « Qu'il en soit ainsi, Madame Timmers, dit-elle. Trois florins par jour. Pour *toute* votre aide. »

Lysbeth hoche la tête, satisfaite. « Vous pouvez compter sur moi. Je ne m'intéresse pas aux bourgmestres.

— Je ne vois pas du tout ce que vous voulez dire, Madame Timmers.

— Vous voulez jouer à ce petit jeu-là ? demande Lysbeth avec un sourire en coin. Bien, un père est un père, dans mon monde. Tous les mêmes. Elle est très jolie, pas de malentendu entre nous.

— Pas de malentendu », reprend Nella.

Elle se sait hébétée et tente de se contrôler. Sait-il ? Marin l'a-t-elle mis dans la confidence ? Est-ce pour cela qu'il s'est enfui ? On dirait que Cornelia est sur le point de s'évanouir. En pensant à la manière dont elle lui avait narré l'histoire de Marin et Frans Meermans, Nella se demande si la servante a soupçonné cette vérité extraordinaire. Otto était l'ami de Cornelia, son égal dans cette maison. Elle qui se vantait d'être la reine des trous de serrure, elle a perdu sa couronne.

« Ils aiment ça, vous savez, déclare Lysbeth.

— De quoi vous parlez ? grogne Cornelia.

— Les langes bien serrés, répond sèchement Lysbeth en traitant la provocation de Cornelia par le mépris. Ça leur rappelle le ventre de leur mère. »

Nella voit la douleur et la confusion envahir le visage de la jeune servante. Quand elle pense à Johannes au Stadhuis et à ce qui a été décidé, elle sait que ce sera une tâche terrible d'annoncer cette autre vérité à Cornelia.

Dans la chambre de Marin, au milieu des graines et des plumes, Lysbeth entreprend de montrer sur Thea, docile, somnolente, comment il faut langer un bébé. Elle la nourrit de nouveau et l'enfant se réveille, s'accroche à la vie avec une intensité et une volonté qui rappellent Marin penchée sur le livre de comptes ou regardant une des cartes de Johannes. Nella contemple ce merveilleux miracle, la peau rayonnante, veloutée, couleur café de Thea. L'enfant se tortille et serre le poing. Les traits de son visage reflètent clairement ceux de son père, mais il est trop tôt pour dire de quel côté le balancier oscillera le plus.

Cornelia évolue comme dans un rêve et allume les lampes à huile dans toute la maison pour couvrir l'odeur de la mort. Elle retourne les miroirs contre le mur pour s'assurer que l'esprit de sa maîtresse trouvera le chemin des cieux. Elles ne veulent pas que Marin reste coincée dans une cheminée, elles veulent que son âme s'envole vers les nuages, au-dessus des toits d'Amsterdam.

Elles ne devront pas tarder à enlever le corps, leur dit Lysbeth. Le mauvais air nuirait à Thea. « Enveloppez-la d'un drap, Madame.

— Un drap ? s'offusque Nella. Marin mérite la plus fine soie damassée.

— Elle préférerait sûrement un simple drap », suggère Cornelia d'une petite voix.

Sitôt l'enfant endormie, Lysbeth prend ses trois florins et les glisse dans la poche de son tablier. « Appelez-moi quand elle se réveille. Je ne suis pas loin. »

Alors qu'elle gagne la porte de la cuisine — Nella a insisté : pas de porte principale pour Lysbeth Timmers, peu importe combien on la paie —, elle se retourne vers sa nouvelle patronne. « C'est quoi cette chose, en haut ? La grande commode dans le coin. J'ai jamais rien vu de pareil. »

— Ce n'est rien, juste un jouet.

— Sacré jouet !

— Madame Timmers...

— Vous devez faire baptiser l'enfant. N'attendez pas, Madame. Les premiers jours sont dangereux. »

Les yeux de Nella s'emplissent de larmes. Elle pense aux derniers mots de Slabbaert : *Que ce nouveau baptême de Johannes Brandt soit une mise en garde pour vous tous.*

Lysbeth la considère avec un mélange de pitié et d'impatience. « Veillez à ce qu'elle garde son bonnet, Madame. Je trouve qu'elle a de très beaux cheveux, mais cette pauvre enfant doit bien vivre dans nos rues. »

Nella se demande comment cela sera possible, mais jamais Cornelia ne lâchera cette petite d'un pas.

Cornelia est recroquevillée près du berceau, le teint cireux, sans expression. Elle est rabougrie, et

Nella n'arrive pas à croire qu'il s'agit de la jeune fille insolente qui observait la nouvelle venue avec un tel aplomb lors de leur première rencontre dans le hall.

« J'ai essayé, Madame...

— Vous avez fait tout ce que vous pouviez. »

Nella écoute la maison. Dans le jardin, un tas de draps, rendus raides par le sang qui a viré au brun, brûle en projetant des flammèches ; la fibre de coton calcinée s'envole vers le ciel. De la fenêtre du hall, dans le brasier, Nella distingue le carré d'un coussin sur lequel on a brodé un oiseau multicolore dans du feuillage. *Cornelia en a trop fait*. À chaque instant, la voix de Marin.

« On va garder Thea, n'est-ce pas, Madame ? supplie Cornelia. C'est ici qu'elle est le plus en sécurité.

— Nous sommes déjà en train d'acheter le silence de nouvelles personnes. Quand est-ce que ça s'arrêtera ? »

Ça s'arrêtera quand il n'y aura plus d'argent, répond une voix en elle.

« Je mourrai plutôt que de laisser quelque chose arriver à cette enfant, déclare Cornelia avec un regard farouche.

— Cornelia, même si nous devons partir d'ici pour aller à Assendelft, je vous promets que nous ne l'abandonnerons pas. »

Maintenant, c'est Assendelft qui lui semble aussi loin que Batavia, pas Amsterdam, comme Agnes l'a dit un jour. Nella entend à nouveau la voix claire et méprisante de Marin. *Il n'y a rien à faire à la campagne*.

Cornelia hoche la tête. « Thea pourra porter un

bonnet pour cacher ses cheveux dehors et les laisser libres dans la maison.

— Cornelia…

— Et il faudra qu'on dise au pasteur Pellicorne ce qui est arrivé à Madame Marin. On ne peut pas l'enterrer n'importe où. Je ne veux pas qu'elle soit mise à Saint-Antoine. C'est trop loin. Je la veux ici, dans les murs de la ville…

— Je vais vous chercher quelque chose à manger, déclare Nella pour contrer l'hystérie qu'elle sent monter en Cornelia. Du pain et du fromage ?

— Pas faim, répond Cornelia en se levant d'un bond. Mais on doit préparer quelque chose à apporter au Seigneur. »

Nella s'assied, épuisée par l'agitation de Cornelia, incapable de trouver les mots pour lui expliquer ce qui s'est passé le matin même au Stadhuis. Elle aimerait aller voir Johannes, mais il faut d'abord s'occuper de Marin, dès l'aube, après avoir un peu dormi. On est jeudi. Dimanche au coucher du soleil, Cornelia, Thea et elle seront en chute libre, Lysbeth Timmers accrochée à leurs jupes. Dans cette ville, il semble aussi facile de prendre une vie que de soulever un pion sur un plateau de *verkeerspel*.

On n'a sans doute jamais vu naître un tel bébé à Amsterdam. Il y a les Juifs séfarades, bien sûr — les enfants bruns de Lisbonne et les mulâtres ramenés par les marchands portugais qui attendent devant la synagogue du Houtgracht et réservent des sièges pour leur maîtresse. Il y a les Arméniens qui ont fui les Turcs ottomans — et qui sait ce qui se passe dans les Indes ! — mais à Amsterdam, les gens restent entre eux, ils ne se mélangent pas. C'est la raison pour laquelle on regardait tant Otto, dans les

rues. Pourtant, voici qu'un pur mélange des anti-
podes de la République fait son apparition, non
pas né à des milliers de kilomètres, mais dans les
replis secrets de la mère patrie, sur le tronçon le
plus riche de la Courbe d'Or. Thea est un cas
unique, plus scandaleux encore sur ces pavés et ces
canaux que l'était son père.

Je chéris tout ton être. Otto et Thea, la boucle est
bouclée, les mots écrits et l'enfant qu'il a laissés en
partant forment son reflet. Nella se souvient des
chuchotements la nuit, des portes qui se fermaient,
du visage impassible de Cornelia quand, au matin,
Nella lui demandait si elle avait veillé tard. Marin
en larmes à la Vieille Église. Otto terrifié, sur le
même banc, des semaines plus tard. Marin lui
avait-elle dit, ce jour-là ?

La seule chose que Nella pourra jamais comprendre, concernant Otto et Marin, c'est Thea, qui
à son tour sera un secret à ses propres yeux — sa
mère morte, son père absent. Nella pense à une
autre mère, à Bergen, à une enfant frustrée grandissant à Bruges avec un père vieillissant. Pourquoi la miniaturiste lui a-t-elle été enlevée ? Je
délire par manque de sommeil, se dit Nella en
essayant de trouver dans le passé les signes qui
avaient pu lui échapper à propos d'Otto et de Marin
ou de l'autre Petronella. Elle doute qu'un nouveau
jour rende tout ça plus facile à comprendre.

Cornelia regarde le visage de Thea. « Je voulais
que ce soit le Seigneur Meermans. Je voulais que
ce soit lui.

— Pourquoi ? »

Cornelia ne répond pas. Sa confession n'ira pas
plus loin. Elle avait réussi à paraître si sûre d'elle,
quant à l'identité de l'amoureux secret de Marin,

au cochon de lait offert et à la jalousie d'Agnes !
J'aurais dû donner plus de travail à Cornelia, avait
regretté Marin, en se plaignant de ce goût pour bro-
der sur la réalité. Le regard de Meermans s'arrêtait
sur Marin, mais jamais Marin ne leur avait fourni
de preuve d'intérêt pour lui. Et qu'avait-elle dit,
quand Nella l'avait interrogée sur ses sentiments ?
Vous portez son enfant, lui avait affirmé Nella. *J'ai
pris à Johannes des choses qui ne m'appartenaient
pas*, avait-elle répliqué. Toujours aussi elliptiques,
les paroles de Marin ! Elle vivait dans l'ombre entre
mensonge et vérité.

« Je voudrais que tout redevienne comme
avant », soupire Cornelia.

Nella lui prend la main. « Il faut que je vous parle
de Johannes. »

Elle sent sa douleur s'épanouir, rose sauvage qui
laisse tomber trop vite ses pétales.

Le regard clair, calme, la servante s'assied sur le
lit. Elle veut savoir. « Dites-moi ! »

Nella craint que les murs ne se brisent tant les
larmes de Cornelia sont fortes. Thea se réveille,
bien sûr, et Nella la soulève de son nuage de coton.
L'enfant est fascinante, leur petite note noire à
elles enveloppée de blanc, aux poumons tels des
soufflets minuscules qui emplissent la chambre de
leur musique.

« Pourquoi Dieu nous punit-il, Madame ? Est-ce
qu'Il avait prévu tout ça ?

— Je n'en sais rien. Il est possible qu'Il ait posé la
question, mais nous sommes la réponse, Cornelia.
Nous devons tenir. Pour le bien de Thea, nous
devons garder la tête hors de l'eau.

— Mais *comment* ? Comment allons-nous vivre ?

demande Cornelia en enfouissant son visage dans le cou de Nella.

— Allez chercher Lysbeth. Thea doit être nourrie. »

Calmée par la force des choses, Cornelia se tait, concentrée sur les cris du bébé. Le visage boursouflé, engourdie, elle laisse Nella sur le lit, Thea vagissant dans ses bras. Quand elle s'allonge avec l'enfant, quelque chose appuie sur sa nuque. Elle glisse la main sous l'oreiller et trouve un petit objet dur.

Otto, chuchote-t-elle en regardant la poupée, tandis que sa fille bien réelle pèse sur son bras. Nella n'avait pas remarqué qu'il avait disparu de son cabinet. Est-ce que Marin, nuit après nuit, dormait avec lui caché sous elle, petite consolation qui n'avait pas réussi à le ramener à la maison ?

« Où êtes-vous ? » demande Nella, comme si ses mots pouvaient le faire revenir alors que la poupée a échoué misérablement. Thea réclame du lait, bruyant chérubin du meilleur des mondes. Cette enfant est un commencement, tout comme Johannes et Marin ont trouvé leur fin.

Doucement, au milieu du tumulte créé par le bébé, Nella murmure une prière spéciale. À Assendelft, bouleversé par la mort de son père, Carel avait écrit une injonction à Dieu, provocatrice et puérile au meilleur sens des termes. Ils lui reviennent en cet instant, ces mots gravés dans son cœur. Elle les murmure dans le coquillage que forme la petite oreille de Thea, un appel au réconfort, un désir de résurrection. Un espoir sans fin.

Pièces vides

Lysbeth Timmers dort dans la cuisine. Au matin du vendredi, son visage est comme embué par l'air humide de la pièce. « Le corps de la dame... Il va vous falloir de l'aide. »

Nella sent monter en elle une bouffée de gratitude. Elle entend Johannes interroger sa sœur : *Marin, crois-tu qu'on entretienne cette maisonnée par magie ?* Pas par magie, se dit Nella, grâce à des gens comme Cornelia et Lysbeth Timmers.

Cornelia, qui n'a presque pas effleuré Marin vivante, doit maintenant s'occuper du corps de sa maîtresse et la serrer contre elle. « Elle a toujours détesté qu'on la touche », assure-t-elle.

En pensant à Thea, Nella se demande quelle est la part de vérité dans cette affirmation.

« Celle-là ! » décide Cornelia en brandissant une longue chemise noire.

Elle est bavarde, aujourd'hui, comme si sa voix allait bannir les démons qui rôdent au Stadhuis, les mots *dimanche au coucher du soleil* tourbillonnant dans sa tête à elle aussi. Le tissu du corset qu'elles choisissent est doublé de zibeline et d'écureuil, avec un ruban de velours le long du dos. « Ça conviendra parfaitement à Madame Marin. »

Nella a l'impression d'être sur des sables mouvants qui pourraient l'engloutir à tout moment. Ses aisselles sont mouillées de sueur, ses intestins se relâchent. « Qu'il en soit ainsi ! répond-elle avec un petit sourire.

— Les vêtements, c'est très bien, remarque Lysbeth, mais il faut la préparer d'abord. »

❧·❦

C'est le plus dur.

Elles assoient Marin, et Lysbeth coupe le jupon et la blouse en coton à l'aide d'un couteau. Nella se crispe en entendant le tissu se déchirer, mais tente de ne se concentrer que sur la tâche à accomplir. C'est presque trop douloureux de voir la poche molle où Thea a vécu pendant neuf mois, tout comme elle ne peut ignorer les seins ronds, gorgés de lait. Entre ses jambes, le cordon ombilical est toujours là — l'élément qu'elles n'ont pas pu sortir.

Cornelia inspire par saccades, de peine ou de dégoût, Nella ne saurait le dire. L'endroit par lequel Thea a fait son entrée dans le monde paraît scellé, mais Nella n'ose y regarder de trop près, de crainte que davantage de sang ne s'en échappe. Elle frotte d'autres parties du corps de Marin avec ce qui reste de l'huile de lavande pour étouffer l'odeur de plus en plus intense et étrangement douceâtre.

Nella et Lysbeth titubent en soulevant Marin de façon que Cornelia puisse lui enfiler sa jupe, qu'elle attache de ses doigts tremblants. Quand Nella penche Marin en avant, sa tête tombe sur sa poitrine. Cornelia passe un bras dans le corset. « Ça fait des années que je ne l'ai pas habillée, dit-elle d'une curieuse voix haut perchée qui la prive de souffle. Elle le faisait toujours seule. »

Cornelia lui enfile des bas en laine et lui met aux pieds des pantoufles en peau de lapin où sont brodées les initiales *M* et *B*. Nella lave le visage de Marin, qu'elle essuie respectueusement avec des serviettes propres. Lysbeth dénoue ses cheveux et les tresse pour les glisser dans une coiffe blanche immaculée.

« Attendez ! » demande Nella.

Elle court jusqu'à la chambre de Marin, où Thea dort dans le berceau en chêne, et décroche du mur la carte de l'Afrique annotée de questions sans réponses — *Climat ? Nourriture ? Dieu ?*

« On devrait mettre davantage d'objets de ses collections avec elle, propose Cornelia en voyant ce que Nella a apporté. Des plumes et des épices, les livres…

— Non, décide Nella, on va les garder.

— Pourquoi ?

— Un jour, tout sera à Thea. »

Cornelia hoche la tête, dépassée par cette idée logique et en même temps si mélancolique. Nella imagine Cornelia dans quatre ans en train de montrer à la fillette le monde si vaste que sa mère a constitué avec tant d'assiduité. Alors que les yeux bleus de la servante se perdent dans le vide, Nella se demande si Cornelia pense à l'avenir, elle aussi — à Thea balançant ses petites jambes au bord du lit, tandis que la servante qui aimait sa mère lui montre son étrange héritage. Plus que tout, Nella veut, pour la sortir de l'horreur de ce jour, que Cornelia s'accroche à cet avenir.

« Elle a l'air paisible », dit Cornelia.

Nella remarque pourtant la ride habituelle au

front de sa belle-sœur, comme si elle exécutait une addition un peu difficile, ou pensait à son frère. Marin n'a pas l'air paisible. Elle a l'air de ne pas vouloir mourir. Il restait tant à faire !

Tandis que Lysbeth et Cornelia s'occupent de Thea dans la chambre de Marin, Nella descend ouvrir la caisse à outils d'Otto, où les ustensiles sont alignés en bon ordre, toujours prêts, huilés, aiguisés. Elle trouve ce qu'elle est venue chercher. Les fermiers d'Assendelft appellent ça une cognée. Petite fille, elle admirait ces hommes aux bras solides qui s'attaquaient hardiment aux arbres.

De retour à l'étage, dans le jour qui faiblit, les voix des autres femmes murmurant au bout du couloir, Nella entre dans sa chambre dont elle verrouille la porte pour la première fois.

Son regard s'arrête, dans le coin, sur le superbe cadeau de Johannes. En octobre, il avait qualifié ce cabinet de « distraction », mais pour elle, au seuil d'une nouvelle vie, ce n'était rien de plus qu'une insulte à son statut fragile. Elle avait rejeté ce monde hostile, puis elle avait peu à peu pensé qu'il recelait des réponses, que la miniaturiste était celle qui projetait la lumière. Johannes avait raison, d'une certaine manière : tout dans ce cabinet n'est que distraction. Je croyais faire du surplace et me voilà soudain si loin.

Ce n'est que maintenant que Nella sait ce qui doit être fait. Elle s'approche du cabinet et lève les bras, comme elle a vu les hommes de chez elle le faire pour prendre leur élan devant les troncs qui gémissaient. Elle inspire profondément, retient un instant son souffle, puis le relâche en abattant la hache, qui s'enfonce dans l'écaille de tortue, brise l'orme, rompt les veines d'étain qui serpentent telles les racines d'une plante, fait tomber les rideaux en velours. Nella frappe, frappe encore, pour mettre la maison à genoux. Les planchers s'effondrent, les plafonds ploient, le talent et le temps, les détails, la puissance, tout choit à ses pieds.

Le sang cognant dans ses veines, Nella pose la hache et plonge dans les décombres pour lacérer le papier peint en cuir italien, détacher les tapisseries, décoller les dalles de marbre, déchirer les petites pages des livres. Elle écrase la coupe de fiançailles dans son poing, et la fine pellicule de métal cède à la pression, le couple gravé dessus s'aplatissant jusqu'à disparaître. Elle rassemble les fauteuils en merisier, la cage à oiseau, Peebo, la boîte de pâtes d'amandes, le luth, et les fracasse sous sa semelle, les rendant méconnaissables, détruits à jamais.

Les doigts repliés en forme de serres, Nella éventre Meermans, écharpe son chapeau à large bord. Elle arrache la tête de Jack comme elle le ferait à une fleur mourante. Munie d'un éclat d'orme, elle transperce la main d'Agnes qui tient toujours le pain de sucre noirci. Nella n'épargne ni Cornelia ni même ses propres figurines, la grise et la dorée, l'une envoyée par la miniaturiste, l'autre laissée par Agnes sur le plancher de la galerie, au Stadhuis. Elle les jette sur la pile de débris, avec le sac plein de pièces de Johannes. Nella ne garde intacts que Marin et Johannes, qu'elle glisse dans sa poche en compagnie d'Otto et du bébé. Thea pourra les admirer quand elle sera plus grande, ces portraits hors du temps.

Ce faisant, elle sent la miniature d'Arnoud dans sa poche et elle hésite. Ce n'est qu'une poupée, se dit-elle toujours étonnée par cet étrange mélange de maîtrise de son art et d'espionnage que représente la miniaturiste. Ce n'est rien — mais la plus grosse partie du sucre n'a pas encore été vendue. Elle s'en veut, mais elle remet en toute hâte le pâtissier dans sa jupe, en sécurité, hors de vue.

Vidée, épuisée, Nella ne peut plus détruire. Son cadeau de mariage s'est transformé en bûcher funéraire. Elle se laisse glisser au sol et pose la tête sur ses genoux repliés pour étouffer des sanglots silencieux. Sans personne pour la serrer dans ses bras, elle s'enlace, le corps secoué de sanglots.

Le chancre dans le verger

Ce soir-là, Cornelia ne se laisse pas dissuader de se rendre à la prison du Stadhuis. Prise d'une agitation fébrile, elle a préparé une tourte de poule et de veau, des gâteaux à la citrouille parfumés à l'eau de rose, un ragoût de bœuf au chou. Ça sent le foyer, une cuisine bien garnie et aux beaux ustensiles, avec une cuisinière émérite à la barre. « J'y vais, Madame ! dit-elle avec une telle détermination que les couleurs sont revenues sur son visage.

— Ne lui révélez pas ce qui s'est passé ici ! »

Cornelia serre le paquet de nourriture encore chaude contre son corps et ses yeux s'emplissent de larmes. « Je préférerais mourir que lui briser le cœur, Madame, promet-elle en cachant les plats sous son tablier.

— Je sais.

— On pourrait peut-être lui parler de Thea — un bébé, un commencement…

— Ça lui donnerait d'autant plus de regrets de quitter la vie. Je ne crois pas qu'il pourrait le supporter. »

Cornelia regimbe à accepter les horribles décisions qu'elles sont contraintes de prendre, songe

Nella en regardant la servante allonger le pas sur le quai.

Lysbeth est dans la cuisine en train de plier des langes propres pour Thea.

« Pourriez-vous rester avec elle deux petites heures pendant que je sors ? s'enquiert Nella.

— Avec plaisir, Madame. »

Nella apprécie que Lysbeth ne lui demande pas où elle va. Elle pense au carnage dans sa chambre, à ce que Lysbeth risque de se dire en voyant qu'une épouse a cassé son jouet comme une enfant. « Il y a du bois de chauffage, en haut, lui dit-elle. Il ne faut pas que Thea ait froid. »

❦·❦

On fait entrer Nella dans le bureau du *kerk-meester*, derrière l'orgue de la Vieille Église. Le pasteur Pellicorne est à sa table de travail. C'est pour Cornelia que Nella est ici. Elle préférerait qu'on enterre Marin discrètement à l'église Saint-Antoine, loin des regards curieux. « Est-ce que ce n'est pas ce qu'elle aurait voulu ? avait-elle tenté.

— Non, Madame. Elle aurait voulu les plus hauts honneurs que cette ville peut accorder. »

C'est son aspiration à la normalité. C'est Cornelia qui veut sauver les apparences, et Nella sent son cœur se serrer en voyant les préoccupations obsessionnelles de Marin lui survivre grâce à sa servante.

Pellicorne a du mal à dissimuler sa répugnance en découvrant qui lui rend visite. Vous savez qui je suis ! songe Nella, et sa haine pour lui se déploie. Vous étiez devant le Stadhuis à pérorer pour que tout le monde vous entende. Nella est venue armée de sa richesse, mais des perles et une robe argentée sont de piètres armures face au dédain de Pellicorne.

« Je viens déclarer un décès, dit-elle d'une voix claire en le regardant droit dans les yeux.

— Je croyais que ça ne devait pas se produire avant dimanche », fait remarquer Pellicorne en enfonçant son menton dans sa collerette foisonnante.

Il attire à lui son registre des funérailles, un livre impressionnant par sa taille et son épaisseur, relié en cuir, qui garde trace de tous les corps ayant quitté la ville pour le ciel ou l'enfer. Il plonge sa plume dans l'encrier.

Nella se raidit et inspire. « Je suis là pour déclarer le décès de Marin Brandt. »

Pellicorne soulève sa plume et tend le cou vers Nella. « Elle est morte ?

— Hier après-midi. »

Il pose la plume et s'adosse à son siège. « Que Dieu bénisse son âme ! marmonne-t-il au bout d'un moment, avant de plisser les yeux. Dites-moi, comment notre sœur Marin Brandt a-t-elle quitté ce monde ?

— La fièvre, Monsieur le Pasteur.

— La peste ?

— Non, Seigneur, elle était malade depuis longtemps.

— C'est vrai que je ne l'ai plus vue à l'église, ces dernières semaines, remarque Pellicorne en joignant les mains et en posant le menton sur ses doigts agités. Je me suis demandé si son absence avait un lien avec la situation de son frère.

— Le choc n'a pas dû l'aider, Seigneur. Elle était déjà très faible, dit calmement Nella en sentant

468

s'épanouir en elle une haine qui lui permet à peine de respirer.

— En effet. »

Nella garde le silence. Elle refuse de donner à cet homme les informations qu'il désire entendre.

« Votre *gebuurte* est-il venu à votre aide ?

— Oui, Monsieur le Pasteur, des voisins sont venus. »

Nella se souvient des funérailles de son père, à Assendelft : les voisins étaient accourus soutenir sa mère en deuil, on avait déshabillé le mort, on lui avait enfilé une chemise, soulevant son corps presque raidi sur une plaque de fer parsemée de paille pour absorber toute fuite. Les jeunes filles du village étaient ensuite venues le couvrir de palmes, de fleurs et de feuilles de laurier. Il n'y avait pas de *gebuurte* semblable pour Marin, juste Cornelia et elle, la désolation se mêlant à la panique, et Lysbeth, une femme qui ne l'avait pas connue vivante. Du moins Cornelia avait-elle allumé les lampes à huile.

Nella souffre du manque de dignité qui entoure la mort de Marin. Le *gebuurte* aurait dû se mobiliser pour elle, car Marin était une bonne personne, elle était forte. Dans une autre vie, elle aurait pu commander une armée, mais Marin n'avait plus d'amis proches depuis longtemps — elle n'en avait qu'un seul, et il est absent. « Nous devons l'emporter très vite, ajoute Nella. Nous devons la conduire à l'église.

— Jamais elle ne s'est mariée. Quel gâchis ! »

Pour certaines, c'est un gâchis de se marier.

La nuit est tombée. De l'église, elle perçoit les accords de l'organiste, et elle sait qu'on allume des torches pour la prière du soir. Le pasteur se lève et lisse sa robe comme si c'était un tablier. « Si vous êtes venue pour l'enterrer ici, c'est impossible. »

Silence. Nella ne bouge pas, elle garde le dos droit. « Pourquoi, Monsieur le Pasteur ? »

Elle a une voix forte et raisonnable, parce que c'est ainsi qu'elle l'a voulue. Elle ne la laissera pas trembler ni trahir son émotion. Pellicorne ferme le registre des funérailles et la regarde, surpris, visiblement peu habitué à ce qu'on lui demande des comptes. « Nous ne pouvons l'accueillir, Madame. Elle est souillée par association. Tout comme vous, dit-il en fichant dans les siens ses yeux de pierre. Vous avez toute ma pitié, Madame.

— Et pas la moindre miséricorde.

— Nous sommes submergés. Les corps pour lesquels je prononce mes sermons ne sont bien souvent plus que des squelettes. Mon Dieu ! La puanteur... Tous les parfums d'Arabie ne peuvent masquer celle d'un Hollandais qui pourrit. Je suis désolé de son décès, mais nous ne pouvons la prendre.

— Seigneur...

— Allez à Saint-Antoine. On vous aidera.

— Non, Monsieur le Pasteur. Pas hors des murs de la ville ! Elle venait prier *ici*.

— Peu de gens peuvent être enterrés au sein de la ville, désormais, Madame.

— Ce doit être possible pour Marin Brandt.

— Je n'ai plus de place. Vous m'entendez ? »

Nella sort de sa poche deux cents des florins d'Arnoud et les pose sur le bureau de Pellicorne. « Si vous vous occupez de la pierre tombale, du cercueil, des hommes pour le porter et de lui trouver une place dans l'église, je doublerai cette somme après la cérémonie. »

Pellicorne regarde l'argent. Il vient de l'épouse d'un sodomite. Il vient d'une femme. Il est la racine profonde du mal... mais c'est beaucoup d'argent. « Je ne peux accepter.

— L'appât du gain est le chancre que nous devons vaincre, réplique Nella d'un ton tragique.

— Justement ! »

Nella voit qu'il se félicite que ses sermons aient un écho. « Vous, en tant qu'homme de Dieu, vous êtes sans nul doute le mieux placé pour veiller sur ce chancre.

— Une fois éradiqué, précise Pellicorne sans pouvoir s'empêcher de regarder les billets.

— Bien sûr.

— Il faut beaucoup d'aumônes pour les malheureux de cette ville.

— Et on doit faire quelque chose pour eux, sous peine que le chancre s'épanouisse. »

Ils gardent le silence, puis Pellicorne cède. « Il y a bien un petit espace dans le coin est de l'église. La place d'une dalle modeste, rien de plus. »

Quel fou ! Il est bien un homme comme tous les autres, pas plus proche de Dieu que n'importe qui, enrage Nella. Elle se demande combien il empochera des quatre cents florins avant de payer ceux qui feront le travail et de distribuer des aumônes. Est-ce que Marin aimerait être dans un coin ? Elle a passé sa vie dans un coin ! Elle préférerait sûrement la nef, mais dans la nef, les gens ne cesseraient de marcher sur elle. Certains désirent sans doute une telle fin, pour qu'on ne les oublie jamais, qu'ils restent dans les mémoires, qu'on prie pour eux, mais Nella sent que ce serait une indignité pour Marin. Le coin, voilà ce qu'il faut.

« Je vous dis la vérité, Madame, affirme le pasteur Pellicorne. Nous sommes pleins. Ce coin, c'est ce que je peux faire de mieux.

— Ça lui conviendra, mais j'exige que le cercueil soit en orme, et de grande qualité. »

Pellicorne reprend sa plume et rouvre le registre. « J'y veillerai. Les funérailles pourront se dérouler mardi soir prochain, après le service.

— Très bien.

— C'est mieux à la nuit. L'odeur qui monte du sol quand on l'ouvre distrait les fidèles de leur prière.

— Je comprends.

— Combien de personnes doit-on attendre ?

— Un petit nombre. Elle vivait presque recluse », précise-t-elle comme un défi.

Va-t-il la contredire ou lui offrir quelques réflexions inspirées concernant la vie cachée de Marin ? Il pourrait parler des librairies où elle se rendait, de ceux qui habitaient dans sa maison, de ce nègre avec lequel elle paradait dans les rues.

Pellicorne se contente de faire la moue. Nella sait ce que son expression signifie — l'isolement est mauvais. Le civisme, la surveillance des voisins, chacun s'occupant des affaires des autres — tel est ce qui constitue le tissu de la ville. Pas se cloîtrer loin des curieux.

« Ce sera une cérémonie brève, dit-il en glissant les florins dans le registre.

— Nous n'aimons pas la pompe.

— Justement. En dehors de son nom et de ses dates de naissance et de mort, que voulez-vous qu'on inscrive sur la pierre ? »

Nella ferme les yeux et rappelle à elle Marin et ses longues robes noires, la perfection de ses coiffes et de ses manchettes qui dissimulaient tant de troubles intérieurs. Elle refusait publiquement le sucre, mais chapardait des noix caramélisées, cachait le billet d'amour d'Otto, annotait des pays inconnus sur les cartes dérobées à son frère. Marin qui méprisait les miniatures, mais qui dormait avec la poupée Otto sous son oreiller. Marin qui ne voulait pas être une épouse, mais qui gardait le nom de Thea au bout de sa langue.

Nella se sent écrasée par la perte si inutile de cette jeune vie, par tant de questions sans réponses. Frans, Johannes, Otto — ces trois hommes connaissaient-ils mieux sa belle-sœur qu'elle ?

« Eh bien ? s'impatiente Pellicorne.

— *T'can vekeeren*, répond Nella.

— C'est tout ?

— Oui. *T'can vekeeren.* »

Les choses peuvent changer.

Degrés de vie

Le samedi matin, Nella prend une tourte dans les réserves, croyant qu'elle est aux fruits. Elle meurt de faim. Elle n'a presque rien avalé depuis le verdict.

La croûte est trompeuse : elle cache une farce au poisson, du flet bon marché froid, alors qu'elle s'attendait à des baies d'hiver. Dans son état de nerfs, elle n'est pas loin de s'imaginer que la nourriture se moque d'elle. Elle se demande, désespérée, si Cornelia refera jamais des sucreries. La vue de noix caramélisées risque de lui rappeler Marin et ses délicieuses contradictions.

Son estomac gronde tandis qu'elle gagne la pâtisserie de Hanna et Arnoud, sous le signe des Deux Pains de Sucre.

« On en veut davantage ! dit Arnoud en l'accueillant. Il s'accorde bien aux rayons de miel, et je suis sûr que vous avez hâte de vous en débarrasser.

— *Noud !* le réprimande Hanna. Désolée, Nella, on ne lui a jamais appris les bonnes manières, à La Haye. »

Nella sourit. Les affaires sont les affaires. Je ne suis pas obligée de vous aimer, Arnoud, songe-t-elle — même si elle éprouve de la tendresse pour Hanna —, le verbe franc, un diplomate en tablier couvert de farine. Une fois ce sucre vendu, Nella se promet de jeter la poupée Arnoud au milieu des ruches de la ville, pour que les abeilles s'en délectent.

Arnoud regagne la cuisine pour y cogner ses plateaux.

« Venez ! lui propose Hanna en lui désignant un banc en bois poli sur le devant de la boutique. Goûtez un peu cette nouvelle boisson aux fèves de cacao que je teste. J'y ai mis un peu de votre sucre et quelques graines de vanille. »

Hanna rayonne. C'est vraiment délicieux. Cela réchauffe Nella comme un joyeux souvenir d'enfance.

« Vous avez entendu ? demande Hanna.

— Quoi ?

— Les bourgmestres ont levé l'interdiction de faire des biscuits en forme humaine ! Même si nos chiens étaient très populaires, je suis ravie qu'on puisse à nouveau sculpter les chéris de ceux qui ont la chance d'être encore jeunes et amoureux. C'est une bonne nouvelle pour votre stock.

— En effet ! »

Les doigts de Nella entourent la tasse en grès, reconnaissants de la chaleur qui s'en dégage. Pourtant, cela ne suffit pas à dissiper sa profonde tristesse. « Je ne peux pas rester longtemps…, dit-elle en pensant à sa maisonnée remaniée dont elle vient juste de rencontrer la moitié des occupantes.

— Bien sûr », acquiesce Hanna en la regardant avec attention.

Est-elle au courant ? Cornelia a-t-elle tenu sa

langue ? «Je vous remercie... pour votre amitié et pour ces affaires que nous traitons.

— Je ferais n'importe quoi pour elle. »

Nella imagine Hanna et Cornelia à l'orphelinat. Quel pacte ont-elles conclu ? Quel serment à la vie à la mort ont-elles scellé de leur sang ?

Hanna baisse la voix et jette un coup d'œil vers Arnoud par-dessus son épaule. «Depuis mon mariage, ce commerce occupe toutes mes heures.

— Vous avez Arnoud.

— Justement, sourit Hanna. Ce n'est pas un homme cruel. Il n'est pas égoïste non plus. J'ai fait mon lit de pâte. On vous paiera la somme dont vous avez besoin, chuchote-t-elle. De petites graines sortent de belles fleurs.

— Que dira Arnoud ? demande Nella en regardant vers la cuisine. Je ne peux pas vendre à bas prix.

— Il y a des moyens de persuasion, répond Hanna en haussant les épaules. C'est aussi mon argent. J'ai gagné ce que je pouvais — et économisé ce que je pouvais — avant de me marier. Mon frère a placé l'argent pour moi à la Bourse et dès que j'ai fait un bénéfice, je lui ai dit d'arrêter. Il m'a écoutée, contrairement à d'autres ! soupire-t-elle. Arnoud m'admire pour ça mais, peu à peu, on dirait qu'il a oublié la source de la moitié de son capital. Il aime son nouveau rôle de courtier en sucre ! Ça lui donne de l'importance, au sein de la guilde des pâtissiers. On envisage de le nommer superviseur. Le produit est bon, si bien qu'ils pensent qu'Arnoud l'est aussi, sourit Hanna. Il élabore de nouvelles recettes, il envisage de s'agrandir. Il veut aller vendre le prochain chargement à

Delft et à Leyde ; à La Haye, aussi. J'ai soutenu toutes ces décisions.

— Partirez-vous avec lui ?

— Quelqu'un doit bien garder la boutique ouverte ! On va prendre trois cents pains de plus, et vous en donner six mille florins. Ça vous semble équitable ? Les cristaux de sucre sont plus précieux que les diamants, pour moi, Madame Brandt. »

Qu'est-elle en train d'acheter ? se demande Nella, ravie de la somme proposée par Hanna. Un peu de paix ? Un moment pendant lequel jouir du fruit de son dur travail ?

« À terme, dit Hanna, je crois que nous allons tous en profiter. »

En sortant de chez Hanna et Arnoud, Nella se dépêche de gagner le Stadhuis. Le gardien lui fait passer les grilles, elle longe les mêmes couloirs, et enfin la porte de Johannes s'ouvre. C'est trois florins, cette fois, pour avoir plus que le quart d'heure habituel. L'existence de Johannes touchant à sa fin, il devient plus cher, mais Nella multiplierait la somme par dix s'il le fallait. Il flotte autour du gardien une odeur très reconnaissable d'eau de rose et de citrouille. L'homme vérifie l'argent dans sa main, acquiesce et referme la cellule.

Quelqu'un — Cornelia ? — a rasé Johannes, ce qui le rend plus cadavérique encore, comme si les os de son crâne s'apprêtaient à surgir à travers sa chair. *J'aurais dû lui apporter une chemise propre*, se reproche Nella en regardant son mari à la faible lumière. Celle qu'il porte est en lambeaux et trop fine. Elle déglutit et rassemble son courage pour supporter ce qu'elle voit. Il est assis sur sa paillasse, la tête contre les briques humides, ses longues jambes tordues et déboîtées.

La gorge serrée, elle prend conscience de sa ressemblance avec Marin, l'air hautain au repos, presque beau, même maintenant. Il y a des excréments dans un coin, recouverts de paille à la hâte. Elle détourne les yeux.

Si je lui disais tout, qui Johannes accuserait-il de l'avoir le plus trahi ? Elle se souvient de Jack criant à Otto : *Il sait que tu as fait quelque chose !* Johannes a remis en question la piété de Marin, lors de leur dispute au salon, et, plus tard, Marin a dit qu'elle avait pris à son frère quelque chose qui ne lui appartenait pas. Johannes savait-il et avait-il feint de ne rien voir ? Ça semble incroyable, mais tant de choses sont incroyables chez Johannes. Marin et lui se disputaient souvent Otto comme un territoire à revendiquer, débattaient de qui l'appréciait le plus ou qui avait davantage besoin de lui.

Il reste deux pâtisseries près de Johannes.

« Vous devriez les manger tant qu'elles sont fraîches, conseille Nella.

— Venez vous asseoir à mes côtés ! » dit-il d'une voix calme.

Comme il est frêle ! Toute lumière a disparu de ses yeux. Nella sent presque l'esprit de son mari se dissoudre jusqu'à n'être plus rien. Elle voudrait s'en saisir et le retenir dans ses poings, l'empêcher de s'échapper. « Je vends le sucre, annonce-t-elle en s'asseyant. Un pâtissier m'aide.

— Je ne crois pas que ça renversera la situation d'ici à demain », remarque-t-il avec l'ombre d'un sourire.

Nella lutte contre les sanglots. Cornelia a tenu sa

promesse de ne rien dire, mais comment ne pas lui raconter ce qui s'est passé — comment est-il possible qu'il ne sache pas ? Sa sœur, son adversaire tant aimée, est morte. Comment est-il possible qu'il ne lise pas la douleur sur le visage des femmes qui lui sont chères ?

« Meermans n'acceptera pas qu'on l'achète, soupire Johannes. Il semble que certaines choses n'aient pas de prix, finalement ! Marin avait raison, on ne peut pas négocier des abstractions. Certainement pas des trahisons.

— Mais c'est Amsterdam…, proteste Nella en pensant à Lysbeth Timmers marchandant son silence.

— Où le pendule oscille entre Dieu et florin. Frans prétend faire ça pour sauver mon âme, mais, au fond, il enrage parce que je n'ai pas vendu son sucre assez vite. Il lutte pour ses pains en me traitant de sodomite.

— Est-ce la seule raison, Johannes ? La vengeance ? »

Il la regarde dans la pénombre. Elle veut qu'il donne sa version de l'histoire de Marin, qu'il confirme qu'elle a refusé de se marier, mais il est loyal jusqu'au bout. « Le sucre représentait tant pour lui, et je l'ai traité avec indifférence !

— Pourquoi ça ? À cause de Jack ?

— Non. Parce que je sentais l'appât du gain de Frans et d'Agnes dans l'air qu'on respire, et ça me dégoûtait autant que le produit lui-même.

— Vous êtes pourtant un commerçant, pas un philosophe.

— L'amour de l'argent n'est pas indispensable pour être un bon homme d'affaires, Nella. J'ai besoin de fort peu pour moi.

— Juste de pommes de terre ?

— Juste de pommes de terre, dit-il en souriant, et vous avez raison, je ne suis pas un philosophe. Je ne suis qu'un homme qui est allé jusqu'au Suriname.

— Vous avez dit que le sucre était délicieux.

— Et j'en suis amplement récompensé ! soupire-t-il, attristé, en regardant la cellule. Le secret, en affaires, c'est de ne pas avoir de sentiments, de toujours être prêt à perdre. Ça m'importait à la fois trop et trop peu. »

La terrible perspective de bientôt perdre Johannes prend soudain une place immense.

« J'ai mal évalué la situation. De vieilles blessures... Ça n'a plus d'importance. Il n'y a plus rien à faire. Cornelia m'a inondé de ses larmes, et voilà que vous aussi ! Vous auriez pu m'apporter une autre chemise. Quelle mauvaise épouse vous faites ! plaisante-t-il en lui serrant la main. Dites à Marin qu'elle ne doit pas venir ici. »

Nella sent cette perte l'inonder comme un raz-de-marée.

« Je ne veux pas qu'elle me voie ainsi, dit-il.

— Johannes, pourquoi Jack vous a-t-il trahi ? »

Il passe la main dans ses cheveux argentés. « L'argent, je suppose, et ce que signifie l'argent. C'est forcément à cause de ça, parce que je ne peux imaginer aucune autre raison. »

Le silence s'épaissit. Nella sent que Johannes lutte pour étouffer sa peur. Il parle vite pour se sortir de pensées plus sombres. « Vous auriez dû entendre le témoignage d'Agnes. Son esprit a toujours été un peu fêlé, mais je crois qu'à cet instant, il s'est vraiment brisé. Agnes aime Frans depuis leur rencontre, mais l'amour peut être un poison.

À quel point a-t-elle été heureuse de céder à sa volonté, cette fois ? Je n'en sais rien. Elle a foi en son Dieu, bien sûr, et en l'ordre saint selon lequel tout doit se dérouler, mais ce jeudi matin, elle avait un air... Elle semblait tout à fait perturbée, comme si elle savait que c'était mal de livrer un faux témoignage, mais qu'elle allait quand même le faire. Il est probable que jamais elle ne s'est mieux connue qu'à ce moment, que jamais elle ne s'est autant surprise. »

Il rit doucement et Nella enferme ce son dans son cœur en se jurant de ne jamais l'oublier.

« Marin avait raison depuis le début, à propos d'Agnes et de Frans, dit-il. Ils sont le genre de personnes à ne voir partout que sucre noirci. »

Dieu sait que le mari de Nella n'a pas toujours été le juge le plus avisé de la personnalité d'autrui mais Johannes mesurait la valeur de Marin. Il gardait en mémoire des années d'intelligence, d'humeurs plus affables. Peut-être avait-il vu la jeune fille brillante se transformer en femme dure quand elle n'avait pu accomplir la destinée qu'elle avait imaginée. Il se montre magnanime à son sujet et Nella sent presque Marin auprès d'eux, illuminant l'obscurité de la cellule.

Nella n'est pas Jack — elle n'est pas celle qui arrachera l'image de la sœur de Johannes de son cadre. Elle ne pourra jamais confier à Johannes ce qu'il a perdu ni, finalement, combien eux tous n'avaient qu'une connaissance superficielle de Marin.

« Je les hais, Johannes, de toute mon âme !

— Non, Nella, ne vous épuisez pas pour eux. Cornelia m'a dit comment vous avez travaillé avec Arnoud Maakvrede. Ça ne me surprend pas, mais ça a été un immense plaisir à entendre. Et dire que ce sucre va rester ici, dans la République !

— Marin m'a beaucoup aidée », affirme-t-elle en sentant la clé de l'entrepôt contre sa poitrine.

Le silence tombe entre eux et ils enlacent leurs mains, comme si le contact de la chair pouvait retarder l'arrivée de l'aube.

Pierre de meule

Nella voit les centaines de bateaux amarrés, leurs coques alignées le long des fines jetées appartenant à la VOC — flibots et galiotes, hourques et barges, formes et vocations différentes, mais tous là pour le bien de la République. La plupart des mâts sont nus, gréements et voiles pliés, protégés des éléments jusqu'à ce qu'il soit temps de les graisser, de les déployer, de les tendre sur le bois.

Les navires qui ont hissé leurs voiles ressemblent à des fleurs prêtes à trouver les alizés et à emporter leurs marins au loin. Les coques craquent, gonflées de l'inévitable humidité salée qui ronge la vie de tous ceux qui travaillent à bord. L'air dépose son odeur sur la langue — fond de cale, détritus sur les quais que les mouettes n'ont pas réussi à terminer, poissons à moitié dévorés. Sous le ciel qui s'assombrit, les ordures jetées par-dessus bord flottent sur l'eau.

Le spectacle de ces vaisseaux est impressionnant en temps normal, les énormes carcasses de ces véhicules de l'empire, de ces mercenaires qui font le sale boulot des autres ondulant sur les vagues. Pourtant, sous le soleil déclinant de ce dimanche après-midi, tout le monde n'a d'yeux que pour l'homme et, autour de son cou, pour la corde qui le relie à une pierre de meule.

Qu'il s'agisse d'un mariage ou de funérailles, on réprouve toute cérémonie à Amsterdam ; les rituels sont jugés trop grossiers, trop papistes — on doit les éviter. Pourtant, un homme riche qu'on va noyer, c'est différent, avec ce côté moraliste scabreux, ce symbolisme tiré de la Bible. Évidemment, les gens sont donc venus en foule. Ils encombrent la jetée — agents de la VOC, capitaines de navires et commis, membres de guildes, régents du Stadhuis et leurs épouses, et de nombreux pasteurs. Bien en vue, le pasteur Pellicorne, le *schout* Slabbaert et même Agnes Meermans, seule, engoncée dans son col en fourrure tape-à-l'œil. Son mari ne l'a pas accompagnée. Trois hommes à la mine solennelle forment la garde rapprochée de Johannes.

Nella est restée à l'arrière des curieux. Le regard dur de Pellicorne glisse sur elle, feignant de ne pas la voir. Ses employés sont venus la veille déposer sa belle-sœur dans un cercueil et l'emporter, et Marin attend, dans la crypte de la Vieille Église, le dernier service auquel elle assistera.

Pellicorne se retourne vers l'affaire du jour. Quelle gloire intérieure il doit éprouver ! songe Nella. La volonté de la loi et la volonté de l'Église réclament leur macabre dû. L'air satisfait de Pellicorne est répugnant.

Nella a promis à Johannes qu'elle serait présente. La pire promesse qu'elle ait jamais dû tenir. La veille, elle est restée dans sa cellule pendant une heure. Ils se sont tenu les mains en silence. Le gardien ne les a pas dérangés. La qualité de ce calme, de cette heure, Nella n'en refera plus jamais l'expérience. À l'avenir, elle l'évoquera comme sa nuit de noces, une communion qui n'avait pas besoin de mots. Les mots avaient perdu leur pouvoir trompeur et, à leur place, tous deux avaient parlé une langue plus profonde, plus riche.

En le quittant, Nella s'était arrêtée sur le seuil de la cellule, et il lui avait souri, son visage étrangement jeune, alors qu'elle se sentait extrêmement vieille, comme si le silence avait fait passer en elle toute la douleur du condamné. Elle allait devoir la porter tandis que Johannes s'envolait, vide, creux et libre.

À la maison, Cornelia avait été endormie par une puissante potion préparée avec une facilité effrayante par Lysbeth Timmers, arrivée à l'aube pour nourrir Thea, et qui avait décidé de ne pas repartir. « Vous pourriez avoir encore besoin de moi, aujourd'hui », avait-elle dit.

Leurs yeux s'étaient croisés et Nella avait hoché la tête. En ce moment, Lysbeth attendait son retour dans la cuisine.

Nella n'a pas confiance dans le sol sous ses pieds et elle tente de se stabiliser en écartant les jambes. Le vent de janvier, turbulent, gonfle son manteau et l'agresse comme des griffes de chat. Elle porte une capuche et une jupe brune toute simple appartenant à Cornelia. Ce costume doit l'aider à supporter cette torture, comme si un déguisement pouvait la protéger de la vérité.

Johannes aussi est déguisé. On l'a habillé d'un ensemble en satin argenté qui n'est pas à sa taille et d'un chapeau doté d'une plume fièrement dressée que jamais il n'aurait porté, autant de preuves censées montrer que l'habit fait le moine. Nella en perçoit des éclairs entre des épaules, une manche lumineuse comme une armure au milieu des teintes ternes et du noir. Soudain, elle s'appuie sur sa voisine.

La femme sursaute à son contact et se tourne vers elle. « Tout va bien, ma chérie, dit-elle devant la terreur qui déforme le visage de Nella. Ne regardez pas, si vous ne pouvez pas le supporter. »

Sa gentillesse fend le cœur de Nella. Comment des gens attentionnés peuvent-ils venir voir ça ? se demande-t-elle.

Slabbaert pose la main sur l'épaule de Johannes et, dès cet instant, Nella ne regarde plus. Elle entend, seulement, les yeux fermés, le vent sur son visage, les voiles qui claquent comme du linge mouillé sur une corde. Elle entend deux bourreaux traîner la pierre de meule. Johannes, attaché à elle, doit osciller au bord de la jetée. La demi-tonne de pierre frotte et crisse, un son qui pénètre la peau de Nella pour gagner la moelle de ses os.

Tandis que la foule retient son souffle, Nella sent son urine chaude couler le long de ses jambes, la laine de ses bas l'absorbant, irritant sa peau. Il parle. Elle l'imagine se tournant pour apercevoir son visage, celui de Marin, celui de Cornelia. Pourvu qu'il me voie ! implore-t-elle. Qu'il sache que je lui envoie une prière.

Mais le vent emporte les dernières paroles de Johannes et elle ne les entend pas. Johannes, dit-elle dans un souffle. Elle tend l'oreille, mais elle est entourée de gens qui marmonnent des platitudes, chuchotant des prières ou des remarques futiles. Il est trop faible pour que sa voix porte et, quand les murmures se taisent, on a fait rouler la pierre de meule au bout de la jetée. Johannes. Elle éclabousse la surface agitée de la mer et plonge dans les profondeurs.

Nella ouvre les yeux. Une vague épaisse s'élève, forme une crête blanche circulaire et disparaît en quelques secondes.

Personne ne bouge tandis que le vent caresse les cheveux sur les fronts.

« C'était un de nos meilleurs marchands, dit un homme. On est fous. »

Les spectateurs respirent à nouveau.

« Pas de corps à enterrer, dit quelqu'un. On ne le remontera pas. »

Nella se détourne. Elle est en vie, et elle ne l'est pas. Elle est au fond de l'eau avec Johannes. Appuyée contre un mur, tête baissée vers le sol, elle a le cœur au bord des lèvres. Combien de temps cela prendra-t-il à la mer pour emplir ses poumons ? Fais vite ! Sois libre ! lui transmet-elle.

C'est alors qu'elle sent quelque chose. Sa nuque la chatouille, ses genoux ploient un peu. Elle ouvre les yeux et scrute la foule à la recherche d'un éclair de cheveux pâles. Elle est encore là, je le sens ! s'irrite Nella. Elle détaille les visages en quête de ce regard calme, attentif, d'un au revoir que la miniaturiste lui adresserait.

Mais ce n'est pas la miniaturiste qui s'offre à son regard.

Il est plus mince, vêtu comme à son départ de ce riche manteau en brocart. L'espace d'une folle seconde, Nella croit que son mari est ressorti des eaux, qu'un ange l'a ramené à la vie. Non, il n'y a pas d'erreur possible. Nella lève la main en signe de reconnaissance et, la bouche béante de douleur, Otto lève la sienne, ses doigts tremblants, une étoile brillant dans l'obscurité.

CINQ

Le même soir
Dimanche 12 janvier 1687

Viens, enivrons-nous d'amour jusqu'au matin [...].

En effet, mon mari n'est pas à la maison, il est parti pour un voyage lointain;

il a pris la bourse avec lui, il ne reviendra à la maison qu'à la pleine lune.

Proverbes 7:18-20

Nova Hollandia

Il semble être en état de choc après ce dont il a été témoin, parce qu'elle doit l'entraîner en le tirant par la manche, leurs pieds glissant sur les pavés. « Venez, rentrez à la maison ! »

Nella est torturée, hors d'haleine tant elle souffre. La lumière a disparu, l'ombre les enveloppe. Elle tente de chasser l'image du cercle d'écume, le son de Johannes entraîné sous la surface de la mer. Elle accélère le pas de crainte que la douleur ne la paralyse, qu'elle ne finisse par se rouler en boule sur le quai et ne bouge plus jamais.

Otto se tourne vers elle, abasourdi, serrant le manteau de Johannes autour de son torse. Il s'arrête et tend le bras en direction des docks. « Madame, qu'est-ce qui s'est passé, là-bas ?

— Je… Je ne peux pas… Je n'ai pas de mots, Otto. Il n'est plus.

— Je ne savais pas qu'on l'avait emprisonné ! dit-il en secouant la tête, toujours aussi stupéfait. J'ai pensé qu'aller à Londres vous protégerait tous, Madame. Je n'aurais jamais…

— *Venez !*

Quand ils atteignent le Herengracht, Otto est bouleversé de revoir la maison. Il saisit le heurtoir en forme de dauphin et s'y accroche pour éviter de s'effondrer, la souffrance le disputant sur son visage à la volonté de se contrôler. Ce qu'il est sur le point de découvrir au-delà de cette porte se déploie comme une fleur vénéneuse dans le corps de Nella, car il est impensable qu'une personne puisse supporter tant de douleur. Nella titube à la suite d'Otto qui est en train de vivre le pire des retours possibles. L'intérieur paisible ne reflète pas la perte de Marin.

« Par ici », dit Nella en entraînant Otto au salon où Lysbeth Timmers a bien allumé un feu, dégageant une chaleur qu'ils n'ont plus éprouvée depuis des semaines, les flammes exécutant une danse étrangement joyeuse. Le sang de Nella circule à nouveau. À l'arrière du brasier, des veines d'étain s'inclinent en une révérence, l'écaille de tortue éclate et craque.

Lysbeth est debout au centre de la pièce, Thea serrée contre sa poitrine. Elle voit Otto, qui fixe l'enfant des yeux. « Qui est-ce ? » demande la nourrice.

Nella se tourne vers lui. Sera-t-il capable de se présenter ? Se pose-t-il la même question que Lysbeth Timmers ? Comme dans un rêve, Otto s'avance vers l'enfant et tend ses paumes pleines d'espoir. Nella se souvient d'avoir déjà vu Otto faire ce geste. Il avait tendu les mains de la même manière le jour de son arrivée, quand il lui avait remis une paire de socques pour la protéger du froid.

Lysbeth recule.

« Lysbeth, voici Otto. Voulez-vous lui donner l'enfant, s'il vous plaît ? » dit Nella.

L'autorité est si perceptible dans sa voix que Lysbeth obéit immédiatement. « Allez-y doucement ! » murmure la nourrice.

Otto colle Thea contre sa poitrine comme si elle était la vie même, comme si son petit cœur pouvait le garder en vie par ses battements. Lysbeth reste muette devant ces présentations si étranges, au milieu de tant de disparitions, et pourtant si naturelles.

« Lysbeth, murmure Nella, allez réveiller Cornelia. »

❧ ❀ ☙

Dès qu'ils sont seuls, Nella sait qu'elle doit parler. « Elle s'appelle Thea. Otto... je dois vous dire quelque chose. »

Plongé dans le visage de Thea, absorbé par ce petit miroir de lui-même, Otto n'a pas l'air d'avoir entendu.

« Otto...

— Madame Marin disait que ce serait un garçon. »

Nella ne sait que répondre. Il lui paraît impossible de lui annoncer la nouvelle. « Vous saviez ? »

Il hoche la tête et, quand son visage bouge sur fond de flammes, Nella voit ses larmes, elle voit qu'il cherche désespérément le mot juste — n'importe quel mot qui pourrait retirer un peu du poids que ses épaules semblent porter. Il montre soudain le sol terni, les fauteuils en merisier poussiéreux. « Elle n'est pas là, dit-il enfin comme si ces objets inanimés étaient la preuve de ce qu'il a perdu.

— Non, elle n'est pas là. »

Nella déglutit pour ravaler un sanglot, parce

qu'elle sent qu'en pleurant elle risquerait d'empié-
ter sur la douleur d'Otto. « Je suis désolée, Otto.

— Madame, vous avez sauvé l'enfant ! » dit-il
d'une voix rauque qui coupe les mots en deux.

Elle lève les yeux et il soutient son regard
accablé.

« Je sais qu'elle aurait donné sa vie dans l'espoir
que cette petite créature survive, affirme Otto.

— Mais pourquoi a-t-il fallu qu'il en soit ainsi ? »

Elle ne peut plus retenir ses larmes, et ses efforts
pour les contrôler font qu'elles coulent plus vite,
plus grosses, brouillant sa vision. « Son état a
empiré si rapidement. Je... Nous n'avons pas pu la
ramener à la vie. On a essayé, Toot, mais on ne
savait pas...

— Je comprends », murmure-t-il.

À la douleur qui s'inscrit sur son visage, il est
pourtant clair qu'il ne le peut pas. Nella sent ses
jambes la trahir. Elle gagne un fauteuil.

Il reste debout, les yeux sur le sommet du crâne
de Thea. « Je ne l'ai jamais vue si déterminée que
lorsqu'elle m'a dit qu'elle attendait un enfant.
J'étais sûr que le monde touchait à sa fin. Je lui ai
demandé : "Quelle sera la vie d'un tel enfant ?"

— Qu'a-t-elle répondu ?

— Elle a dit, répond Otto en serrant Thea plus
fort, qu'il aurait la vie qu'il se construirait.

— Oh ! Marin...

— J'ai jugé bon de partir, mais il fallait que je
revienne. Je devais voir... »

Le fait que Thea soit là, la manière dont elle a été
créée, flotte autour d'eux, la vie main dans la main
avec la mort. Peut-être est-ce un secret qu'Otto gar-
dera à jamais, songe Nella. Dieu sait que Cornelia
l'aidera, en agissant comme si ça n'était jamais

arrivé, comme si Thea n'avait pas été conçue dans le péché ou qu'elle avait poussé dans un arbre. Un jour peut-être racontera-t-il comment tout a commencé, entre Marin et lui, et pourquoi — si l'un et l'autre ont vécu cet amour comme un pouvoir ou bien un abandon, si leurs cœurs communiaient librement et en toute légèreté, ou si le temps avait fait de cet amour un fardeau.

Thea, qui sera à elle-même sa propre carte — elle verra les références du visage de son père dans la moitié du sien et se demandera : où est ma mère ? Je lui donnerai la poupée, décide Nella. Je lui montrerai ces yeux bleus, ces poignets si fins, le gilet doublé de fourrure. *Il ne doit plus y avoir de secrets !* ai-je dit. Je lui montrerai donc la courbe du ventre qu'a révélée le cadeau de la miniaturiste. Tu étais là, Thea. Petronella Windelbreke a vu que tu arrivais, et elle a su que c'était bien. Elle t'a aussi envoyé un berceau. Elle racontait ton histoire avant même ta naissance, mais maintenant, c'est à toi de la terminer.

❧

Encore étourdie par la valériane, Cornelia a été tirée de son lit par Lysbeth. Elle s'arrête à la porte du salon, l'air interrogateur jusqu'à ce qu'elle aperçoive la réponse à sa question et que la stupéfaction se répande sur son visage. « *Toi !*

— Moi, confirme nerveusement Otto. J'étais à Londres, Cornelia. Les Anglais m'appelaient *blackamoor* ou *lambkin*. Je logeais au Perroquet d'Émeraude. J'étais sur le point de t'écrire et de te dire... Je... »

Les mots se bousculent, Otto retenant la marée

de douleur avant qu'elle ne se brise sur la tête de sa plus vieille amie.

Cornelia titube vers lui, touche ses coudes et ses épaules, ses mains encore pleines de Thea. Elle touche son visage, tout ce qu'elle peut pour se prouver qu'il est là en chair et en os. Elle tapote sa nuque en un geste d'amour furieux. « Assez ! dit-elle en l'enlaçant, en respirant sa présence. C'est assez. »

Nella n'a pas retiré son manteau. Elle les abandonne au salon, foule les dalles en marbre et gagne la porte d'entrée, laissée entrouverte dans leur hâte. Elle l'ouvre en grand et s'arrête sur le seuil, l'air frais sur les joues. Les cloches du dimanche soir commencent à sonner sur les toits d'Amsterdam, et les harmonies tintent, claires et puissantes. Dhana trotte jusqu'à sa jeune maîtresse et glisse sa tête sous sa main pour obtenir une caresse.

« Est-ce qu'on t'a nourrie, ma beauté ? » demande Nella à la chienne en frottant la soie de ses jolies oreilles.

Tandis que les cloches carillonnent pour annoncer la tombée de la nuit, Nella distingue le fin croissant blanc de la lune, tel l'ongle d'une dame, incurvé dans le ciel assombri.

Cornelia traverse le hall, son tablier noué, la tête tournée vers la cuisine. « Il fait froid, Madame. Rentrez ! »

Nella reste à regarder leur portion du canal gelé, ourlé de glace fondue. De l'eau plus chaude commence à attaquer la chape hivernale du Herengracht, et ses berges ressemblent à de la dentelle entourant un berceau géant.

Une casserole échappe à Cornelia dans la cuisine, et on entend des murmures d'apaisement au salon quand Thea pousse un cri. Les voix de Lysbeth et Otto flottent sur les dalles. Nella plonge la main dans la poche de son manteau pour en sortir la maison miniature qu'elle a prise à la Kalverstraat, mais elle n'est plus là. C'est impossible ! se dit-elle en fouillant le tissu. Elle tâte le petit bébé, et la miniature d'Arnoud. Est-ce que je l'ai fait tomber en courant dans les rues ? Est-ce que je l'ai oubliée dans l'atelier ? Tu l'as vue, pourtant. Elle était bien réelle.

Réelle ou pas, Nella ne l'a plus. Par contre, les cinq personnages que la miniaturiste y avait déposés sont bien dans la vraie maison : la jeune veuve, la nourrice, Cornelia, Otto et Thea. Finiront-ils par apprendre les secrets de leurs existences respectives ? Ils sont tous des brins de laine abandonnés aux quatre vents… mais ça a toujours été le cas, remarque Nella. Nous formons ensemble une trame tissée d'espoir dont la confection ne revient qu'à nous.

Le crépuscule glisse dans la nuit, et une odeur de noix de muscade monte de la cuisine. Le petit corps de Dhana réchauffe le côté des jupes de Nella. Le ciel est un océan qui s'écoule entre les toits, trop vaste pour qu'à l'œil nu on distingue où il a commencé et où il finira. Sa profondeur, où elle voit une infinité de possibilités, entraîne Nella loin de la maison.

« Madame ? » appelle Cornelia.

Nella se retourne et inspire l'arôme des épices. Elle vole un dernier regard vers le ciel et rentre chez elle.

ANNEXES

GLOSSAIRE DE QUELQUES TERMES
NÉERLANDAIS DU XVIIe SIÈCLE

Bewindhebber : Partenaire de la VOC. Ils avaient souvent un capital important investi dans la compagnie.

Bourse : Entre 1609 et 1611, le premier établissement d'échange, ou Bourse, a été construit sur le canal Rokin. Il consistait en une cour rectangulaire entourée d'arcades où se déroulaient les transactions.

Donderbus : Littéralement « tuyau-tonnerre ». C'est un tromblon.

Florin (Guilder - Gulden) : pièce d'argent frappée pour la première fois en 1680, divisée en 20 *stuivers* ou 160 *duits*.

Gebuurte : Rassemblement de voisins dont les membres se chargent en commun de l'ordre, de la sécurité, de la tranquillité des habitants, aident un voisin en période difficile, servent aussi d'intermédiaires dans les conflits domestiques et assistent la famille des mourants pour organiser les funérailles.

Herenbrood : Littéralement « pain des gentilshommes », réservé aux riches, car confectionné avec de la farine blanche, nettoyée et moulue, contrairement au pain bis meilleur marché.

Hutspot : Potée de viande et de légumes de toutes sortes. On met ce qu'on a dans la marmite.

Kandeel : Connu en français sous le nom de « chaudeau », c'est une boisson épicée à base de vin épaissi avec de la poudre d'amande, de la farine, des fruits secs, du miel, du sucre et des jaunes d'œufs.

Nicht : Néerlandais pour « nièce ». Utilisé dans les cercles homosexuels.

Olie-koecken : Forme ancienne de beignet fait avec de la farine de blé, des raisins secs, des amandes, du gingembre, des clous de girofle et des pommes, le tout frit et roulé dans du sucre.

Puffert : Crêpe de pâte levée frite à la poêle.

Rhenish : Vin du Rhin.

Schepenbank : Groupe de magistrats intervenant dans le cadre judiciaire. Une des fonctions du *schepenbank* était de juger les criminels, et il fonctionnait alors comme un ensemble de jurés.

Schout : Chef de la police ou bailli. Il présidait aux procédures légales des procès au Stadhuis. Équivalent d'un magistrat en chef.

Spinhuis : Pénitencier pour femmes à Amsterdam, fondé en 1597. Les prisonnières devaient filer, tisser et coudre.

Stadhuis : L'Hôtel de Ville, devenu le palais royal, sur la place du Dam. Les témoignages et les délibérations se déroulaient dans la *schoutkamer*. La prison et les salles de torture se trouvaient au sous-sol. Les peines de mort étaient prononcées au sous-sol par le *schout*, devant l'accusé assisté d'un pasteur. Tout citoyen pouvait entendre la sentence depuis un petit espace au rez-de-chaussée qui avait vue sur la salle des condamnations. La banque de change d'Amsterdam était elle aussi située dans les caves du Stadhuis, où on conservait toutes sortes de pièces de monnaie, des lingots d'or et d'argent. Ceux qui les déposaient là recevaient leur contre-valeur en florins. La banque de change procédait aussi aux transferts d'argent entre le compte d'un client et celui d'un autre.

Verkeerspel : Version néerlandaise ancienne du jacquet ; souvent représenté en peinture pour rappeler aux gens de ne pas devenir trop prétentieux. Le terme signifie « jeu de change ».

Warenar (de P. C. Hooft) : Tragi-comédie datant de 1617 à propos de modération, d'appât du gain et d'obsession. Warenar est un riche qui vit volontairement dans la pauvreté et qui est obsédé par la préservation de son or. Sa fille, Claartje, se retrouve enceinte, hors mariage, de Ritsert, un prétendant que Warenar n'approuve pas. Quand l'or de Warenar disparaît et que Ritsert le retrouve, il autorise alors le jeune homme à épouser Claartje, et renonce à sa richesse.

COMPARAISONS DES SALAIRES À LA FIN
DU XVIIᵉ SIÈCLE À AMSTERDAM

Durant le dernier quart du XVIIᵉ siècle, 1 % des foyers d'Amsterdam possédaient environ 45 % de la richesse totale de la ville.

Le Receveur général de la République (au sommet du gouvernement) touchait un salaire de 60 000 florins par an en 1699.

Un riche marchand comme Johannes devait gagner environ 40 000 florins par an, en dehors de ses biens qui constituaient une tranche distincte mais substantielle de sa richesse. On sait que les marchands les plus aisés ont laissé des fortunes atteignant 350 000 florins.

À Amsterdam, un schout, c'est-à-dire un chef de la police (une position importante au gouvernement), pouvait gagner 9 000 florins par an.

Un chirurgien gagnait dans les 850 florins par an.

Un membre de la classe moyenne ou un artisan appartenant à une guilde (cordonnier, fabricant de bougies et chandelles ou boulanger) pouvait gagner 650 florins par an. (Les sommes dont disposent Hanna et Arnoud sont élevées, parce qu'en plus de leurs revenus ils ont eu de la chance en Bourse.)

Un ouvrier pouvait gagner environ 300 florins par an, soit 22 *stuivers* par jour.

FRAIS D'UN MÉNAGE RICHE
À AMSTERDAM À LA FIN DU XVIIe SIÈCLE

Une chemise d'homme :	1 florin
Le paiement d'un apothicaire :	2 florins 10 *stuivers*
Une jupe simple de femme :	2 florins
Pension de veuvage pour l'épouse d'un membre d'une guilde :	3 florins par semaine
Petit paysage ou tableau biblique :	4 florins
Une tenue d'intérieur :	10 florins
Paiement d'un chirurgien :	15 florins
Tableau d'une bataille navale dans un cadre doré :	20 florins
Une armoire à linge :	20 florins
Une belle paire de chaussures :	23 florins
Un paysage de chasse en Italie dans le style de Cuyp :	35 florins
Un manteau et un gilet :	50 florins
Une armoire à linge en noyer :	60 florins
Une robe en soie damassée :	95 florins
Paiement d'un tailleur :	110 florins
Un cheval et un traîneau :	120 florins
Quarante-cinq kilos de homard :	120 florins
Entrée dans une des guildes les plus élitistes (celles des argentiers, des orfèvres, des peintres et des marchands de vin, par exemple) :	400 florins
Douze assiettes en argent :	800 florins
Une maison pour un commerçant de petite taille et sa famille :	900 florins
Une tapisserie achetée pour une pièce d'une maison sur le Herengracht :	900 florins

Une rivière de diamants :   2 000 florins
Une maison miniature meublée de 700 objets
    au fil de plusieurs années :   environ 10 000 florins

Je remercie :

Mes premiers lecteurs : Jake Arnott, Lorna Beckett, Mahalia Belo, Pip Carter, Anna Davis, Emily de Peyer, Polly Findlay, Ed Griffiths, Antonia Honeywell, Susan Kulkarni, Hellie Ogden, Sophie Scott, Teasel Scott et les femmes du club du livre Pageturners. Merci de ne pas avoir dit que ça ne valait rien et pour vos observations toujours gentilles, utiles et imaginatives. Je suis tellement chanceuse d'avoir ces amis-là que je crains, pour ma prochaine vie, d'être réincarnée en moucheron.

Les Trois Grâces munies de stylos rouges et affectionnant les points d'exclamation : mon éditrice britannique Francesca Main, qui a su associer des commentaires et des observations extraordinaires à sa gentillesse et à sa sensibilité, et mes éditeurs aux États-Unis et au Canada, Lee Boudreaux et Jennifer Lambert, dont la perspicacité et l'enthousiasme ont donné à ce livre tout le lustre possible. Je ne vous remercierai jamais assez tous les trois d'avoir cru en moi et en la miniaturiste.

Chez Picador, merci Sandra Taylor, Jodie Mullish et Sara Lloyd pour votre travail et votre bonne humeur, Paul Baggaley pour son soutien pastoral et Nicholas Blake pour son regard porté aux détails. Merci également à Line Lunnemann Andersen, Katie Tooke et Martin Andersen, qui ont conçu une merveilleuse couverture montrant une vraie maison miniature. Ma profonde reconnaissance à Greg Villepique et Ryan Willard chez Harper Ecco.

Marga de Boer chez Luitingh-Sijthoff, pour ses excellentes observations sur l'infrastructure d'Amsterdam, sur la vie de la vraie Petronella Oortman et de son mari Johannes, et pour les réalités légales et civiles de la Hollande à la fin du XVIIe siècle. Toute erreur ou envolée imaginaire m'est due, car ma biographie de Nella est une création, une fiction absolue.

Pour leurs conseils médicaux, merci à Jessica Cutler, Prasanna Puwanarajah et Victoria Scott. Toute anomalie est due à ma seule imagination débordante.

Pour son regard de lynx : Gail Bradley.

Edward Behrens & Penny Freeman, qui m'ont si gentiment laissée m'isoler dans leurs maisons respectives où il n'y avait pas Internet — juste du temps, du calme et du silence. Et du vin.

Sasha Raskin, pour avoir si brillamment importé le roman aux États-Unis.

Et :

Mon agent, Juliet Mushens : *consigliori*, championne, superstar, amie. Pour avoir rendu cette expérience si amusante et si formidable — tu es un agent exceptionnel et un être humain comme on en rencontre peu. Bravo !

Linda et Edward, connus aussi sous le nom de Mum et Dad, pour m'avoir fait la lecture quand j'étais petite, pour m'avoir conduite à la bibliothèque et pour m'avoir acheté des livres. Aussi pour avoir dit : « Pourquoi n'écrirais-tu pas une histoire ? » quand je m'ennuyais à six ans, puis à douze, puis à vingt-sept. Et pour avoir toujours, toujours été là.

Margot, pour n'être qu'une boule de fourrure inutile qui pianote sur mon clavier.

Et Pip. Je ne sais pas par où commencer. Pour sept ans d'amour et d'amitié, de persuasion et de défis, de pensées, d'hilarité et d'émerveillement. Tu es extraordinaire. Ma bonne étoile.

UN
Mi-octobre 1686
Le Herengracht, canal d'Amsterdam

CINQ

Le même soir
Dimanche 12 janvier 1687

ANNEXES

DU MÊME AUTEUR

Aux Éditions Gallimard

MINIATURISTE, 2015 (Folio nº 6273)
LES FILLES AU LION, 2017

COLLECTION FOLIO

Dernières parutions

6341. Christian Bobin — *L'homme-joie*
6342. Emmanuel Carrère — *Il est avantageux d'avoir où aller*
6343. Laurence Cossé — *La Grande Arche*
6344. Jean-Paul Didierlaurent — *Le reste de leur vie*
6345. Timothée de Fombelle — *Vango, II. Un prince sans royaume*
6346. Karl Ove Knausgaard — *Jeune homme, Mon combat III*
6347. Martin Winckler — *Abraham et fils*
6348. Paule Constant — *Des chauves-souris, des singes et des hommes*
6349. Marie Darrieussecq — *Être ici est une splendeur*
6350. Pierre Deram — *Djibouti*
6351. Elena Ferrante — *Poupée volée*
6352. Jean Hatzfeld — *Un papa de sang*
6353. Anna Hope — *Le chagrin des vivants*
6354. Eka Kurniawan — *L'homme-tigre*
6355. Marcus Malte — *Cannisses* suivi de *Far west*
6356. Yasmina Reza — *Théâtre : Trois versions de la vie / Une pièce espagnole / Le dieu du carnage / Comment vous racontez la partie*
6357. Pramoedya Ananta Toer — *La Fille du Rivage. Gadis Pantai*
6358. Sébastien Raizer — *Petit éloge du zen*
6359. Pef — *Petit éloge de lecteurs*
6360. Marcel Aymé — *Traversée de Paris*
6361. Virginia Woolf — *En compagnie de Mrs Dalloway*
6362. Fédor Dostoïevski — *Un petit héros. Extrait de mémoires anonymes*
6363. Léon Tolstoï — *Les Insurgés. Cinq récits sur le tsar et la révolution*
6364. Cioran — *Pensées étranglées* précédé du *Mauvais démiurge*

Composition : IGS-CP à L'Isle-d'Espagnac (16)
Achevé d'imprimer par ❧ Grafica Veneta
à Trebaseleghe, le 18 janvier 2019
Dépôt légal : janvier 2019
1er dépôt légal dans la collection : février 2017

ISBN : 978-2-07-271428-3/Imprimé en Italie